"Speakin

Her hea d
him. She re r
own. "Stop

The surprise that flashed across his face eased back into a calm façade. "Never."

His thumb brushed against the top of her hand, like thousands of tiny feathers hypnotically stroking the tension from her mind and body. Replacing it was a slow, warming heat fanning through her at an alarming rate. She bit her bottom lip and waited.

Ricardo cleared his throat. "Dance with me. I'll show you a slow two-step."

Julia took Ricardo's outstretched hand.

He pulled her tight against him, the movement of his hips slow and deliberate, unbearably sexy, and Julia's body responded.

Ricardo sang low, never missing a beat. She felt his rough palm against hers, the pressure of his big hand on the small of her back sending shivers skittering over her arms, hearing him sing for her, and her alone . . .

UNA PERFECTA ROSA AMARILLA

—Hablando de rosas . . . esta es para ti, preciosa.

Su corazón palpitó con la fuerza que ya estaba acostumbrándose a sentir cuando lo tenía cerca. —Deja de ser tan agradable.

La sorpresa que se asomó a su rostro volvió a ocultarse de inmediato tras una máscara de tranquilidad.

—Jamás.

Acarició el dorso de la mano de Julia con su pulgar. Ella sintió como si miles de plumas minúsculas le fueran disolviendo a caricias la tensión que sentía en cuerpo y mente, casi hipnotizándola. Esa tensión se vio rápidamente reemplazada por una sensación de calidez que le recorrió su cuerpo con una velocidad alarmante. Ella se mordió el labio inferior, y esperó.

Ricardo carraspeó.

—Baila conmigo. Te enseñaré un paso doble lento.

Se levantó y se inclinó, extendiéndole la mano.

La apretó furetemente contra sí, el movimiento deliberado de sus caderas era lento y insoportablemente sexy, y el cuerpo de Julia respondió.

Ricardo cantó en voz baja sin perder un solo compás. Ella podía sentir su áspera palma contra la suya, la presión de su gran mano el la espalda envió escalofríos por sus brazos al escucharlo cantar para ella, y sólo para ella . . .

For Pam —
listen to your own music & let it fill your soul.

SERENADE

SERENATA

Love, Sylvia 5/00

Sylvia Mendoza

Traducción por
Belinda Cornejo Duckles

PINNACLE BOOKS
KENSINGTON PUBLISHING CORP
http://www.pinnaclebooks.com

En memoria de mi tío Panchito. Un hombre guapo, orgulloso padre de familia, con un brillo travieso en los ojos y la capacidad de hacerme reír en los momentos más difíciles. Él es la materia prima de los héroes. Te extrañaré, tío.

PINNACLE BOOKS are published by

Kensington Publishing Corp.
850 Third Avenue
New York, NY 10022

Translated by Belinda Cornejo Duckles

First Pinnacle Printing: April, 2000
10 9 8 7 6 5 4 3 2 1

Printed in the United States of America

Capítulo Uno

La música de salsa no estaba lo suficientemente alta, aunque el suelo vibraba bajo las zapatillas de tacón alto de Julia Ríos. Cerró los ojos y sonrió sin importarle un comino la forma en que sus muslos se quedaban pegados a la incómoda silla plegable. Aspiró profundamente, absorbiendo el ritmo hasta que su cuerpo se rindió ante él, y el sonido apagado del parloteo y las risas que la rodeaban se desvaneció por completo.

Era la gloria. De haber podido hubiera aumentado aún más el volumen del CD. Mientras el ritmo saliera disparado de los muros de estuco del estudio de danza de su tía estaría a salvo de cualquier pregunta sobre su rompimiento con Francisco "Cisco" Valdez, uno de los solteros más codiciados del lugar.

Nadie en sus cinco sentidos se acercaría a ella a este nivel de decibeles.

Abrió un ojo para echar un vistazo y lo volvió a cerrar rápidamente.

—Que el Señor me ayude —murmuró.

La habitación se estaba llenando rápidamente. Cuando se corrió la voz de que se había inscrito en las clases de salsa de su tía, se habían duplicado las inscripciones. Julia les había llevado hasta su propia puerta un jugoso escándalo, una telenovela de la vida real.

La más joven del salón por unos treinta años, Julia era como hija adoptiva para los alumnos que se desparramaban por la curiosa habitación. Eran más como una familia extendida de tíos y tías. A sus ojos, ella tenía que responder ante ellos.

Julia no tenía muchas esperanzas de poder mantenerlos a raya mucho tiempo. Al darse cuenta de ello su sonrisa de desvaneció.

En cuanto se detuviera la música le exigirían los detalles de su triste vida amorosa, algo extra por su dinero. Esperaban explicaciones y el derecho a consolarla, jurando ayudarla a hacer justicia. Todo, claro está, en el nombre del amor.

Elvira estaba encantada. No por la tristeza de Julia, sino porque por primera vez en años se había formado una lista de espera. Julia era lo mejor que le había sucedido al estudio desde que los gemelos Pérez habían conocido en persona al actor Andy García en el Aeropuerto Lindbergh tres años atrás.

Feliz de que una vez más los negocios fueran viento en popa en el estudio, Julia se resignó a ser la máxima campaña de publicidad para su abuela. Elvira necesitaba el dinero.

Por vigésima ocasión alguien le dio a Julia una palmadita en la cabeza.

Julia, reacia, abrió sus ojos.

—Ah. Hola, Lorenza —le dijo a la mujer de edad avanzada que vivía del otro lado de la calle, eterna alumna y mejor amiga de su tía.

La única en desafiar a la música, Lorenza se inclinó cerca del oído de Julia y gritó:

—¿Te abandonó?

¿Cómo fue Julia a pensar que algo de música a alto volumen detendría a alguien como Lorenza? Julia esperaba ver a todos en la habitación inclinarse para escuchar su respuesta. Como nadie más reaccionó, retiró la arrugada mano de Lorenza de su cabeza y la sostuvo. Meneó la cabeza, sin deseos de gritar una respuesta, ya que con su suerte seguramente la música se detendría justo en medio de su débil intento de explicación.

La mirada de compasión en los ojos oscuros de Lorenza, hoy acentuados con algo de sombra azul fosforescente, lo decía todo. No le creía a Julia.

Tomó el rostro de Julia entre sus manos y le besó la frente.

—Pobre niña.

Su murmullo le pareció tan estridente como su grito.

—¡Ese bueno para nada! Si quiere ser alcalde más vale que comience a cuidar lo que hace. Si te lastima ninguno de nosotros va a votar por él.

Volvió a gritar:

—¡Quiero escuchar cada detalle!

Julia asintió. Se le había acabado el tiempo.

Lorenza se despidió de ella y marchó ante la fila de sillas ocupadas con su corto vestido de fiesta envolviéndose alrededor de sus piernas gruesas. Saludó a todos al pasar con sonrisas y caricias y fuertes abrazos. Al final de la fila halló una silla debajo de la cual metió su bolso. Inmediatamente se vio rodeada por varios caballeros mayores que noblemente ignoraban la música estridente para tratar de conversar.

Su fantasía se desmoronó cuando percibió la mirada malhumorada de Elvira. Quizás Julia había subido demasiado el volumen de la música. Miró a su alrededor y descartó esa idea. Probablemente ella y Elvira eran las únicas personas en la habitación que no necesitaban de aparatos para el oído.

Julia le mandó un beso. Elvira la amonestó con el dedo y le sonrió.

El siempre elegante cuerpo de bailarina de Elvira se deslizó a través del maltratado pero impecable piso de madera hacia el aparato de CD. Apenas disminuyó el volumen de la música. El zumbido de incontables conversaciones volvió a subir de tono. Ella abrió una carpeta y se inclinó sobre la mesa para estudiar su contenido.

A los sesenta años, con su cabello recogido en un

fino moño, a veces se veía más joven que la madre de Julia. Era ciertamente más accesible y era menos probable que se quedara decepcionada ante los fiascos y faltas de Julia que su madre.

Julia no sólo había roto su compromiso con Cisco, el carismático candidato preferido en las próximas elecciones para alcalde; también había abandonado la prestigiosa compañía de relaciones públicas de su padre. Muchos la considerarían una tonta.

Julia miró a su alrededor y se hundió en su silla. Si había algún lugar donde podía hacerse invisible, era aquí en el estudio, su segundo hogar. Los alumnos de su tía no le permitirían volver a poner su tembloroso ser en pie. Después le darían una nalgada y le dirían que volviera a las labores de los vivos.

Miró hacia arriba y de inmediato se le levantó el ánimo. No pudo evitar sonreír y saludar al caballero que se aproximaba.

Su abuelo le regresó el saludo y caminó hacia ella con pasos largos y seguros. Su sonrisa llegaba hasta sus ojos que brillaban detrás de los anteojos de carey. Su cabello plateado estaba estirado hacia atrás de su amplia frente.

Julia le dio la mano.

—Sálveme, abuelito.

—Ah-ah-ah. Sabías cómo serían las cosas, mi hija.

Acomodó frente a ella la silla que le había reservado.

Ella sostuvo su mano con fuerza y se inclinó hacia delante hasta que sus frentes estuvieron a punto de tocarse.

—Hice lo correcto, abuelo, sé que así fue. Todos me creen una tonta al despreciar el nombre y fama de Francisco, pero no era importante. Yo quería un amor intenso. Pasión, amistad, respeto. Todo.

—Creíamos que eso era lo que tenías.

Suspiró.

—Yo también. Francisco es una gran persona, pero

faltaba esa chispa. Además, nunca le importé tanto como su próxima campaña. Quiero amar a alguien como usted amó a la abuela, y que alguien me ame igual.

Los ojos del abuelo se humedecieron. Se meció lentamente, llevándolo el recuerdo más allá de Julia, aunque la abuela había muerto hacía años.

—Ah, sí, mi hija. Ese amor que se da una sola vez en la vida, que te hace dar gracias a Dios a diario y con frecuencia, y contar las horas para volver a estar ante la presencia del otro.

Cerró los ojos y se volvió a mecer.

—Sí, sí. Pero ese es un don, Julia, un regalo. No basta con desearlo.

Julia se recriminó por el cambio drástico de humor.

—Entonces creo que no estoy lista. En estos días la creación de mi compañía me absorbe todo el tiempo.

El abuelo meneó la cabeza.

—Chiquita. El tiempo no tiene nada que ver con enamorarse. No es algo que se negocia o se planea.

—Lo sé. —Julia le dio un golpecillo en la cabeza—.

—Lo sé, abuelo. Por ahora sólo deseo olvidarlo todo durante cuatro horas a la semana, justo en esta habitación. Prométame que será mi pareja de baile.

El abuelo soltó una risa ahogada y el brillo retornó a sus ojos.

—Tu abuela no lo permitiría. Ni yo tampoco. Tarde o temprano tendrás que enfrentarlos a todos. Te sentirás mejor cuando ayudes a tu tía. Baila con todos aquí. Cambiar de pareja es lo que lo hace divertido.

Se inclinó en su silla y saludó a una mujer diminuta con un vestido floreado que estaba al final de la fila.

—Ya veo cuánta compasión me tiene, abuelito.

—No en esta habitación, ni con esta música. Pero ven después a tomar café y comer del pan dulce de tu tío, y te dejaré llorar en mi hombro todo lo que quieras.

Le acarició la mejilla.

—Si sientes que hiciste lo correcto, es que hiciste lo correcto. Casarte con el hombre equivocado por un apellido te hubiera robado años de tu vida. Ahora sólo baila.

La besó, se levantó y se dirigió hacia la mujer del vestido floreado.

Esa era la razón por la que Julia había comenzado a dar clases, para empezar. La música era medicina. El baile era justo lo que había recetado el doctor.

Elvira levantó la mirada de sus papeles, se la lanzó a Julia desde el otro extremo de la gran habitación, y le sonrió. Cuando estaba a punto de bajar el volumen de la música, el brillante sol que entraba a manos llenas en la habitación por la puerta lateral, que estaba abierta, desapareció de repente.

Un eclipse, pensó Julia, hasta que sus ojos se detuvieron en los hombros ridículamente anchos que se dibujaban en la puerta. Siguió la larga línea de un cuerpo de hombre —un cuerpo grande y macizo —con cierta admiración. No había forma de confundir la masculinidad que exudaba su simple postura. Era masculino, un macho. Todo con "M" mayúscula.

Los ancianos de la habitación jalaron sus barrigas al unísono, recordándole a un montón de gallos con las alas encrespadas. Las mujeres se sentaron más erguidas y trataron de cruzar las piernas. Lenta y silenciosamente todas las cabezas se dieron vuelta para observar a la imponente figura que entraba en la habitación. Las conversaciones fueron disminuyendo hasta callar.

Sin atender su proximidad al volumen del aparato, Elvira se llevó las manos a la boca y aparentemente le gritó algo al extraño.

Se aproximó lentamente hacia Elvira y se quitó el sombrero blanco. De detrás de la espalda sacó presto el ramo de rosas más grande que hubiera visto Julia. Fascinada por la respuesta ante la presencia del extraño, Julia descansó los codos en sus rodillas y la barbilla en sus manos dobladas para contemplar la escena que tenía a su alrededor.

Con el rabillo del ojo, Julia vio que Lorenza se esforzaba por atraer su atención. Señaló al hombre con un pulgar y le hizo una seña de aprobación.

Mortificada, Julia se hundió lo más posible en su asiento. Era crucial evitar cualquier contacto visual con Lorenza hasta que el hombre desapareciera del lugar.

Él se detuvo frente a Elvira, se inclinó levemente y tomó su delgada mano. Ella aceptó las flores con una cálida sonrisa.

El hombre se enderezó.

—Cielos —murmuró Julia. Miró a las mujeres arrobadas y se sintió muy mal por los hombres.

No podía negar que desde esa distancia el hombre era atractivo. Julia hubiera apostado que no era de ningún suburbio de San Diego que ella conociera. Mataría por un modelo que hiciera reaccionar así a la gente, y no le hubiera importado incluirlo en cualquier clase de campaña publicitaria: frijoles, Bora bora, BMW's.

Sus pantalones de mezclilla abrazaban sus largas y musculosas piernas justo en los sitios indicados. Su hebilla de plata, que reflejaba la luz, debía pesar unos cuatro kilos, lo que explicaba en parte su exagerado pavoneo. Exudaba aspereza, pero sus botas de cocodrilo y su sombrero blanco hablaban a gritos de un gusto exquisito. Quizás eso ayudaba a contrarrestar el exagerado aire de macho que emanaba de él como un calentador eléctrico a punto de hacer corto circuito.

Elvira se rió de algo que dijo el hombre. *O quizás no.*

Julia se irguió. La música ya no ejercía esa magia relajante sobre ella. Así que tenía encanto, además de ese cuerpo. El hombre se puso el sombrero y señaló la puerta. El rostro de Elvira se transformó. Sus ojos se entornaron. Se llevó los puños a la cintura. A pesar de sus modales suaves y encantadores, era obvio que el hombre había ido demasiado lejos con su tía.

Ah, pensó Julia, *lección número uno para el vaquero visitante.* Las mujeres Ríos no temían enfrentarse a un hombre, particularmente cuando estaban en su propio territorio. Este era, sin lugar a dudas, territorio de Elvira.

Julia saltó de su asiento, atraída por la ira de su tía. Miró sólo a Elvira. La preocupación le daba a sus ojos un tinte gris tormenta.

—¿Hay algún problema tía?

—No hay problema, Julia. El señor Montalvo es un nuevo empresario del barrio. Vino a presentarse, creyó que podríamos hacer negocio, y ya que no será así, estaba a punto de irse.

Aventó las rosas sobre la mesa al lado del aparato de CD.

—¿Y quién eres tú, preciosa? —el acento flotó hacia ella, profundo, sexy y perturbador. Le hacía pensar en cobijas tibias y chimeneas encendidas y horas sin fin. Y no tenía derecho a estar ahí en un momento así.

—No soy su *preciosa* —pronunció la palabra con tanto veneno como pudo.

Se dio la vuelta lentamente y se encontró nariz contra pecho, mirando los botones de plata en su planchada camisa de algodón. Siguió la línea de los botones hasta el hueco de su garganta, revisó nuevamente los amplios hombros. Sus ojos, a pesar de ser tan espesos y oscuros como los granos del café que Julia compraba, brillaban divertidos.

—Está molestando a mi tía.

—No era mi intención. Lo juro, preciosa.

Sí, a juzgar por la forma en que parecía leerle el pensamiento, él seguramente podría vender cualquier cosa. Julia se descubrió deseando creer en él, pero afortunadamente él volvió a hablar.

—Le hice a tu tía una propuesta de negocios. Muy

lucrativa, debo agregar, y traté de ser un buen vecino al respecto. Me gustaría comprar su estudio.

¿Comprar su estudio?

—Tratar de hacer negocios con algo que no está en venta, no me parece actitud de buen vecino.

Julia sintió cómo se le enfriaban las manos. Tuvo que apretar los puños para no golpearlo.

—Soy su sobrina. También soy su administradora y me hago cargo de las relaciones públicas —pasó un brazo sobre los hombros de su tía.

Su tía la miró, dudosa.

—¿Desde cuándo, Julia?

—Desde este momento —acarició el brazo de su tía—. No te preocupes por nada —le enfureció la forma en que el hombre arqueó la ceja.

—Ah, entonces será contigo con quien habré de negociar —se volvió a poner el sombrero—. Voy a abrir un bar deportivo con restaurante, incluyendo pista de baile con entretenimiento en vivo, en el lote baldío que está al lado de esta propiedad —sacó un estuche de plata del bolsillo de su camisa, extrajo una tarjeta y se la presentó a Julia. Ricardo Montalvo—. Estoy abierto a cualquier sugerencia que pudieras tener respecto a esta propuesta de negocios que nos hará felices a todos.

Julia arrugó la tarjeta en su mano.

—El estudio no está en venta, señor Montalvo. Por lo tanto, no hay necesidad de negociaciones.

—Seamos civilizados y arreglemos esto como los vecinos que seremos —dijo, su acento callado repentinamente mortal. Su expresión plácida sólo la contradecía la tensión evidente en su quijada.

Julia sintió la ira surgir en ella ante lo que el hombre le estaba haciendo a su tía.

—Los vecinos no entran así a un barrio amenazando con cambiarlo si desean ser parte de la comunidad. ¿Para qué quiere el estudio si va a abrir un restaurante con pista de baile? No le preocupará la competencia. No estamos al mismo nivel.

Se acarició la pequeña barba con una mano libre de anillos durante lo que pareció una eternidad.

—Claro que no. Necesito el espacio.

—Tiene la mejor sección del terreno. No será que...

—No estoy hablando del restaurante. Necesitamos espacio para estacionamiento.

Julia volvió a quedarse con la boca abierta. De todas las cosas insensibles que podría haber dicho, esta resultó ser la peor. Miró a su tía, que había cerrado los ojos y estaba ahí parada como muñeca de porcelana, inmóvil y frágil.

Julia abrazó a Elvira hasta que respondió, aferrándose a la parte de atrás de la blusa de Julia.

—Lo siento, tía. Yo me haré cargo. Comienza la clase antes de que los nativos se inquieten.

—Me disculpo, doña Elvira. Me pasé de la raya.

Ella asintió fríamente. Su respiración agitada resonaba en el oído de Julia.

—Gracias, mi hija —se soltó del abrazo y acomodó el cabello de Julia—. El espectáculo debe seguir, ¿verdad? señor Montalvo, con su permiso.

Elvira apagó la música presionando un botón y aplaudió.

—Todos en círculo. Niño, niña, niño, niña. ¡Hoy nos vamos a divertir! —forzó una sonrisa y se dirigió al centro de la habitación.

Julia aprovechó la distracción. Tomó firmemente el brazo de Ricardo y lo orientó hacia la puerta.

—Salga.

Él se plantó en el suelo.

—*¿Niño? ¿Niña?*

Miró a su alrededor.

—¿Tu tía está ciega?

Julia se cruzó de brazos, reprimiendo el impulso de

echarlo físicamente de ahí. Su ira le daría fuerzas para lanzarlo hasta el centro de su maldito predio.

—No vaya allá.

—Es broma, preciosa —levantó las manos en señal de rendición—. De acuerdo. Mal chiste. Pero me gustaría quedarme a mirar un rato.

—Imposible.

—Quizás quiera tomar clases.

—Están saturadas.

—¿Hay lista de espera?

—Una muy larga.

—Quiero aprender, oficialmente, a bailar salsa. Aprendo rápido.

—No me parece del tipo salsero.

—¿De qué tipo te parezco?

Julia soltó un suspiro de exasperación.

—No lo quiere saber. ¿Es su idea de una táctica de negocios tratar de entrar al estudio por la fuerza, de cualquier modo?

—No. Tu tía nos invitó a divertirnos. Yo necesito conocer el barrio y distraerme del trabajo. Ya sabes, no por mucho madrugar amanece más temprano.

—Usted aterroriza a la gente como modo de vida. No me parece que eso sea aburrido.

—Pagaré cuotas de lecciones privadas.

La mención del dinero encendió aún más la ira de Julia.

—Váyase a otra parte. Aquí no queremos su dinero. Váyase, por favor.

El hombre la examinó durante un largo rato. La sonrisa se le desvaneció del rostro.

—Como quieras.

Pasó frente a ella y se dirigió hacia Elvira, que estaba al centro de la pista de baile. El balanceo de sus caderas era difícil de ignorar. El abuelo de Julia le atajó el paso.

—Soy Carlos Ríos. ¿Puedo ayudarte, hijo?

—Sólo quería despedirme.

—Mi hija y nieta parecen molestas. ¿No crees que ya has dicho lo suficiente?

—Aparentemente así es —extendió la mano y esperó hasta que Carlos la estrechó firmemente—. Ricardo Montalvo. Lo siento, señor, pero aún tengo que hablar con Doña Elvira. Discúlpeme.

Siguió adelante, seguido de cerca por Julia.

—¿Doña Elvira?

Su voz tronó por encima de sus instrucciones y todos se quedaron a la mitad de un paso de salsa.

Se quitó ceremoniosamente el sombrero y lo sostuvo frente a su pecho.

—Me disculpo por interrumpir su clase y por cualquier pesar que pude haberle causado. Ciertamente no fue intencional. Hablaré con su sobrina respecto a la propuesta de negocios, pero si tiene cualquier pregunta estaré a su disposición.

—Gracias —Elvira asintió.

Volteó a mirar a los demás.

—Buenos días, señores. Se ven bien aquí. Quizás algún día pueda tomar una lección.

Lorenza se separó del grupo. Apretó sus bíceps y se golpeteó el pecho.

—Yo te enseñaría, hijo, pero Julia es mejor maestra.

—Creo que a Julia no le agrado mucho —murmuró con un gesto de complicidad.

—En este momento no le agrada ningún hombre —le jaló el brazo hasta que se inclinó—. De hecho...

Julia se interpuso entre ellos.

—De hecho estás desperdiciando tiempo de clase y el señor Montalvo estaba por irse.

Obligó a Lorenza a soltar su brazo y con un leve empujón lo dirigió hacia la puerta abierta.

El se despidió con la mano. Para irritación de Julia, todos le respondieron en silencio.

—No eres muy buena vecina, sobrina.

—¿Y tú sí?

—Puedes hacer negocios y seguir siendo buena vecina.

—Quizás a ti este te parezca un buen lugar para un estacionamiento, pero es la vida de mi tía. Su alma y su corazón han hecho de este lugar lo que es.

Una vez afuera apretó los puños, con deseos de borrarle la sonrisa burlona del rostro.

—Mira a tu alrededor. Este es el único lugar que tienen para hacer vida social en este barrio. Está cerca de sus hogares. Odio pensar en lo que les sucedería si les quitara esto.

Lentamente el hombre se cruzó de brazos y miró a su alrededor.

—Admiro lo que estás tratando de hacer, de verdad, pero en una transacción de negocios no hay lugar para las emociones.

—¿Tiene idea de lo ridículo que se oye? Toda transacción de negocios es hecha por gente. Hay muchas emociones involucradas.

—¿Quieres emociones? Quítate la venda. ¿Durante cuánto tiempo podrá hacer esto tu tía? ¿Quieres verla jubilarse con un cómodo ahorro? Me estoy ofreciendo a comprar el lugar. Lo pagaré bien —echó para atrás el sombrero.

—Este estudio es curioso, pero la gente exige lugares como el mío donde de verdad puedan dedicarse a bailar salsa o paso doble —avanzó unos pasos y después la miró como si no pudiera verla—. ¿Y si conservo intacto el edificio de tu tía pero lo cambiamos de lote? Esa sería una opción.

—No. Es un sitio histórico, demonios.

Julia comenzó a sentir temor. Este no era cualquier trato de negocios. Estaba en juego la vida de su tía.

—Preciosa, seré derecho contigo. Hay más irregularidades en el contrato de arrendamiento por noventa y nueve años de las que podrías imaginar. Mi abogado me lo devolvió en media hora y me dijo que era juego de niños. Podría tomar esa ruta pero no lo haré porque voy a mudarme al barrio y soy, esencialmente, un hombre amable.

Se jaló aún más el sombrero de modo que le cubriera los ojos.

—En cuanto a los negocios, ya tengo mis bases cubiertas, invertí una gran cantidad de dinero en una inversión segura y tengo respaldo político para mi proyecto. Que no te quepa duda alguna, Julia. Necesito de mi cadena de restaurantes para seguir prosperando, por razones que no pienso divulgar, y nada se interpondrá en mi camino. Tendré ese éxito continuo aquí mismo, en Ciudad Vieja, con o sin tu ayuda.

Cerró la boca con gesto severo, furioso, el pecho agitado. Julia se imaginó que era su mecanismo de control que comenzaba a actuar. Aunque sus rodillas temblaban y temía que él mirara para abajo y lo notara, ella lo miró con tanta indiferencia como pudo mostrar. Levantó la barbilla.

—Sin.

Su mandíbula volvió a apretarse.

—No te apresures, preciosa —le dijo a través de sus dientes apretados—. No fue mi intención perder el control, pero quiero que sepas de dónde vengo. Le convendría más a tu tía que cooperaras.

Su estómago revoloteaba a cien veces por minuto.

—Los negocios de este barrio llevan años aquí. Ningún extraño les dirá qué hacer o cambiar sólo porque les agita un fajo de billetes bajo las narices. Aquí no necesitamos una discoteca.

—La necesitas más de lo que crees. Ya hablé con algunos políticos locales y están ansiosos porque se realice este proyecto. Ayudará a su economía. Les dará un aspecto contemporáneo. Ayudará a vincular lo viejo con lo nuevo. No hagas esto difícil para tu tía. Te ruego acudas a mi oficina el lunes por la mañana.

Dame quince minutos y cambiaré sus vidas... para bien. Lo prometo, y soy un hombre de palabra.

Ya había cambiado sus vidas en menos de quince minutos. ¿Darle cuarenta y ocho horas? Julia se estremeció al pensar en lo que él podría hacer si ella no se presentaba. Tenía que ir por el bien de su tía.

—Con una condición.

Volvió a empujar su sombrero para atrás y arqueó una ceja.

—¿Ya estás negociando? Eres mi tipo de mujer. Dime —su sonrisa cautivadora no la conmovió ni un poco.

—Quiero que nuestra conversación sea registrada en una grabación y por escrito.

—Eso será sencillo —se volteó para retirarse.

—Aún no termino —se enderezó tanto como pudo cuando él se volteó hacia ella.

—Hasta que tengamos un acuerdo legal sobre esta propuesta de negocios, te mantendrás lejos de esta propiedad. Y no te vuelvas a acercar a mi tía.

Sus ojos se abrieron momentáneamente por la sorpresa, pero una lenta y maliciosa sonrisa se asomó a sus labios. Llevó su dedo a la punta de su sombrero.

—Buen día, preciosa. Nos vemos el lunes.

Capítulo Dos

Las más de doce llaves que colgaban del enorme llavero sonaron en la mano de Ricardo mientras se acercaba a su oficina.

—Es una viva esa Julia —se rió entre dientes—. Justo lo que no me recetó el doctor.

Una mujer así le aumentaba la presión sanguínea. Literalmente. Los negocios eran negocios. No les hacía concesiones a las mujeres de negocios. A la larga, generalmente resultaban tener menos escrúpulos que los hombres. Reaccionó ante el desafío como un perro babeante que ve un jugoso filete desde el otro extremo de una habitación llena de gente.

—Disculpe, ¿dijo algo?

Un caballero de edad avanzada estaba recargado en su escoba justo afuera de la panadería de al lado.

—Tengo la mala costumbre de pensar en voz alta cuando pienso sobre algún negocio —Ricardo caminó unos pasos hacia él con la mano extendida—. Ricardo Montalvo.

Le sacudió la mano cálidamente.

—Marco Ríos. Está bien, hijo. Yo hago lo mismo —se irguió y señaló la tienda con el gran escaparate que mostraba los especiales del día—. Mi esposa y yo somos dueños de esta panadería —se dio unos golpecillos en el estómago—. Treinta y cinco años de felicidad conyugal, horneando y comiendo. Qué vida.

Se rieron.

Ricardo pasó las llaves a su mano izquierda.

—Así que eso es lo que me estaba volviendo loco. Huele delicioso.

—Tenemos la mejor panadería de Ciudad Vieja. De todo San Diego, probablemente. Hasta salimos en el periódico —dijo orgulloso. Si hubiera llevado tirantes hubiera colocado los pulgares debajo para tronarlos.

—Debe tener clientela constante, si le preceden su nombre y reputación.

Ricardo miró al otro lado de la calle. ¿Se acercarían esos clientes a su restaurante? No podía esperar veinte años para dejar su huella en la comunidad.

Dio un paso hacia atrás para ver mejor el toldo azul y blanco y el letrero de la tienda. Panadería Ríos.

—¿Ríos? ¿Será pariente de Elvira?

—Ella es mi hermana.

Ambos miraron al otro lado de la calle, donde nuevamente el ritmo de la música alegre llenaba el espacio.

—A veces exagera con el volumen, pero nos alegra a todos en la cuadra. Podríamos hacer una fiesta y ni siquiera se enteraría de que ella está proporcionando la música —soltó una risilla traviesa y se acomodó los lentes de aro negro sobre la nariz.

—La señora Ríos es toda una dama. ¿Y don Carlos?

—Es mi padre. Un hombre bueno y justo. Cariñoso. Es un militar retirado. Marina. Cuarenta años.

Marco señaló la banca de madera de respaldo alto que estaba justo frente a su tienda.

—Sentémonos por un minuto.

Ricardo lo siguió, se deslizó en el asiento y casi suspiró. Parecía amoldarse a su cuerpo, ofreciéndole un lugar donde relajar momentáneamente su hombro adolorido.

Se notaban los años de uso en la madera nudosa. Una banca tan vieja seguro ofrecía curas medicinales que se deslizaban entre sus rendijas y hacia sus heridas de guerra. Marco parecía estarse divirtiendo mucho al verlo instalarse.

Ricardo se movió hasta acomodarse.

—Así que, ¿Julia es su sobrina?

—Sí. Sus padres son dueños de la tienda de regalos que está frente a su oficina. Cuando se cerró la florería teníamos la esperanza de que Julia iniciara aquí mismo su negocio de relaciones públicas. Que esta esquina de la cuadra fuera nuestra contribución al barrio. Mal momento, supongo. Le ganaste el lugar.

Ricardo no sabía como descifrar al viejo. ¿Sentía alguna amargura al respecto o sólo estaba mencionando un hecho?

—Es una gran oficina. ¿Una florería? Eso explica el enorme cuarto trasero, así como el olor a rosas y a otras veinte flores cuyos nombres jamás sabré. Otras oficinas a las que me he mudado estaban mohosas y olían como mi viejo casillero. ¿Cómo tuve la suerte de entrar al edificio?

—Juanita murió. No tuvo hijos que le heredaran. Fue algo triste, en realidad, pero es bueno ver sangre nueva en el barrio.

—Gracias —Ricardo se aclaró la garganta—. No murió en su oficina, ¿verdad?

Había algunas supersticiones que aún no podía dominar, no importaba cuánto se alejara de su madre y hermanas.

—No, no, no. Pero Juanita estaba decidida a dejar detrás alguna señal de su existencia. Yo no trataría de deshacerme de ese olor. Creo que molió flores en la madera del piso y las paredes para rondar a quien ocupara la oficina. Como una forma de recordarle que tratara a los demás con dulzura.

Marco sonrió, mientras un escalofrío corría por la espinilla ya de por sí erizada de Ricardo. ¿Sabía acaso que Julia pondría el pie en su oficina el lunes?

—Las transacciones de negocios rara vez son dulces.

Sólo cuando se cierran, pensó Ricardo, y a su favor.

—¿Qué clase de servicio le estás proporcionando al barrio?

¿Servicio? Ricardo se quitó el sombrero y lo colgó de la punta de su bota. Se acarició la barbilla, la barba picándole los dedos.

—Voy a construir un restaurante del otro lado de la calle, en el lote baldío al lado del estudio de baile.

Marco irguió sus hombros para verlo de frente.

—Hay muchos restaurantes en Ciudad Vieja. ¿Qué va a tener el tuyo de diferente?

Había algo de cortante en su tono, y los ojos de Marco brillaban astutos y agudos con la pregunta. Ricardo no pudo olvidar que para sostener una panadería durante veinte años de competencia el dueño debía ser un hombre de negocios competente, incluso si al exterior aparentaba ser un ingenuo y confiado abuelo.

—Será un restaurante con tema deportivo, pero con una pista de baile adyacente al edificio principal.

Su descripción fue vaga, pues quería medir su respuesta según la reacción del hombre mayor.

—¿Restaurante deportivo? Hay uno justo al otro lado del valle. Tiene bastante éxito y lleva aquí unos años. Junior es un héroe local de fútbol americano y atrae multitudes. No eres de por aquí, ¿verdad?

Marco negó con la cabeza. Ricardo se dio cuenta de que, sin querer, estaba meneando al unísono su propia cabeza.

—No, no lo soy —respondió Ricardo, frotando el apretado nudo que tenía detrás del cuello—. Pero ese lugar no tiene pista de baile como este.

—Hmmm.

Marco se volvió a recargar en el asiento, golpeteando distraídamente la acera limpia con la escoba.

—Espero que no pienses dirigirlo únicamente a los

jóvenes. Echo de menos salir con mi esposa. Algún lugar donde podamos ir a pie. Será estupendo ir a bailar una vez por semana. Sólo Dios sabe cuantas lecciones hemos tomado con Elvira y Julia.

¿Baile para ancianos? Ricardo se preguntó cómo diablos lograría hacerlo y al mismo tiempo darle un aspecto alegre y contemporáneo.

—Veré lo que puedo hacer. Hablando de eso, debo volver al trabajo. Pronto llegarán los muebles de la oficina.

No tenía intenciones de mencionar su futura reunión con Julia. Se quedó parado y miró por la calle, y después nuevamente volteó a ver la firme y paciente mirada de Marco. Presentía que Marco se enteraría de toda la historia sobre su encuentro con las mujeres Ríos antes de que terminara el día.

—Marco, fue un verdadero placer platicar con usted. No se sorprenda si me ve casi a diario en su tienda.

Si no me echa después del lunes.

—Te estaré esperando, hijo. Pareces un muchacho sano y de gran apetito.

—Tiene razón, y mi debilidad por los dulces no me ha ayudado a mantener la línea desde que dejé el fútbol americano.

—¿Jugaste profesionalmente? —las arrugas en el rostro de Marco se suavizaron con la expresión de alegre sorpresa.

Nada como un poco de humillación. Demasiado tarde para usar su nombre e imagen para promocionar el restaurante.

—Por unos años. Se me acabó el tiempo —giró su hombro y lo frotó—. De hecho...

Una pareja pasó y entró a la panadería. Marco miró hacia ellos y luego hacia Ricardo.

—¿Podrías contarme tu historia después? Me encanta el fútbol americano.

—Claro, Marco. Cuando quieras.

—Cuídate, hijo. Ven de visita alguna vez.

Entró a su negocio y su voz tronó hasta afuera.

—¡Buenos días, amigos! Es un bello día para un paseo y para comer una deliciosas conchas y hacer el día aún mejor. ¿Qué más puedo hacer por ustedes?

Sus risas apagadas flotaron a través de la puerta de mosquitero.

Ricardo se dirigió hacia su propia oficina sin poder borrar la sonrisa de su rostro. Hizo sonar las llaves en su mano, tratando de armar una imagen más clara del clan Ríos.

¿Cómo podía el demonio que llamaban Julia ser parte de esta familia cálida y tradicional? No sería fácil cautivarla si estaba a la defensiva con los hombres, como había señalado la anciana.

Sin mencionar que era protectora. Era demasiado sobreprotectora para el bien suyo o de su tía. Les había propuesto un buen trato y ella no podía ver lo que tenía en su cara.

Pero qué cara. Caray, caray. Podría usarla para anunciar y promover los restaurantes. Construye los restaurantes, muestra ese rostro y vendrán. *Qué buen concepto,* pensó, y sonrió.

La cerradura giró y entró a la oficina improvisada, su segundo hogar. Aún desde esa distancia se alcanzaban a oír algunas notas de la música de salsa que llegaban del estudio hasta su desolada oficina. Cerró los ojos. Sus pies se movían fácilmente con el ritmo. Colocó su mano derecha sobre el estómago, levantó la izquierda y comenzó a mover las caderas. Rápido, rápido, lento. El paso salió como un recuerdo distante.

—Llevas demasiado tiempo solo, Ricardo —murmuró.

Dejó de bailar y renuentemente cerró la puerta. Había despilfarrado y se había comprado su propio aparato de CD. Y no era cualquier aparato. Era un estéreo de primera línea con capacidad para seis CD's y bocinas extravagantes, lo que lo convertía en la mayor inversión que había hecho para su oficina. La música le ayudaría a llenar las largas noches que le esperaban.

Atravesó la habitación, lanzando su sombrero a una caja de madera que estaba en la esquina. El sistema yacía precariamente sobre la endeble mesa que estaba recargada contra la pared. Tendría que permanecer ahí hasta que llegaran los muebles.

Ciertamente no podría hacer negocios en esta oficina sin las melodías de Shania Twain o Gloria Estefan para facilitarle las cosas. Apretó el botón del encendido y el ecualizador, y subió el volumen. La suave voz de Gloria cantaba sobre el destino y sobre la forma en que los amantes volvían a reunirse.

¿Destino? Pensó Ricardo. La tonada era estupenda pero las palabras eran como dedos helados contra su cuello. Trató de frotarlo para deshacerse del frío. Era una tontería creer así en el destino.

Julia se le vino a la mente, pero de inmediato agitó la cabeza. No permitiría que los pensamientos sobre Julia y su encuentro interrumpieran su tranquila agenda para el resto del día. Tenía mucho tiempo para prepararse para la reunión del lunes.

Todo lo que deseaba era el trabajo físico de acomodar su oficina como la había visualizado. Y olvidarse por un rato de los negocios.

Al pasar sus manos sobre su rostro y por su cabello, Ricardo se dio cuenta de tres cosas. De que estaba trabajando demasiado, pues no había atendido su cabello ni su barba. De que no importaba porque le encantaba el lujo de tener el cabello más largo y una barba que a veces le daba comezón. Y de que la buena música es medicina para el alma.

Alguien golpeó en la puerta. Ricardo miró su reloj, después bajó el volumen de su música. Sería Chase o los muebles. Un minuto más de meditación lo volvería loco. Necesitaba una noche de parranda urgentemente y, conociendo a Chase, él seguramente ya conocía los mejores lugares de San Diego después de retirarse temprano del juego. Estaría listo de inmediato. Ricardo abrió la pesada puerta de madera.

Chase estaba ahí parado, sonriendo como un niño de siete años que acaba de dejar una rana en la silla de la maestra.

—Vaya, cuate, ya era hora de que finalmente llegaras a la costa oeste.

—Todo depende de elegir el momento oportuno —abrazó a Chase con entusiasmo.

—Cuate.

—¿Un acento tejano con caló playero?

Chase dio un paso hacia atrás y recargó su codo en el pestillo de la puerta.

—Ya lo corregiremos. Enloquecerá a las mujeres. Hablando de mujeres enloquecidas, pensé que te dedicarías al descanso y la relajación antes de volver a trabajar.

—¿Descanso y relajación? ¿Yo?

Chase lanzó un profundo suspiro. Su largo cabello teñido por el sol daba fe de su nuevo estilo de vida en Pacific Beach, una comunidad bastante cercana a donde se encontraban. Aún tenía una constitución impresionante que le daba un aspecto tan rudo como el que debió haber tenido como tacleador ofensivo. Afortunadamente habían estado en el mismo equipo y la labor de Chase había sido defender al mariscal de campo.

—Muy bien, muy bien. Descanso y relajación. Llamémoslo ingresos y ganancias para que no te asustes. Pero esta vez no dejaré que te quedes sentado en tu habitación. En San Diego hay mucho que hacer por las noches. Hay tantas mujeres bellas como en Hollywood. Si juntas ambas cosas, comienza la diversión.

Ricardo no quería ceder demasiado pronto ante

Chase, de otro modo lo tendría todas las noches en la puerta de su oficina listo para irse de parranda.

—Tengo mucho trabajo que hacer. También tú, si vas a administrar mis restaurantes cuando vuelva a casa a finales del año.

—No por mucho madrugar amanece más temprano —murmuró Chase, y se recargó contra el marco de la puerta.

Ricardo se encogió ante el recuerdo, demasiado reciente, de haber usado la misma frase hecha con Julia. Había resultado contraproducente. Eso rara vez sucedía con sus tácticas.

—Él que madruga, Dios lo ayuda.

—Ah, hombre, quiero que te relajes, Rick.

Otra vez comenzó el estruendo de la música de salsa desde el otro lado de la calle. Chase automáticamente comenzó a agitar los hombros.

—Parece que no tendremos que ir demasiado lejos para pasar un buen rato.

Ricardo frunció el ceño.

—Es sólo un estudio de baile. Se me ha prohibido la entrada. Pasa y cierra la puerta.

—¿Qué? —los ojos azules de Chase se abrieron con asombro. Dejó de agitar su cuerpo al ritmo de la música el tiempo suficiente para cerrar la puerta y entrar a la habitación detrás de Ricardo.

—Hombre, Rick. Tendrás que irte de San Diego tarde o temprano. No dejes estropicios que después tendré que arreglar —se dejó caer pesadamente sobre la única silla de la habitación.

—Caray, ni siquiera tengo oficina aún.

—No es nada que no podamos solucionar.

—No me gustó tu tono al decir eso.

—Elvira Ríos y su sobrina dan clases en ese pequeño estudio al otro lado de la calle. Me ofrecí a comprarles el lugar para tener más espacio para estacionamiento. Ellas no quieren vender.

Chase se levantó de la silla. Caminó pesadamente a la ventana panorámica delantera y levantó el papel que hacía las veces de persiana temporal.

—Por favor dime que no les propusiste que vendieran con esa encantadora frase sobre el estacionamiento.

Rick no le respondió. Durante mucho tiempo Chase había sido su mano derecha. Pero no había estado presente para salvarlo de enredar las cosas con Julia y su tía.

—Cielos, Rick.

Soltó el papel y miró a Ricardo. Sus rasgos se endurecieron como los planos esculpidos, sus ojos se entornaron.

—No necesitas ese predio. Te olvidas de dónde estás. No se trata de alguna cuadra ultra elegante de Manhattan donde las negociaciones y regateos son parte del juego. Estamos hablando de personas que probablemente llevan aquí toda la vida. ¿Por qué quieres ir y hacer una estupidez?

—Son negocios, Chase.

Estaban parados frente a frente, como dos toros pateando el suelo. Ninguno de sus argumentos convencería a Chase, pero debía tratar de obtener su apoyo antes de que Julia apareciera el lunes.

—Prometí hacerme cargo de la tía, financieramente. Se ve como de la edad de mi mamá, y podría estar a punto de jubilarse. Esto le daría la oportunidad de hacerlo antes.

—Y mira lo que sacaste de eso. Propiedades de primera en oferta, embellezcamos la Ciudad Vieja con un poco más de asfalto.

Chase no se molestó en ocultar su sarcasmo.

—¿Y es eso tan malo? Mira lo que podría hacer por la economía del lugar.

—Un estacionamiento. Sí, tienes razón, la Ciudad Vieja se levantará económicamente con eso.

—Vas a perturbar unas vidas. Algunos lugares no necesitan cambiar.

—La mayoría sí —rechinó los dientes hasta que creyó que escupiría los rellenos en su mano.

Se enfrascaron en un duelo de miradas. Gloria inició una conga en el fondo y el aroma de rosas llenó rápidamente el aire.

—Voy a administrar tus restaurantes —dijo calladamente Chase—, pero no seré partícipe del desplazamiento de familias —lanzó un hondo suspiro, sus labios una apretada línea de ira.

—¿Y si Elvira Ríos fuera tu madre, Rick? ¿Querrías que alguien le hiciera esto a ella? —agitó la cabeza, mirando al suelo.

—¿Cuándo comenzó a importarte tanto el dólar?

Eso bastó. Ricardo se dio la vuelta y empujó al sorprendido Chase.

—¿Quieres saber cuándo? ¡Cuando mi papá perdió su empleo, su pensión y hasta la maldita casa! —Rick se alejó de Chase y se aferró a la orilla de la mesa—. Lo siento.

Extendió una mano temblorosa para bajar el volumen, sólo para escuchar la inquietante canción sobre el destino. Si alguna vez se sintió atrapado, fue en esta ocasión.

—Hombre, Chase. Voy a encargarme de mis viejos lo mejor que pueda. Quiero que tengan todo lo que soñaron, todo aquello para lo que ahorraron. Eso es todo. Puedo darles eso a ellos y a mis hermanas, y hasta al hombre de la esquina sólo porque deseo hacerlo. Eso me hace feliz, aunque sé que hay que pagarlo. Siempre hay que pagar. Eso no lo puedo evitar.

—Rick, no lo sabía.

Rick se volvió a acercar a Chase, frotando sus manos sobre todo su rostro.

—No es algo que importe saber. Ni una sola parte

de esa información debe salir del cuarto. ¿Lo entiendes?

Chase metió las manos a sus bolsillos y asintió.

—Entendido.

—Volvamos al asunto en cuestión. Quiero que conozcas a los personajes de esta escena.

Enderezó los hombros, pero no pudo deshacerse tan fácilmente del peso que le imponía la sensación de que quizás había tomado una decisión equivocada.

—Espera. Mencionaste a una sobrina, ¿como de las que llevan paleta de caramelo?

—No. Como una lunática perdida con una misión, disfrazada con piernas largas y ojos que te hacen sentir como si te estuvieras ahogando cuando los miras por demasiado tiempo. Se mueve al ritmo de la salsa como si... —se detuvo al darse cuenta de que había dicho más de lo que se había admitido a sí mismo.

—Es una descripción bastante elaborada, si consideramos que sólo notaste el potencial del edificio.

—Es difícil no verla. Dará a conocer su presencia aquí el lunes, créeme. Será mejor que comencemos a trabajar.

—Solías poder manejar a las mujeres de negocios con tanto encanto.

—Aprendí mi lección. ¿Recuerdas a Rebeca? Astuta, sofisticada y mortalmente encantadora. Y su parecido con Jennifer López no representaba ningún inconveniente.

Chase sacó una gorra de béisbol raída de su bolsillo trasero y se la colocó sentimentalmente sobre el corazón.

—Tu caída.

—Casi lo fue. Hasta que volví en mí.

—Y justo a tiempo.

Chase regresó la gorra a su bolsillo.

—Las mujeres son peores que serpientes. Atacan, muerden, matan.

—Oh, no. Para nada. Tu no eras ninguna pobre víctima ingenua. Con Rebeca las señales estaban por todas partes. Tú elegiste no verlas.

—El único error que he cometido en mi vida y tú no me dejas olvidarlo.

—Ciertamente.

—Considerémoslo, entonces, como experiencia. No volverá a suceder.

Ricardo caminó hacia la ventana y se paró al lado de Chase. Desde este ángulo el estudio de baile complementaba la arquitectura estilo años cincuenta de los otros negocios de la calle. Los detalles revelaban el diseño de Irving Gill, un reconocido arquitecto.

Pintoresco, con su estuco blanco ligeramente añejado y su techo de tejas de barro rojo hechas a mano en México, el estudio resaltaba entre las otras tiendas. Ricardo podía sentir eso, más que verlo. No podía distinguir los patrones en los brillantes azulejos blancos que seguían las limpias líneas de la ventana frontal, pero en cada uno podía ver explosiones de colores vibrantes.

Del toldo azul y blanco pendía un sencillo letrero que anunciaba con una elegante y modesta caligrafía: "Estudio de baile de Elvira". Una placa de bronce al lado de la entrada lo catalogaba como "Sitio histórico". La puerta de mosquitero, hecha de un intrincado motivo de herrería, apenas permitía mirar hacia adentro. Al igual que un grueso muro de castillo, podía fácilmente mantener alejados a los intrusos.

—Es un lindo lugar —dijo sencillamente Chase.

—Hmmm.

Carácter, decidió Ricardo. Eso era lo que lo hacía destacar de entre los otros pequeños negocios. Parecía emanar de las paredes construidas hace décadas, una cualidad inherente que trabajaba desesperadamente por imprimirle a sus propios restaurantes. La mayoría de las veces lo lograba, a veces no.

Chase, su mala conciencia, caminó de regreso al aparato de CD.

—Es difícil no imaginarlo ahí.

Ricardo trató de imaginarse el lugar destruido y reemplazado por incontables metros de alquitranado. No pudo. Hombre. Se estaba volviendo vulnerable en su vejez. Al menos cerca de Chase.

El fútbol americano había sido más fácil. Se lanzaba un pase. Dependiendo de si era atrapado o no, se definía la siguiente jugada. Aunque Rick sabía que tenía el toque de Midas para los negocios, la vida era mucho más sencilla entonces.

Siguió mirando por la ventana, agradeciendo que Chase pudiera entenderlo tan bien y darle su espacio cuando lo necesitaba. Estaba hipnotizado por el letrero pintado a mano que pendía de la ventana anterior de Elvira. Era una lista de los tipos de baile que se enseñaban ahí, incluyendo ballet y tap, así como salsa y merengue, vals y swing. Escrita con un marcador rojo, con todo y plumadas, y con corazones en lugar de puntos sobre las íes. La complicada letra cursiva le recordaba la escritura de su hermana adolescente.

Eran claras omisiones el paso doble y el baile en línea. Él se haría cargo de eso. Forzó la vista para ver si Julia las habría borrado, quizás después de su partida. No había evidencias de ello. Además, el letrero parecía tan viejo como el estudio.

Julia no parecía astuta, aunque podía ser parte de su plan. El se volvía un tonto cuando se enfrentaba a mujeres como Julia. Ella tenía fuego dentro de sí, una pasión que él mismo había perdido de vista hace algún tiempo. Si la tocaba, ¿podría ella volver a transmitirle esa pasión a su vida, a su trabajo?

Se peinó el cabello con los dedos. ¿A quién quería engañar? Julia no estaba luchando por el estudio. Estaba luchando por su tía. Él haría lo mismo por su familia. Una sensación de vacío en el estómago le dijo lo mal que se había portado con Julia.

Sin embargo podría divertirse un poco. Quería ver su pasión en acción. La pasión que bullía tan cerca de la superficie tenía que derramarse a otras áreas de su vida, y el quería estar ahí cuando eso sucediera.

—¡Planeta tierra a Rick! —la aguda voz de Chase tronó en la habitación—. Cielos, llevo cinco minutos hablándote, cuate.

—Lo siento. Pensaba en mi estrategia.

—¿Cómo es ella? —Chase se volvió a recargar en la silla, con un gesto de gran satisfacción.

—¿Quién?

—La sobrina... ¿no era Julia?

Ricardo no podía huir de Chase. Lo volvía loco, siguiéndolo como un hermanito latoso que preguntaba "¿Por qué?" una y mil veces hasta llevarlo al borde de confesar cualquier cosa antes que seguir oyendo esa pregunta. Mejor enfrentar a Chase de una vez.

Chase unió las puntas de sus dedos y comenzó a golpetearlos, esperando con obvio deleite.

—¿Y bien?

—Me echó de su propiedad. ¿Qué más podría decirte de ella?

—Nada. A menos que sea pariente del Santo y conozca sus llaves de lucha libre. Lo que me intriga es tu reacción. Por favor, continúe, querido paciente —le agitó la mano como terapeuta, instándolo a continuar—. ¿Cómo es en realidad?

—Habla en serio.

—Ah. ¿En eso estabas pensando con esa mirada tonta en tu rostro?

Si Chase supiera lo que había estado pensando, lo martirizaría.

Chase sonrió.

—Apenas puedo esperar a que sea lunes por la mañana.

Aliviado ante la mención del trabajo, Ricardo lanzó un suspiro. Eso alivió la presión en su pecho.

—Bien. Volvamos al asunto en cuestión. Vamos a mi oficina.

—Qué sutil cambio de tema, Rick. ¿Quién más estará ahí además de la sobrina?

—Francisco Valdez, candidato a la alcaldía por este distrito.

—¿Cómo lograste eso?

—Hice mi tarea. Tengo contactos políticos en Texas que conocen San Diego y me pusieron en contacto con él.

Atravesaron la segunda puerta, junto a la mesa endeble. Chase silbó a través de los dientes.

—Esto sí que es una oficina... es enorme —sus ojos pasaron rápidamente de la puerta principal a Ricardo—. Nunca habría adivinado el tamaño de esta habitación, a juzgar por la fachada de la tienda.

—Por eso me encantó. Es mi segundo hogar. Debo hacerlo bien —Ricardo lanzó su sombrero sobre la caja de cartón en la esquina, cerca de la puerta—. Para cuando haya terminado de decorar este lugar, será digno del gobernador. O de ti.

—¡Fantástico! ¿Qué hay en la habitación de atrás?

—El baño. No cabe un jacuzzi, pero tiene todo lo demás.

—De eso estoy seguro. Si echas un colchón sobre ese escritorio tendrás una cama.

El escritorio estaba en el centro de la habitación, el brillo de la caoba relucía oscuro e intenso contra la elegante alfombra color vino tinto. Ricardo caminó hacia el escritorio, dejando a Chase en la puerta.

Recorrió con la mano sus orillas y después la suave y pulida superficie, y respiró hondo.

—Era ser de mi papá. Me lo regaló cuando me gradué. Cuando dejé el equipo yo mismo lo retoqué. Siempre lo envío a los lugares donde decido establecerme temporalmente. Es como un pequeño amuleto.

—¿Pequeño? Sólo en Texas —olisqueó y miró a su alrededor.

—¿Tienes flores de las mismas dimensiones? Aquí huele como una maldita florería.

Ricardo sonrió.

—Eres bueno. Esto solía ser una florería. Según la leyenda, la antigua dueña hechizó el lugar con sus flores, esperando enseñarle a quien hiciera negocios aquí a actuar con dulzura.

Vio la incredulidad en el rostro de Chase.

—O alguna tontería como esa.

—Ojalá sea una tontería. Ella no sabía que tú la sucederías aquí. El olor habrá desaparecido para el lunes en la tarde.

Ricardo le lanzó una mirada antipática.

—Te estás pasando de la raya, surfista. Vamos a trabajar antes de que lleguen los muebles. Pienso hacerte trabajar de sol a sol. Aquí te vas a ganar la paga.

Chase se rió.

—No lo dudo.

Ricardo y Chase estaban terminando de acomodar los muebles cuando sonó un golpe en la puerta principal. Pizza. Cuando Ricardo metió su brazo en el cajón del escritorio para buscar su cartera, sintió una punzada de dolor en el hombro.

—¡Demonios! —enderezó y se frotó el sitio adolorido.

Estaba agotado esa noche, y no precisamente por haberse ido de parranda.

—¡Pase, está abierto!

Finalmente tomó la cartera.

Tenía mucha hambre y estaba esperando a que Chase terminara sus llamadas telefónicas desde la privacidad de su oficina. La entrega a domicilio era lo mejor en el planeta, casi como un pase para anotación.

La pesada puerta se arrastró sobre la alfombra al abrirse, liberando nuevamente el aroma de rosas.

—¿Ricardo?

La voz de Julia flotó hasta él con el sutil aroma. Le gustaba escuchar la manera en que se oía su voz en sus labios. Volteó sin decir palabra, con la cartera en una mano, y varios billetes desparramados en la otra.

Julia estaba parada justo afuera de la puerta con una canasta de comida. Lo miró, y después miró sus manos. De inmediato se le oscureció el rostro.

—¿También duermes con tu cartera bajo la almohada?

Ricardo volvió a meter los billetes en la cartera.

—Creí que eras el repartidor de pizza.

—Vaya, gracias.

—Hablando de pizza, ¿nos acompañarías a probar la deliciosa comida italiana?

—¿Nos?

—Mi socio en el crimen. Él va a administrar los restaurantes de San Diego cuando regrese a Texas.

Ella retrocedió un poco.

Ricardo se maldijo.

—Lo siento. Este no es el momento de hablar de negocios. Es amable de tu parte haber venido.

La duda se asomó a sus ojos por un momento y al instante se desvaneció.

—Me temo que en realidad no se trata de una visita social.

Ella se pasó la lengua por los labios e, increíblemente, el suave tinte rojo no se desvaneció.

—Mi tía me obligó a venir con esto —le extendió la canasta por el asa de cuerda.

Él comenzó a caminar hacia ella, pero tras dar un vistazo a su expresión se volvió a sentar. Parecía que preferiría entrar a un ruedo vestida de rojo antes que dar un paso en su oficina.

—Es una buena vecina. ¿Aprendiste algo?

Julia inclinó la cabeza y lo examinó antes de hablar.

—Creo que mis modales como vecina son equiparables a los suyos, ¿o no?

—*Touché.*

Ella sopló hacia arriba y su fleco se agitó.

—Mi tía cree que si no le ofrecemos la canasta tradicional al nuevo chico de la cuadra, eso traerá mala suerte. En aras de la tradición, pues, y para evitar que nos llueva la mala suerte supersticiosa sobre nuestras cabezas o el estudio, aquí le ofrezco las tortillas hechas en casa de mi tía, recién salidas del comal.

Colocó la canasta en el suelo justo pasando la puerta y la empujó hasta donde alcanzó su brazo, pero no más. Sus dedos estaban a por lo menos cinco centímetros de la puerta.

—¿No crees que estás llevando esto demasiado lejos?

—Yo tengo mis propias supersticiones.

—¿Y yo soy una de ellas?

—No voy a poner un pie en tu oficina hasta que no tenga otra alternativa. El lunes: ni un segundo antes, ni antes de que esté preparada, ni antes de que salga el sol en ese aciago día.

Ricardo se paró con los pies muy separados. Esa mujer hablaba demasiado.

—¿Ésta es una de tus tácticas de negocios?

—¿Qué?

—¿Volverme loco con tu parloteo?

—Mi... ¿mi parloteo? —su voz ascendió una octava.

—Sabía que no debía quedarme ni un segundo más de lo estrictamente necesario —suspiró con dramatismo. Obviamente se le estaba acabando la paciencia—. Es un viejo truco de la publicidad. Repite el mensaje al menos tres veces de tres maneras distintas para darlo a entender de una manera efectiva. Particularmente si estás tratando con personas que no son capaces de entenderlo la primera vez.

—Estoy perfectamente familiarizado con esa táctica. —atravesó la habitación hasta donde estaba ella. Las rosas se perdieron en el aroma aún más delicioso que provenía de la puerta, una maravillosa combinación de Julia y las tortillas.

Recogió la canasta y se la entregó. Su dedo rozó el de ella. Ella vaciló, pero se mantuvo firme. En cuanto a su propio dedo, hubiera dado igual si lo hubiera insertado en un contacto eléctrico.

—La verdad es que, considerando las circunstancias, yo no debería aceptar esto.

Ella carraspeó y se acomodó el cabello tras la oreja, revelando delicados arillos de plata. La curva de su cremoso cuello gritaba por ser acariciada, besada, probada. *Que el Señor me ayude,* pensando en grupos de tres, y además pensando en su cuello.

Ella le devolvió la canasta.

—Por favor. Por mi tía.

—Muy bien. Dale las gracias de mi parte —su voz tronó más fuerte de lo que hubiera querido. Tomó la canasta de la mano que ella le extendía—. Una sonrisa me ayudaría a comerlas mejor, me evitaría una indigestión y se alegraría el ambiente por aquí.

Chase entró a la habitación y miró a Julia, a Ricardo y nuevamente a Julia.

—Eres Julia, supongo.

Ella asintió.

—Tú debes ser su socio en el crimen.

—Por favor. Llámame Chase.

—Mucho gusto, Chase.

—¿Tienes algo contagioso?

—No.

—¿Entonces por qué estás parada allá afuera mientras nosotros estamos aquí adentro?

—Es una larga historia. Estoy segura de que Montalvo se lo explicará más tarde —dirigió su atención a Ricardo—. En cuanto a la sonrisa, lo siento. Tendrá que pedírsela a mi tía. Yo soy sólo la mensajera, un intermediario renuente, la sobrina que arrastra los pies para traerle esto.

—Ya lo entendí, Julita.

—Es Julia. Los dejaré para que cenen. Buenas noches, caballeros.

Ricardo colocó la canasta en el escritorio y se apresuró hacia la puerta. Le gritó a su sombra mientras se alejaba:

—Vuelve de visita cuando te estés sintiendo mejor. ¡Buenas noches!

¿Qué diablos le sucedía? Cerró la puerta lentamente, haciendo tiempo, esperando alguna inspiración divina antes de enfrentar a Chase.

—Me parece que ya está cambiando de opinión.

La ceja arqueada decía más de mil palabras.

—¿Estabas en la misma habitación, Rick?

Chase levantó el trapo de la canasta y el maravilloso aroma llenó la habitación.

—Lamento haberte interrumpido, pero era todo un espectáculo. Es muy bella y no te tiene miedo. Eso a mi juicio le da puntos. Será mejor que discutamos más la estrategia para el lunes.

—La estrategia está decidida —gruñó Ricardo, más molesto consigo mismo que con Chase—. Sólo llega a tiempo.

El delicioso aroma de las tortillas había inundado el hogar infantil de Ricardo. Dudaba que el contenido de la canasta pudiera compararse con las de su madre. Las volvió a oler, hundió su meñique en la mantequilla y lo lamió.

—Podría ser un truco —dijo en voz alta, aunque no deseaba hacerlo—. Veneno, si Julia se saliera con la suya.

Chase rió con ganas.

—Haría falta mucho más que eso para acabar contigo, hermano.

—Y que lo digas.

Chase tomó una tortilla caliente y la enfrió pasándola de una mano a otra.

—Aún así, tú primero.

Ricardo levantó el cuchillo de plástico y embarró una tortilla con la mantequilla dulce que se derritió al contacto. Volver a sentir el increíble aroma le abrió más el apetito.

Mordió media tortilla y cerró los ojos. Era el paraíso. Estaba en casa.

—Si esto es veneno, qué forma de morir.

Capítulo Tres

Extendiendo perezosamente un brazo, Julia corrió levemente las cortinas para asomarse al espectacular amanecer. Manchas de rosa y anaranjado coronaban los suaves tonos azules del cielo despejado.

—Qué manera de iniciar un lunes —murmuró, volviéndose a recostar.

Se deslizó bajo su grueso edredón y se acomodó en el sitio más cálido por un bendito momento más. Su cama *king-size* era un lujo, su mayor extravagancia indulgente. No pasaba una mañana en que no le diera gracias al cielo por ella.

Incluso los lunes eran soportables gracias a ella. Julia gimió.

—Excepto hoy.

Desperdiciar un estupendo lunes en la mañana con Montalvo no era la mejor manera de comenzar la semana.

Saltó de la cama, repentinamente ansiosa de comenzar a moverse. Jaló su ropa de ejercicio. El reloj antiguo en la mesa de cabecera le decía que se apresurara y la obligó a lamentar el par de minutos extra que se había tomado para consentirse.

Ella y su tía habían revisado la propuesta de negocios y estaban preparadas para contraatacar cualquier oferta que se le pudiera ocurrir a Montalvo. Aunque se sentía preparada para enfrentarlo, había dos hechos fehacientes que no podía olvidar: Montalvo era terco y ellas no pensaban vender bajo ninguna circunstancia. Fin de la historia.

Ella salió de su pequeño hogar con vista a la Ciudad Vieja de San Diego. La impresionante vista jamás dejaba de sorprenderla, y podía levantarle el ánimo casi de inmediato. El océano Pacífico, al oeste, lanzaba sus olas espumosas sobre playas que, a esta hora, estaban desiertas. Las colinas eran el escenario perfecto para los sitios históricos restaurados y recién pintados; las casas victorianas que se alineaban en la estrecha calle. El Presidio estaba sobre otra colina, fácilmente visible con su campanario de estuco y techo de tejas rojas. Al sur de la misión estaba un campo de golf de nueve hoyos. Julia jugaba ahí una vez por semana con el abuelo, apuestas y todo.

Se le estaba haciendo tarde. El abuelo estaría paseando frente a su casa, que estaba a un par de cuadras de distancia, formando una zanja a lo largo de la cerca blanca. Debería convencerlo de que eligiera otro día para su paseo matutino. Los lunes eran imposibles.

Al iniciar su camino para reunirse con él, suspiró. Imposible, quizás, pero no cambiaría su preciado tiempo con el abuelo por nada.

Las palabras de Montalvo sobre hacerse cargo de su tía perturbaron a Julia el resto del día. Cuando abandonó su puesto de relaciones públicas con la prestigiosa compañía Valdez y Cohen, también dejó atrás sus prestaciones. Los ahorros que Montalvo había mencionado eran casi nulos, particularmente mientras ella estaba en el proceso de establecer su propia compañía. Varios clientes se habían ido con ella, pero pasaría un tiempo antes de que pudiera dejar de contener el aliento cada vez que esperaba a que un cliente aprobara una nueva campaña de publicidad.

Miró hacia arriba demasiado tarde. A pesar de la hora, Lorenza y su vecina estaban haciendo guardia en la esquina, inspeccionando a cada paseante matutino mientras compartían los últimos chismes.

Julia saltó detrás del ciprés más cercano en un jardín sin cerca y se aferró a la áspera corteza como si fuera a volverla invisible. De repente sintió mucha lástima por las estrellas de cine que tienen que soportar a los *paparazzi*. Lorenza por sí sola ya daba bastante lata.

—Oh, Julia —Lorenza levantó la voz, quizás con la esperanza de despertar a los vecinos—. Puedo ver a tu abuelo desde aquí. No se ve muy feliz.

Sus jugarretas casi siempre funcionaban, y solía atraer al público que deseaba. Era casi tan buena como Cristina, la conductora del programa de TV.

Julia respiró hondo y volvió a la acera antes de que Lorenza lograra despertar a todo el barrio.

—Buenos días, Lorenza.

Julia ascendió por la inclinada calle hasta la sonriente mujer, la besó en la mejilla y saludó a la otra.

Lorenza sostuvo la barbilla de Julia entre sus dedos.

—No te ves tan mal considerando las circunstancias, incluso a la luz de la mañana —le dio un golpecito en la mejilla—. ¿Estás manejando bien lo del rompimiento?

—Sí, Lorenza. Igual que Cisco.

—En realidad es una lástima. Parecían hechos el uno para el otro.

—Siempre fuimos buenos amigos. Siempre lo seremos. Pero eso no basta para un matrimonio.

—Yo lo hubiera hecho bastar. Hoy alcalde, mañana gobernador, y en diez años la Casa Blanca. Chiquita, quizás hayas cometido un gran error.

—No lo creo.

Julia se asomó sobre el hombro de Lorenza. El abuelo hizo una mueca y señaló su reloj.

Comenzó a retroceder hacia el abuelo.

—Llevo prisa. Voy tarde.

—¿Y qué hay del vaquero? —gritó Lorenza—. Se ve delicioso.

—No es mi tipo.

—Nunca digas nunca, cariño.

Julia se fue trotando. Las risas de las mujeres le rebotaron en la espalda. Esperen a que se enteren de la historia de Ricardo. A Julia le esperaba un largo verano.

—¡Oye, abuelo!

—Ya casi es hora, Julia. Ya pasó la mitad del día —su tono era serio mientras señalaba su reloj, pero la risa en sus ojos la impulsó a amonestarlo con el dedo.

—Buen intento, abuelo —Julia miró su propio reloj, horrorizada por su retraso de cinco minutos.

—Los restaurantes aún no están sirviendo el desayuno —le dio un gran abrazo y le plantó un beso en la mejilla.

—Lamento mucho llegar tarde, ¿qué tal si lo olvidamos? Es lunes y...

—Shh.

Se paró justo frente a ella y le examinó el rostro. Colocando su mano sobre su frente, dijo:

—Y no te ves muy bien.

—Estoy bien abuelo, pero no me emociona mucho el enfrentamiento que tendré dentro de un rato con ese abusivo —le tomó el brazo.

—A mí me pareció un caballero.

Se dirigieron por la calle hacia el este. La leve cuesta comenzó a acelerar su ritmo cardíaco.

—Eso es porque no abrió la boca cerca de ti.

Se encogió de hombros.

—Me parece que tú lo impresionaste bastante.

—¿Y cómo logré eso?

—No lo sé, pero lo vi en sus ojos. Tendrás que tener cuidado con él.

Un escalofrío le recorrió la espinilla y la piel se le puso de gallina.

—Puedo manejarlo, abuelo. De una u otra manera lo convenceré de que no necesita el estudio.

—Antes de ir allá hoy, toma en cuenta su personalidad. No creo que Montalvo te hubiera permitido romper tu compromiso, incluso después de una hermosa y tranquila discusión, como sucedió con Cisco. Él hubiera golpeado la puerta para rogarte que te quedaras. Y probablemente lo hubiera logrado, conquistándote hasta que no lo hubieras podido resistir.

Ella se estremeció.

—Que horrible idea.

—Sólo quiero que estés preparada. La mayor diferencia entre los dos es que Cisco conoce sus limitaciones con nuestra familia y Montalvo no. Diablos, yo le cambié a Cisco los pañales. Comió en nuestra mesa más que en la suya propia. Si te lastimara, conocería mi ira.

Le acarició el hombro.

—Él no me lastimaría. Creo que esto ha sucedido en un buen momento. Su campaña política está floreciendo y ahora puede dedicarle todo su tiempo. Es el principal candidato.

—¿Qué? —el abuelo la miró como si le estuviera hablando en un idioma de otro planeta—. ¿Y eso qué tiene que ver con lo que sentían el uno por el otro?

Se encogió de hombros.

—Cisco y yo hemos sido amigos y socios por demasiado tiempo y nos conocemos demasiado bien. Tuvimos que enfrentar el hecho de que tener una amistad sólida no es garantía para el amor.

El abuelo no podía dejar de negar con la cabeza. Le acarició la mano mientras le decía:

—Ay chiquita, tú no lo entiendes. Si de entrada tienes que racionalizar las cosas demasiado, no puede ser amor. Tu generación jamás deja de sorprenderme. Por favor dime que no ibas a firmar un acuerdo prenupcial.

A Julia le pareció mejor guardar silencio antes que admitir que los papeles habían sido firmados y certificados por el notario un año después del compromiso. Pero bastó una mirada al rostro serio de su abuelo para que éste se diera cuenta. La consumieron olas de vergüenza, pena y deseo. ¿Qué se le había escapado? ¿Cómo pudo estar tan equivocada, pensando en un amor con tantas estipulaciones?

El abuelo se detuvo y la volteó a mirar.

—Nunca te conformes, Julia. La vida es demasiado corta para eso —le dio un golpecito en la mejilla—. Hiciste lo correcto al no casarte esta vez, aunque es un buen hombre. Cuando sea el momento correcto, sentirás una increíble alegría y la mayor desesperación y un gran caos en tu cabeza, a veces todo al mismo tiempo.

Comenzó a sonreír, pero frunció el entrecejo y el dolor se hizo evidente en las arrugas que se formaron entre sus ojos. El color abandonó su rostro, dejándolo cenizo.

—Tú... —su boca se movió, pero no salieron las palabras. Se agarró fuertemente el pecho.

—¿Abuelo?

Apretó con fuerza inmisericorde la mano de Julia.

Julia lo rodeó con su otro brazo para sostenerlo.

—¡Abuelo!

Él se soltó y le hizo un gesto para alejarla.

—¡Estoy bien! —jadeó.

Fue como un golpe para Julia. Su tono se endureció.

—No, no lo estás —volvió a extender la mano hacia él.

Él le golpeó la mano.

—Sí, lo estoy.

Jadeó un par de veces más antes de poder detener la agitación de su pecho.

Julia retrocedió para abrirle espacio. Sorprendida ante la reacción del abuelo a sus intentos de ayudarlo, se sobó la mano a falta de algo más que hacer. Él nunca había reaccionado así ante ella y eso la asustaba. Parpadeó rápidamente para asegurarse de no llorar.

Se sobó el centro del pecho con la palma de la mano durante unos segundos más.

—Es sólo esa maldita indigestión, eso es todo.

El color le había vuelto a las mejillas. Su postura era tiesa, como si se estuviera esforzando por mantenerse erguido.

Julia esperó hasta que volteó a verla y lo miró a los ojos.

—¿Cuándo es tu próxima cita con el doctor?

—Esta tarde.

—Yo te llevaré.

El abuelo meneó la cabeza.

—Sólo si logras primero controlar la situación de tu tía. Necesito estar seguro de que ella estará bien.

—Y yo necesito asegurarme de que tú estarás bien — trató de mantener en la boca del estómago ese temblor al que no estaba acostumbrada, y de evitar que le llegara a la voz—. Primero llamaré al doctor. Si dice que puedes esperar, terminaré con Ricardo y pasaré a buscarte cuando menos lo esperes. Si dice que no puedes esperar, tendrá que hacerlo Ricardo.

—No quiero que te preocupes por mí ahora. Debemos preocuparnos por tu tía. Debemos preocuparnos por Montalvo. Debes crear una alternativa que lo deje conforme. Sé que puedes hacerlo. Yo puedo esperar hasta esta tarde, entonces podrás preocuparte por mí todo lo que quieras.

—Me tomará un tiempo, pero hallaré una solución, lo prometo.

—Buena chica. ¿Así que tienes tiempo para prepararme un desayuno? —preguntó esperanzado.

Ella le tomó el brazo, dolorosamente consciente de lo frágiles que se sentían sus huesos.

—Claro que sí. ¿Qué tal algo de avena?

Su voz era firme, incluso casual, aunque su corazón estaba lleno de temor.

—Todo menos avena.

—¿Por qué?

—Sólo la gente vieja come esa pasta diariamente.

—Entonces ya está arreglado. Cada uno de nosotros comerá un plato —Julia aflojó el paso y viró en la esquina.

Se aferró fuerte a su abuelo. Si Ricardo aún no lo había entendido lo haría pronto: su familia era lo primero. Esa convicción era la única arma que necesitaba y dejó de tener miedo.

La cálida y brillante luz del sol bañaba la oficina de Julia. Cualquier resabio del fresco aire matutino se había disipado con su creciente aprehensión ante la reunión con Ricardo. Sobre su reluciente escritorio yacía el archivo recién impreso con sus preguntas y contraataques.

Estaba tan lista como podía estarlo. Se esmeró con su maquillaje y eligió el delineador y lápiz labial escarlatas. Débil armadura, quizás, pero necesaria. Tomó los archivos, los aventó en el portafolio y lo cerró.

La oficina de Ricardo parecía desierta. Llamó a la puerta y no hubo respuesta. Julia pasó el portafolio a su mano izquierda. Se ajustó el saco y la corta falda de su traje rojo. No sólo era su traje de negocios; también le levantaba el ánimo y la confianza de un solo golpe.

Golpeó con más fuerza la pesada puerta de madera, raspándose los nudillos. Maldijo en voz baja.

—*Táctica* —murmuró.

Lo esperaría diez minutos y se iría. Golpeó una última vez.

—¡Montalvo!

La puerta se abrió de para en par. Ricardo estaba sin camisa. Caían gotas de agua de las puntas de su largo cabello a su pecho, proporcionándole un leve brillo.

—Julia.

Se cruzó de brazos en un aparente intento de cubrir su pecho, pero eso sólo le acentuó los músculos. A

Julia se le hizo un nudo en la garganta. *Táctica poco común,* pensó, *y totalmente injusta.*

—Llegas temprano —parecía genuinamente incómodo, al punto de ruborizarse—. Pensé que eras Chase. Pasa. Me he retrasado un poco, pero hay café y pan dulce en la mesa. Sírvete, por favor.

Retrocedió para permitirle echar un vistazo a la caja rosa que ella reconoció de inmediato como proveniente de la panadería de su tío. El café estaba en la mesa estrecha que se apoyaba contra la pared opuesta.

—¿Ahora quieres acercarte utilizando a mi tío?

—¡Ay! —colocó el puño sobre su vientre firme y jaló hacia fuera, como si ella lo hubiera atravesado con una vieja lanza y él tuviera que sacarla o morir—. ¿Nunca le has dado a nadie el beneficio de la duda? A mí me encanta el pan dulce y simplemente me ofrecí como conejillo de Indias para una nueva receta que estaba ensayando. Él, por su parte, me regaló unos cuantos panes.

—Aquí hay gato encerrado.

—Dímelo a mí. Lo que inventó es una de las delicias más maravillosas que he probado. Me encantaría incluirlo en el menú de mi restaurante. Por otro lado... —levantaba y bajaba cada mano como si estuviera pesando manzanas—. Nunca debería ofrecerle mis servicios de catador a un panadero. Si algo tiene más de una taza de azúcar estoy totalmente conforme.

Era demasiado amable. Julia se concentró para poder verlo mejor más allá de ese cuerpo.

Él retrocedió hacia una puerta que estaba al otro lado de la habitación.

—¿Me disculpas unos minutos?

—Dijiste que a las diez —logró decir mientras miraba la oficina, el helecho saludable en la esquina, la cafetera, el reloj de la NFL... cualquier cosa y todas menos su pecho—. Te daré cinco minutos.

Se detuvo a medio paso. La ceja arqueada y su enloquecedora sonrisa burlona le agregaban más carácter a su rostro que la risa franca.

—Eres muy generosa.

Su sarcasmo le irritó los nervios.

—Mucho. Cobro cien dólares la hora sólo por consultas.

—¿Sólo eso? Por lo que sé, preciosa, vales mucho más de eso.

—Me temo que mi familia no es objetiva.

Él echó su cabeza para atrás y soltó una carcajada, sorprendiéndola. El alegre y pleno sonido no parecía ajeno a su vida o a sus labios. La carcajada reverberó por todo su cuerpo, dificultándole la tarea de frenar la sonrisa que se asomaba a sus labios. No podía recordar la última vez que había oído a alguien reírse así. Ahora que lo pensaba, hacía rato que no escuchaba su propia risa llenando una habitación.

—Preciosa, esa fue una agradable sorpresa —se colocó la toalla al cuello. Cada sutil movimiento de los músculos de sus antebrazos y pecho era terriblemente perturbador—. Serán cinco minutos.

En cuanto Ricardo hubo atravesado la puerta hacia lo que supuso era su oficina, Julia dejó su portafolio al lado de las cajas de cartón cerradas. Se secó las palmas sudorosas contra los costados de su falda. Mientras se dirigía hacia la mesa del café con un paso aparentemente más seguro de lo que sentía, Julia repitió su mantra tranquilizador.

Levantó la tapa de la caja y el aroma de los panes recién horneados se desplazó por el aire. Casi suspiró. ¿Cuántas cosas más sabía Montalvo sobre ella? ¿Sabía que gracias a su afición por los dulces podían vendarle los ojos a medianoche y aún así era capaz de hallar una caja de pan dulce oculta a propósito al otro extremo de la casa, en el segundo piso?

—*Tácticas injustas* —murmuró.

Se sirvió una taza de café y miró la cubeta de hielo

de plata a mano derecha de la cafetera. Estaba llena con una variedad de cremas de sabores exóticos.

Le agregó Amaretto a su café, tomó una concha de la caja de pan y se acomodó en la única silla de la oficina. Esperó que Montalvo se tomara diez minutos.

La puerta principal se abrió lentamente.

—¿Rick? —Chase asomó la cabeza y, al ver a Julia, sonrió cálidamente—. Ah. Un rostro aún más bienvenido. ¿Cómo estás esta mañana, Julia?

—Aprehensiva, cautelosa, preparada.

Se llevó el último trozo de pan a la boca y reprimió el impulso de tomar su polvera y buscar las migajas restantes en su rostro. En lugar de ello se lamió los labios.

—Y con razón —tomó dos panes y se sirvió una taza de café caliente sin crema—. Ven, esperemos a Rick en su oficina.

Ella lo siguió, pero se detuvo en la puerta.

—Guau!

—Impresionante, ¿no?

Julia respiró hondo, la rica y poderosa fragancia de una docena de flores conspiraba de alguna manera para crear una mezcla exótica del paraíso. Casi esperaba ver a la anciana trabajando en la esquina de la habitación, preparando incontables arreglos con manos hábiles y eficientes.

—Qué increíble olor.

—Al principio Rick no sabía qué hacer al respecto, pero ya se acostumbró —Chase acercó una silla al enorme escritorio de madera oscura que estaba al centro de la habitación, y colocó sus panes en la brillante superficie. Ella caminó alrededor del escritorio de ébano, hipnotizada por la hechura. Recorrió las suaves orillas con la mano.

—Excelente gusto —murmuró, reconociendo la atención al detalle en las líneas intrincadas.

—Gracias, preciosa —el acento tejano de Ricardo

cruzó la habitación. Ahora totalmente vestido, se veía impresionantemente bien en un traje color azul marino. La suave iluminación de la oscura habitación se reflejaba en sus zapatos Gucci. Se veía tan cómodo con el traje como se había visto con los pantalones de mezclilla en el estudio. El saco cruzado enfrente le acentuaba el pecho, esa poderosa e injusta táctica de distracción.

Chase miró a Julia, luego a Ricardo y de nuevo a Julia.

—Hmm. senor "Traje de Negocios", le presento a la señorita. "Traje de Negocios".

Lanzó una risa burlona y mordió su pan, llenando de migajas su pantalón de mezclilla y el suelo alrededor de sus Nike.

—Julia, debes perdonar a Chase. No tiene cerebro, pero de vez en cuando intenta hacer algún chiste —Ricardo se golpeó la cabeza con el índice—. Demasiadas tacleadas.

Ricardo volvió a lanzar esa risa maravillosa y atravesó la habitación hasta su escritorio. Acomodó algunos papeles que yacían sobre él.

—Es hora de trabajar —dijo, desenrollando lo que parecían ser unos planos sobre el pulcro escritorio.

Julia abrió su portafolios.

—Como le dije el otro día, no estamos en venta.

—¿Por qué no te tranquilizas un poco, Julia? —la sonrisa amenazó con reaparecer en sus gruesos y tentadores labios, pero desapareció cuando ella no respondió.

—Si te acercas por acá, me gustaría mostrarte mis planes. La visión que tengo para mí mismo y para cada comunidad en la que construyo, va más allá de los edificios. No soy un pirata que se dedica a robar y a saquear porque sí. No tengo que serlo.

Ella lo examinó, apreciando su candor tanto como lo cuadrado de su mandíbula, que le daba un aspecto rudo y esculpido, e ignoró el olor de esa maldita colonia Stetson. No sonaba amenazador.

—Muy bien —se levantó renuentemente de su asiento—. Muéstramelo.

—Trato de proporcionarle algo positivo a las comunidades donde construimos —Ricardo señaló Chase—. En cuanto estén construidos los tres restaurantes de San Diego, Chase tomará mi lugar como Administrador General y los va a administrar mientras avanzo por la costa hacia Los Angeles, San Francisco y hasta Portland y Seattle.

Chase estudió los planos.

—Los restaurantes serán mi responsabilidad. No tuvimos ningún problema al instalar los otros dos, pues fueron construidos en zonas deshabitadas. Prometo cuidarlos bien, así como las comunidades a las que atienden. Tienes mi palabra sobre eso, Julia.

—¿Qué significa eso en este caso, Chase? Que después de que destruyan el estudio de mi tía para construir un estacionamiento limpiarán el barrio? —se acercó más a Ricardo para ver mejor los planos que estaban extendidos sobre el escritorio—. Mira estos planos. ¿Cómo van a preservar el tranquilo aire de la Ciudad Vieja con una monstruosidad así?

Chase se rascó la cabeza y sorbió su café negro.

—Será construido como los edificios vecinos, con estuco y techos de teja roja con puertas de madera. Pretendemos fundirnos con el ambiente y preservarlo hasta donde sea posible. Así se instaló Rick en las otras ubicaciones.

El inmutable Ricardo sacó otro enorme papel y lo desenrolló.

—Déjame darte una mejor idea —lo extendió sobre los planos y Julia vio que era un mapa del area.

El artista había creado una hermosa imagen de un edificio estilo español, un edificio enorme. Parecía como una mamá osa rodeada de muchos oseznos del mismo aspecto y calibre.

No estaba tan mal, pensó Julia.

—Veo que en esta imagen el estudio de mi tía sigue ahí.

—Esto fue antes de que calculáramos las dimensiones del área circunvecina. Mira, podemos mover el estudio de tu tía a este otro lote en la misma calle.

—¿Te cuesta demasiado trabajo entender la palabra "no", Montalvo? A excepción de tu oficina, esta es la esquina de la familia. Aquí estás parado en un sitio histórico. Uno no mueve los sitios históricos a un lugar más conveniente.

—Julia, está sólo a media cuadra, por Dios, no al otro lado de la ciudad.

¿Por qué no podía entender lo importante que era esto para ella y para su tía? ¿Para su familia?

—¿Qué diría tu madre si dejaras a una anciana en la calle, Montalvo?

Él frunció el ceño y la ira en sus ojos casi la hizo retroceder.

—Señorita, yo *no* soy el monstruo que crees que soy. Yo me hago responsable de mis acciones. Te di mi palabra de que me haría cargo de tu tía. El dinero sólo es parte del asunto. Si trabajas conmigo en esto, verás que también le conviene a los intereses de tu tía —golpeó el escritorio con ambos puños.

Julia no tenía duda alguna de que si hubiera terminado de decir lo que pensaba, sus puños fácilmente habrían atravesado la gruesa madera. Le habría podido sacar el aire de un apretón a cualquier balón de fútbol americano que se le interpusiera en el camino. Punto para Ricardo por su autocontrol.

Chase carraspeó.

—Tenemos compañía.

Francisco estaba parado en la puerta de la oficina. Con un ligero gesto de sorpresa en el rostro, los recorrió a los tres con la mirada hasta posarla en Julia.

Julia se enderezó y enfrentó a Ricardo.

—Montalvo, ¿qué significa esto? ¿Qué hace Cisco aquí?

Ricardo miró a Julia y a Francisco.

—¿Cisco? Parece que ustedes dos se conocen.

Ella cruzó los brazos, cada vez más furiosa.

—He conocido a Cisco toda mi vida, pero mis asuntos personales no tienen nada que ver con el asunto que estamos tratando. Usted dejó bastante claro que aquí no cabían las emociones. Ahora responda a mi pregunta.

—El señor Valdez me va a proporcionar el respaldo político que necesito para este proyecto. Ha accedido a ayudarme a promocionar el restaurante como algo ventajoso para la comunidad.

Se dio la vuelta para encarar a Francisco.

—¿Tú *qué?*

—Julia —su voz era suave y tranquila, mostrando su propia versión del autocontrol, en contraste con la rabia hirviente de Ricardo. Eso sólo aumentó la tensión. Atravesó la habitación y se dirigió hacia ella.

Ella le permitió tomar sus manos y besar cada una de sus mejillas, respondiendo al gesto.

—¿Qué estás haciendo, Cisco? —siseó.

—Este es mi distrito. El señor Montalvo me envió hace meses una propuesta sobre el proyecto.

Francisco procedió a estrechar las manos de Ricardo y Chase. Volvió con Julia.

La asustada mente de Julia pensó brevemente en una conspiración.

—¿Hace meses? —sintió náuseas al entenderlo. Se habían puesto de acuerdo "hace meses".

—¿Hace meses y no me lo dijiste, no me lo advertiste entonces?

—No lo tomé en serio hasta ahora, que ya se mudó a la ciudad. Va a construir ese restaurante con o sin nuestro apoyo. Me parece que será mejor para todos si apoyamos su proyecto.

—Estás hablando de mi familia. Me sorprende la

coincidencia de que aceptes el proyecto justo después de nuestro rompimiento.

—No es lo que parece, Julia. Siéntate, por favor. Discutamos esto racionalmente.

Francisco se sentó en el sillón de piel que estaba cerca de Julia. Sus movimientos eran tan suaves como los impecables pantalones de su traje de diseño italiano.

—Verás lo que es ser racional, Cisco. Te has convertido en el político que juraste nunca ser.

Algo le brilló en los ojos, pero la voz de Francisco se mantuvo totalmente tranquila.

—Eso no es verdad, Julia, pero he tenido tiempo de pensar en esto y debo actuar.

Julia miró a Ricardo en espera de respuestas que calmaran su caos interno. Por alguna desquiciada razón sabía que él sería derecho con ella.

—¿Por qué mi familia?

Ricardo atrapó y retuvo su mirada.

—No sabía que Valdez tuviera algún interés personal en esto, aunque en realidad no tiene importancia. Yo, personalmente, te lo hubiera dicho hace meses, lo considerara o no un proyecto viable. Lamento que no se te informara antes.

Que el cielo la ayudara, pero ella le creyó. Y, sin embargo, también había creído alguna vez en Francisco. Sintió que las paredes se le venían encima rápidamente.

Él miró furioso a Ricardo.

—Sí, bueno, cometí un terrible error al no decírtelo, Julia. Me disculpo sinceramente por eso, y también me disculparé con tu tía —sus suaves ojos parecían rogarle y se agitó nervioso en su asiento—. Ahora que el señor Montalvo ha pulido su propuesta de negocios, es la mejor que he escuchado para rejuvenecer esta zona. Creo que debes venderle el estudio de tu tía.

Capítulo Cuatro

Julia estaba parada entre Ricardo y Francisco, iracunda.

—¿Vender el estudio?

Si lo que Cisco quería era desquitarse con ella por haber roto el compromiso, había elegido un mal día para hacerlo.

Enfrentada como estaba a dos hombres poderosos, éstos podían creer que controlaban el futuro de su tía, pero ella no estaba a punto de ceder. No sin luchar.

Se levantó con una lentitud calculada y deliberada, ganando así un minuto extra para pensar bien las cosas. Miró su reloj, plenamente consciente de que no debía perder tiempo, ya que su abuelo la estaba esperando en casa.

—Francisco, ¿qué ganas tú con eso? —se recargó en la orilla del escritorio pulido.

Francisco carraspeó.

—No me estoy vendiendo, si eso es lo que crees.

—Claro que te estás vendiendo, Cisco. Mi familia prácticamente te crió y, sin embargo, estás dispuesto a ser un Judas traidor.

Francisco jugueteó con el nudo de su multicolor corbata Pierre Cardin.

—El desarrollo de esta zona es parte de mi plataforma política. Tú sabías eso cuando trabajaste a mi lado. Creíste en mí. Me promocionaste. Conoces mi agenda. No me acuses de prácticas que ambos despreciamos.

—No, no —no pudo dejar de agitar la cabeza—. No sé qué fue lo que te ofreció Montalvo, pero has cambiado. Te conozco demasiado bien y puedo sentirlo.

Cansada y frustrada por sonar como un disco rayado, se retiró un cabello extraviado de la frente.

—Las personas de aquí merecen más consideración. Son individuos, casi todos de edad avanzada, y todos pretenden vivir y morir en esta comunidad.

Francisco se puso de pie con los puños cerrados.

—No te lo creas tanto, Julia. ¿Crees que no lo sé? —se esforzó por controlar su voz—. Tu abuelo, tu tía y tú son parte de mi familia. Ésta es mi comunidad. Creo que lo que el señor Montalvo propone nos beneficiará a todos. Por supuesto que pensé en Elvira al respaldar este restaurante. Con el dinero que él le ofrece ella podría viajar, pintar y hacer las mil y una cosas que siempre quiso hacer en su vida.

Julia golpeó la mano en el escritorio.

—¿Por qué creen ustedes dos que saben lo que es mejor para mi tía? El estudio es su vida. Si hubiera querido hacer otra cosa habría cerrado el negocio hace años.

—¿Y por qué crees que tú sabes lo que es mejor para tu tía? —contraatacó Francisco—. ¿Se lo preguntaste o simplemente te has hecho cargo sin tener idea de lo que ella realmente quiere?

Ricardo aplaudió en un gesto exagerado.

—¡Bravo! ¡Bravo!

Empujó su silla hacia atrás y colocó sus pies sobre el escritorio.

—Muy buenos alegatos por ambas partes. Me da una idea más clara de cómo adaptar mi propuesta a sus necesidades. Ahora es mi turno.

Su voz exigía atención. Los años que llevaba en el mundo de los negocios no habían preparado a Julia para alguien como Ricardo. El calor y la energía que emanaban de su cuerpo simplemente reflejaban el modo en que su mente calculaba, descifraba y se concentraba. Esa mente decidida podía ayudarlo a saltar sobre cualquier víctima inocente. Ella no sería esa víctima.

Se alejó de él y volvió a sentarse entre Francisco y Chase. Lo lamentó de inmediato.

Eso puso a Ricardo al centro del escenario, y su actuación fue brillante. Se paró ante ellos como un gran conferencista, listo para abundar en la última teoría sobre un sistema solar recién descubierto. Se quedaron sentados el uno junto al otro como alumnos anonadados.

Ricardo empujó su silla para atrás con una leve presión de su bien desarrollada pierna.

—En resumen, el señor Valdez coincide con mi forma de pensar. Es un visionario. Julia prefiere que las cosas permanezcan como están. Prefiere la seguridad de lo reconocible, lo cómodo. Eso no significa que sea malo. En algún lugar debe haber un punto medio.

Pareció olvidarse de todos los presentes. Su mirada se fijó en Julia y el brillo volvió a sus ojos y su voz.

—Julia, he hecho todo esto muy mal. Primero que nada quiero presentarte una disculpa.

El olor de rosas parecía filtrarse por el ventilador. Sin defensa alguna, Julia se reclinó en su asiento y abrió los ojos con sorpresa. ¿Cuándo había usado Ricardo la dulzura en sus tratos de negocios? ¿Se estaba preparando para atacarla?

No le sirvió de mucho que su acento la acariciara como una refrescante brisa de verano, o que la mirara de tal modo que los otros dos hombres terminaron por desaparecer como las últimas notas de un vals.

Él caminó a lo largo de su escritorio.

—Me tomará unos minutos explicar mi plan de negocios, la manera en que cada uno de ustedes encaja en el plan y cómo espero que podamos trabajar juntos. Hay, por supuesto, espacio para las sugerencias. Mi meta es llegar a un punto medio satisfactorio.

—¿Satisfactorio para quién? —se le escaparon las palabras de la boca antes de que pudiera detenerlas.

—Para mí, principalmente. Estamos hablando de las ganancias financieras y del desarrollo de mis restaurantes. Pero me gustaría que todos quedáramos contentos con esta propuesta. Al contrario de tu primera impresión de mí, no siempre soy tan terco.

—Sólo el noventa y nueve por ciento del tiempo —murmuró Chase.

Ricardo deslizó sus manos en los bolsillos del pantalón. La parte inferior de su saco se le abultó en las muñecas.

—No estás colaborando con la causa, Chase.

Trató de fruncir el ceño, pero en cuanto miró a Chase a los ojos, desaparecieron los profundos canales entre sus cejas. Casi oculta detrás de la corta barba, una leve sonrisa tocó las comisuras de sus labios.

—Chase siempre ha sido un excelente apoyo.

Chase se rió disimuladamente.

Julia volvió a mirar su reloj. No pensaba perderse la cita del abuelo con el doctor.

Ricardo le lanzó una mirada interrogadora, y carraspeó.

—Julia, cuando hice mi primera investigación de San Diego, esta me pareció la zona más prometedora. Nunca he tenido un restaurante en un ambiente de Ciudad Vieja, ni en una zona básicamente turística. Esto representaba lo mejor de ambos mundos. Chase hizo el trabajo de campo, el lote baldío estaba en venta y me dio el nombre del señor Valdez. Valdez reconoció el valor de una oportunidad así. Podría atraer a personas más jóvenes, impulsar la economía, incluso ayudar a enseñarles parte de nuestra herencia a los visitantes. El único inconveniente era la falta de espacio para estacionamiento. Entonces ubiqué el estudio de tu tía. Cuando investigué su historial debo admitir que lo único que pude ver fue su edad y que quizás, sólo quizás, podría estar lista para jubilarse. Estaba dispuesto a ofrecerle una alternativa cómoda.

Julia luchó por mantenerse racional, absorbiéndolo todo. Él no dejó asunto sin resolver. Ella examinó su rostro, la belleza de su oscura piel y su cabello grueso, y se preguntó cuánta compasión yacía tras el rostro endurecido y el cuerpo aún más duro. Si el brillo de sus ojos y el latente sentido del humor podían ser una señal, aún había esperanzas.

—El asunto es más complejo, señor Montalvo.

Se levantó de su asiento y rodeó el escritorio para encarar a Ricardo. Llevaba su portafolio. Sintió la fuerte presión del escritorio en la parte trasera de sus muslos.

—Por favor, señor Montalvo —murmuró—, tome asiento —señaló la silla que estaba detrás de él.

Ricardo asintió secamente e hizo lo que se le había pedido. Se desabrochó el saco y se sentó en la enorme silla forrada con una gruesa lana acojinada y con apoya abrazos de palo de rosa. Se reclinó en la silla y esperó.

Al ver el espacio libre de su sobrecogedora presencia, se le aclaró la mente.

—Me gustaría que me dieran tres meses.

Él se enderezó de inmediato con todo y silla.

—¿Tres meses? ¿Para qué?

—Es el tiempo que necesito para idear ya sea una alternativa para ti o un plan de retiro para mi tía —miró a Cisco—. O para enfrentarlos a todos hasta la muerte.

Ricardo soltó una carcajada de genuina algarabía.

—El drama te sienta bien.

La sonrisa volvió a su enloquecedor gesto de sarcasmo.

—Si te doy tres meses, ¿qué gano yo?

Finalmente la idea cobró coherencia.

—Te dedicaré diez horas de mi tiempo a la semana para desarrollar tu campaña publicitaria.

—No lo creo.

Volvió a recargarse en la silla, se acarició la barba y finalmente meneó la cabeza.

—Necesito un trabajo de calidad. Experimentado, contemporáneo, rítmico. Tú, preciosa, pareces tener una forma de pensar muy tradicional.

Así que apelar a su sensatez tampoco funcionó.

—No estoy atorada. Los valores familiares son importantes. Mi familia siempre me ha respaldado, y ahora es mi turno de responder ante ellos. Puedo hacerlo mediante la publicidad o los negocios. La publicidad es la publicidad y soy muy buena en cualquier campaña que desarrolle. Tienes mi palabra de que obtendrías un resultado de mucha calidad.

Ella abrió su portafolio sobre los planos y dibujos.

—Estos son ejemplos de algunas de las campañas que he producido.

—¿Me estás dando tu palabra? Eso no funcionó cuando lo dije yo. ¿Por qué iba a funcionar ahora? —estiró su pierna y la rozó contra el tobillo de Julia al inclinarse hacia adelante en su asiento.

Ella logró disimular su reacción ante ese contacto.

—Deja de complicar esto. Te estoy pidiendo tres meses durante los cuales trabajaré una cantidad fija de horas para ti y tú, a cambio, dejarás en paz a mi tía y le permitirás llevar su negocio normalmente.

Él hojeó el portafolios.

—Aún no veo qué gano yo.

—Si después de esos tres meses logro convencerte de que es necesario que permanezca ahí, ajustarás tus planes y dejarás su estudio intacto. Si no logro idear una alternativa para el problema de estacionamiento, entonces podrás usar tu comodín y yo personalmente te ayudaré a mudarte con una sonrisa en el rostro.

Él hizo un ademán pensativo, calculando el riesgo, seguramente.

—Puedo darte los tres meses. Es el tiempo que necesito para arreglar todos los permisos e iniciar la construcción. Te daré esos tres meses. Tu labor será convencerme de que esta no es una idea rentable y encontrar una alternativa. Si lo haces, tú y el estudio saldrán ganando —se paró y se recargó en el escritorio—. Pero hay una condición.

La alarma de advertencia volvió a sonar. Ella se irguió y levantó la barbilla.

—¿Y cuál es, señor Montalvo?

—Lecciones de baile. Privadas y en grupo durante este período de tres meses de gracia.

—Veré qué puede hacer mi tía.

—Ella no tendrá que contribuir más que con el estudio. Quiero que tú me enseñes, preciosa. Personalmente.

Se le hizo un nudo en la garganta.

—Ésa no me parece una buena idea.

—Piénsalo, Julia. Las lecciones de baile durante tus tres meses de gracia podrían ser tu mejor oportunidad de convencerme, aunque lo dudo. Me parece una estupenda propuesta. ¿Qué les parece, caballeros?

—Un trato excelente —dijo Chase con la boca llena de su segundo pan.

Francisco caminó hacia Julia, con la incertidumbre reflejada en los ojos.

—No tienes que acceder a nada, Julia —deslizó su mano familiar sobre la de ella.

—Te equivocas, Cisco. Estoy entre la espada y la pared. Definitivamente tengo que acceder a esto, lo quiera o no —le arrancó su mano.

Él asintió, se enderezó la corbata e irguió los hombros.

—Nunca quise... lo siento. Te veré el sábado.

Ella lo miró con la mente en blanco.

—Le prometí a tu tía que sería tu pareja para demostrar el nuevo paso de salsa.

—Ah, y no podemos permitir que rompas promesas que le hiciste a mi tía, ¿verdad? —ella misma se sorprendió ante lo áspero y seco de su tono, así como del dolor en el rostro de él.

Aún no habían visto nada.

—Bien. Por mi tía, lo que sea. ¿Cisco? —esperó hasta tenerlo frente a frente—. Voy a reunir al barrio para que asistan a la reunión del consejo. Protestaremos contra el desarrollo de la zona.

—Así sea —se alejó tensamente de ella antes de que pudiera decir algo más.

—Buen día, caballero.

A pesar de su postura tiesa, se deslizó suavemente por la puerta. Tenía esa misma elegancia natural sobre la pista de baile, la pista de baile de su tía.

—Quiero que mis lecciones comiencen el sábado —el ceño de Ricardo se había fruncido nuevamente mientras miraba a Francisco abandonar la habitación.

—Tengo planes, como ya sabrás.

Él le ponía los nervios de punta al decirle qué hacer, cuando a ella le gustaba controlar su propio horario hasta el más mínimo detalle. Si pasaba más tiempo del necesario cerca de él acabaría por quedarse sin dientes, de tanto rechinarlos. Guardó apresuradamente su cuaderno de notas en el portafolios.

—Estaré ahí antes de que comiences tu lección de grupo.

—¿Tengo alguna elección?

Se acarició la oscura barba. El silencio de la habitación estaba más denso que en un tribunal.

—No, no la tienes.

—Quiero esto por escrito.

—Eso ya te lo prometí. No tenemos que repetir nuestros acuerdos de caballeros. En resumen, tienes tres meses para comprobar fehacientemente por qué no debería seguir con mi plan ya establecido de tirar el estudio de tu tía. Si no puedes convencerme, aceptarás mi oferta de comprar el estudio, ya que la renta está por vencer de todas maneras.

—Bien —a Julia le zumbaban los oídos, y estaba segura de que en cualquier momento comenzaría a salir humo por sus orejas.

—Prepararemos los papeles de inmediato. Puedo pasártelos a dejar mañana, o puedes recogerlos aquí cuando te presentes a trabajar.

—¿Mañana? Tengo otros clientes, ¿sabes?

—Lo sé, y ahora yo soy uno de ellos. Creo, preciosa, que para comenzar lo mejor sería que vinieras dos horas diarias. Hay mucha tarea que hacer inicialmente, y no quiero sobrecargarte. No quiero que te agotes antes de tener oportunidad de terminar mi campaña.

—¿Cuándo iniciarás la construcción?

—Dentro de una semana.

Ella respiró hondo y se alisó la falda. Los negocios podía manejarlos; de Ricardo no estaba tan segura.

—¿Puedo llevarme los planos y bocetos? —miró su reloj, esperando tener tiempo suficiente para llegar con su abuelo antes de que decidiera rechazar su oferta de llevarlo al doctor.

—¿Tienes otra cita? —Ricardo acomodó y enrolló los planos con sumo cuidado.

—Sí. Mi abuelo necesita... —cerró la boca. No lo dejaría ver sus puntos vulnerables—. Sí, tengo otra cita.

—Gracias por venir, Julia. Sé que no fue sencillo.

Ella esperó un sarcasmo que nunca llegó, y se tragó el nudo que tenía en la garganta.

—Gracias por aceptar mi oferta. No te arrepentirás.

Recogió los planos, se despidió de Chase y salió por la puerta.

Capítulo Cinco

Al siguiente día, de regreso en la oficina de Ricardo, Julia estudió los planos de Ricardo y él la estudió a ella. Su cabello era brillante y suave, y tenía el color de las castañas navideñas. Sus dedos ansiaban tocarlo y acomodarlo detrás de su oreja para poder mirar mejor su largo cuello blanco. Algunos mechones caían suavemente sobre su mejilla y no le permitían ver sus oscuros ojos.

Eso estaba bien. En estos días ella lo miraba con veneno, aunque su voz lograba seguir dulce y provocadora.

—¿Así que es rescatable? —él quería escuchar sus inconvenientes y ver cómo trabajaba su mente. Quería una conversación sencilla que les facilitara su trabajo como colegas. Diablos, todo lo que quería era una segunda oportunidad para probar su decencia.

Levantó la mirada como si se hubiera olvidado de su presencia.

—No seas condescendiente, Montalvo. Sabes perfectamente que sólo necesitas un ángulo local, algo que haga de estos restaurantes algo único en San Diego. Mi intención es proporcionarte ese ángulo.

—Estoy seguro de que harás un gran trabajo. No me preocupa.

Ella jugueteó con su pluma mientras una mirada perdida invadía sus ojos.

—Basándome en lo que he visto, tienes un gran producto —se colocó la pluma en el bolsillo superior del saco. Era de un azul rey que hacía resaltar el color de su cabello.

—Bajo otras circunstancias, estaría feliz por ti.

—Me diste tu palabra de que me darías el cien por cien de tu esfuerzo.

No podía quitarle los ojos de los labios, el suave color durazno parecía invitarlo.

—Lo haré —se encogió de hombros—. Te darás cuenta de que estoy haciendo esto por ti.

—Lo sé —dijo en voz baja—. De cualquier forma estoy confiando en que lo hagas funcionar como sea. Entre más rápido logremos despegar esto, más pronto estaré fuera de tu vida, de una u otra manera.

Julia se acercó a la ventana y recargó en ella la frente. Él trató de ver el estudio como ella lo veía. Parecía pequeño y vulnerable al lado de los enormes camiones de concreto que se encontraban más allá. La compañía de construcción estaba trabajando horas extra para terminar los cimientos de su restaurante.

Se paró detrás de Julia, con un fuerte deseo de envolver sus brazos alrededor de su delgado cuerpo y decirle que todo estaría bien. Sabía por experiencias pasadas que el hormigueo en su estómago le indicaba otra cosa. Se esforzó por decir lo correcto.

—Por lo que vale, yo también desearía que las circunstancias fuesen distintas.

Ella se alejó de la ventana y lo miró durante un largo rato, casi sin pestañear. Él deseaba sumergirse en su mirada, pero se dio cuenta de que probablemente no tenía alternativa. Los oscuros ojos cafés lo penetraron.

Segundo a segundo, Julia parecía estar quitándole capas hasta que sintió que había llegado demasiado lejos. Recargó su peso en la otra pierna, incómodo ante su escrutinio, temeroso por la compasión en los ojos de ella mientras examinaban su rostro en busca de respuestas.

Él no podía darle las explicaciones que sabía que quería oír. Ella se retiró y rompió el contacto visual.

—Sí, bueno, los deseos son algo sobrevaluado, ¿no crees?

Él asintió. No entendía de qué diablos le estaba hablando, pero no quería que ella se fuera.

—Desde que entraste al estudio de mi tía nunca deseé o recé tanto por algo como deseé que tú te fueras y nos dejaras en paz —ella lanzó un suspiro.

—Bajo otras circunstancias... —abrió la puerta.

—No llegues tarde a la clase de baile.

Cuando ella cerró la puerta él soltó un profundo suspiro. De ningún modo se volvería a dejar intimidar por ella. No era ningún tonto, nunca lo había sido y nunca lo sería, pero ella ya le había hecho ver una fantasía.

En los negocios no había cabida para las emociones.

El se asomó por la ventana y observó cómo Julia atravesaba la calle con paso confiado.

—*No hay cabida para las emociones* —repitió.

Se rió en voz alta, una reacción nerviosa a sus repentinas reflexiones.

Julia *era* emoción pura. Ya había logrado extraerle algo, algo que no debía estar en la mesa de negociaciones. Si no tenía cuidado, su lema quedaría destrozado sin remedio.

Ricardo había trabajado demasiado y durante demasiado tiempo para lograr su posición en la vida. Un pequeño detalle como Julia no lograría cambiar nada sólo con agregarle emoción a la olla en ebullición.

Julia casi había bajado la guardia ante Montalvo. No volvería a suceder.

En la pista de baile, Ricardo era sensacional. Su cuerpo de superhéroe y sus enormes botas debían haberse resbalado en la pista o tropezado con sus pies. En lugar de ello, se movía con soltura, sincronizando estupendamente piernas y caderas. Apreciaba cada uno de los pasos que ella enseñaba y corregía.

Había un pequeño problema. La sostenía como si no hubiera mañana. Su palma descansaba en su espalda o, más bien se la calentaba. Julia miró al resto del grupo y reprimió el deseo de correr hacia ellos. Era más seguro estar en grupo.

—Te doy un dólar por tus pensamientos —Ricardo retrocedió para mirarla.

Ella se detuvo.

—¿Qué le pasó al pobre centavo?

—¿Aún los acuñan?

—Es lo que se usa en este barrio.

—Comienza a cansarme tu actitud de pobre mendiga y mártir, Julia. No trates de ser lo que no eres sólo para fastidiarme —le alzó la barbilla—. Además, hay formas mejores y más creativas de hacerlo.

Ella le aventó la mano, sorprendida por la sensación que la recorrió ante el contacto con sus dedos callosos.

—Ricardo, tenemos que resolver tu problema de autoestima.

—Después de resolver tu problema de modales.

—Mi, mi... —lo empujó.

Él la agarró antes de que pudiera dar un paso más.

—Contrólate, preciosa —le dijo, logrando sonreírle a pesar de sus dientes apretados—. Hicimos un trato. Ahora cumple con tu parte. Las clases de baile significan tiempo y dinero para el estudio. Esta clase no se ha acabado, ¿verdad?

La abrazó aún más fuerte, apretando su cuerpo contra él de ella.

Ella se quedó sin aliento. Cerró los ojos y respiró despacio; el aroma de su colonia Stetson se filtraba por su camiseta negra. Recordaba vagamente haber trabajado años antes en la cuenta de Stetson, pero nunca había olido así en ninguno de los modelos que había usado.

Ella soltó su mano de la de él y la colocó entre ellos, apoyándola firmemente en su pecho. Lo empujó controlando la sensación de pánico que la invadía.

—Se acabará muy pronto si no me dejas respirar.

Sintió que él cedía levemente en su abrazo.

—Lo siento —masculló.

—Distancia apropiada y postura apropiada —le colocó una mano derecha temblorosa en su hombro y dio otro medio paso hacia atrás hasta que su brazo estuvo casi totalmente estirado. Estoy segura, pensó, su ritmo cardiaco disminuyendo finalmente. Levantó la mano izquierda y esperó.

Ricardo guardó silencio por un largo rato, examinando el rostro de Julia. Ella levantó un poco más la barbilla y le sostuvo la mirada, ignorando la forma en que sus piernas temblaban como gelatina bajo su mirada.

—Juegas rudo, Julita —dijo al fin, y deslizó suavemente la mano alrededor de la de ella—. Me gustaría que pudiéramos disfrutar de las lecciones.

—Normalmente lo haríamos. Pero estos son negocios, y no hay cabida para las emociones en los negocios. ¿No es ese tu lema?

—Bien. Sí, señorita, ese es mi lema. Eso no cambia el hecho de que se sienta estupendo tenerte en mis brazos —volvió a apretar la mano contra su espalda. El calor se volvió insoportable a través de su delgado vestido—. O de que tu cabello huela como agua de lluvia o de que tu risa, lo poco que la he oído, suene como una canción. Ya de por sí disfruto el tenerte así de cerca, pero que Dios me ayude si alguna vez decides ser amable conmigo.

Julia se quedó con la boca abierta. Le pisó el dedo del pie, dando así el punto final a la clase de baile. Se ruborizó y se avergonzó de su comportamiento, dividida por la lealtad hacia su tía. Su tía, su abuelo, incluso sus padres habrían sido más educados con este hombre, a pesar de las circunstancias.

Miró de reojo a Elvira, la imagen misma de la clase y la dignidad, evidentes en su postura erguida y en el trato que les prodigaba a cada uno de sus alumnos y amigos. Les sonrió cálidamente a ella y a Ricardo.

Lorenza saludó a Julia y volvió a hacerle una seña de aprobación. Julia alejó rápidamente la mirada. Lorenza, siempre romántica, estaba tan equivocada que ya ni siquiera tenía gracia.

Julia sólo estaba tratando de proteger a Elvira, de rescatar su negocio y preservar un refugio para la gente de edad avanzada que vivía cerca de ella.

Julia se miró los pies sin saber qué decirle a Ricardo. Finalmente reunió el coraje suficiente para mirarlo a los ojos.

—Me temo que mi actitud no va a cambiar muy pronto. Pero aprendes rápido. Me gustaría pensar que es gracias a mis lecciones, pero no te quitaré el mérito. Conoces bien lo básico, Ricardo. Puedes unirte al resto del grupo. Quizás ahí encontrarás la conversación estimulante que necesitas —se zafó de sus brazos y la sensación de frescura en su piel le resultó molesta a pesar de que afuera era una tarde cálida—. Ahora, si me disculpas, necesito un poco de aire.

Al rodear las sillas que estaban esparcidas en el camino a la puerta lateral se sintió como en una carrera de obstáculos sin fin.

—Señor Montalvo, acompáñenos por favor.

Julia pudo oír la voz de su tía. *¿Cómo podía hacerlo con tanta facilidad?*, se preguntó. Volvió a mirar a Ricardo.

El grupo lo estaba llamando. Volteó a mirarlos a ellos y después a Julia.

Se encogió de hombros y se acercó a los hombres y mujeres que lo esperaban.

Ricardo la vio marcharse. El hueco que sentía en la boca del estómago parecía un ser extraño que había invadido su cuerpo. Dios sabía que ya le había extraído hasta la última gota de sentido común del cerebro.

Unos dedos se agitaron frente a su rostro, y el murmullo de voces a su espalda se volvió más claro.

—¿Hola?

Miró a la diminuta mujer que tenía frente a él, y que estaba agitando la mano para llamar su atención.

—¿Estás sordo, muchacho? —le preguntó la mujer que ya conocía como Lorenza.

Antes de que pudiera responder, ella volteó hacia donde él estaba mirando. Alcanzó a distinguir la pierna de Julia al salir de la habitación hacia el brillo del exterior.

—No. No está sordo —dijo Lorenza—, sólo ciego.

—¿Disculpe, señora?

Volteó a mirarla. Ella le sonrió, distrayéndolo con la corona de oro que tenía en la orilla de un diente. Podía ver que estaba a punto de recibir una amonestación, podía verlo en sus ojos, pero también pudo ver en ellos humor y compasión.

—Ustedes son los jóvenes más tercos que he visto en mucho tiempo —chasqueó la lengua—. Qué desperdicio. No dejes que los negocios te alejen de lo que desea tu corazón.

—Mi corazón no tiene nada que ver con esto, señora —le dijo, aunque se volvió a agitar al volver Julia al salón. Le extendió el brazo a Lorenza—. ¿Me haría el honor de ser mi pareja en la siguiente vuelta?

—Claro, Ricardo. No soy una tonta, como otras personas que conozco.

Elvira aplaudió.

—Muy bien, clase, preparémonos.

El grupo formó dos círculos, el interno conformado por mujeres y los hombres parados justo detrás de ellas.

—Usaremos el paso básico para esta canción y cambiaremos de pareja después de unos minutos.

Julia tomó su lugar en el círculo, tan lejos de él como le fue posible. Era increíble ver la forma en que su sonrisa iluminaba la habitación. A él le gustaba particularmente el sedoso vestido morado que llevaba. Era muy corto y le favorecía las piernas.

Volteó a mirar al grupo de gente de edad avanzada que lo rodeaba riendo, tarareando y balanceándose. Las reuniones de su familia habían tenido una atmósfera similar hasta la muerte de la abuela dos años atrás. Desde entonces nadie había tenido la energía de seguir organizando los eventos para los casi cincuenta miembros de la familia. Ni siquiera él había tomado la iniciativa. A la abuela le habría encantado este grupo, y habría estado feliz si él hubiera continuado con las reuniones de su propia familia.

Incapaz de manejar su muerte y los problemas financieros que habían tenido que enfrentar sus padres, él había huido. Los había decepcionado al dejar a los Cowboys, el equipo de fútbol americano, y tenía que compensarlos de alguna manera.

El recuerdo aún lo hacía recular. Antes de que su carrera como mariscal de campo tuviera la oportunidad de despegar, había permitido que una pequeña lesión acabara con ella. Golpeado demasiadas veces, hasta su hombro había cedido. Había tratado de compensar esa vergüenza iniciando su cadena de restaurantes. No era lo mismo, pero había aprovechado la oportunidad mientras su nombre aún era reconocido. Esperaba que la gente se acordara de quién era, de quién había sido, al menos por un corto tiempo.

—Si no prestas atención, hijo, te haremos morder el polvo.

El abuelo de Julia estaba parado a su derecha. A Ricardo le había agradado el vivaracho anciano desde la primera vez que Julia los presentó. Ahora sus ojos penetrantes, como los de Lorenza y todos los demás en la habitación, lo intimidaban. A ellos no los convencería con palabras dulces. Ellos ya habían ido y vuelto más veces de las que podían recordar.

—Don Carlos, qué gusto verlo nuevamente.

—¿Ya estás entendiendo esto o aún extrañas el viejo paso doble?

—No hay nada como un buen paso doble veloz.

—Excepto, quizás, una mujer que pueda seguirte el paso —sus ojos traviesos se encontraron con los de Ricardo. Saludó a la mujer que estaba frente a ellos.

Ricardo se rió.

—Con Julia desquitarás tu dinero, hijo.

Ricardo dejó de reírse.

—Julia —dijo, midiendo cuidadosamente sus palabras—, es un hueso duro de roer. Dudo poder seguirle el paso.

—Así que la has observado mientras no están discutiendo.

—Es difícil de evitar —respondió sin poderse contener.

El brillo abandonó los ojos del anciano.

—Ojalá dejaras en paz el estudio, pero entiendo que son negocio. —se sobó el centro del pecho con los dedos nudosos—. Sabemos que al final harás lo correcto.

Como si se hubieran puesto de acuerdo de antemano, Elvira terminó de mostrar el paso y prendió la música. Un ritmo alegre llenó el aire. Batió las palmas al ritmo y gritó:

—¡A sus puestos... y vamos!

Escogió a Ricardo. Mortificado, fijó los ojos en los pies de los demás, tratando de contar al ritmo y esperando salir con los dedos ilesos. Adelante, rápido, rápido, lento. Deslizamiento hacia atrás. Rápido, rápido, lento.

Julia le había pasado por alto sus torpes intentos, pero si lastimaba a Elvira con un pisotón sería inevitable un ataque en masa. Se concentró tanto que su frente se llenó de sudor.

—Relájate, Ricardo —la voz de Elvira era dominante pero suave—. Deja que tus pies escuchen y después sigan la música. Confía en ti mismo —le golpeó el hombro—. Mira hacia arriba, a los ojos. Si no, ¿cómo harás que esa mujer especial se desvanezca cuando la tomes en tus brazos?

Elvira se alejó bailando y lo dejó parado solo con los brazos extendidos. Los fue bajando lentamente.

—¡Cambio de parejas! —ordenó.

Los hombres dieron un paso a la derecha para situarse ante otra mujer. Julia quedó frente a Ricardo.

—Así que nos volvemos a encontrar, preciosa.

Su corazón latía a un ritmo precipitado, pero no tenía que ver con la música. Quizás era el pronunciado escote en V el que provocaba ese golpeteo contra sus costillas.

Julia miró al techo. Él sentía ganas de tirarle del pelo para obtener alguna reacción vivaz de ella, pero no estaba seguro de que le gustaría la clase de atención que recibiría.

—Un dólar por tus pensamientos.

—¿Esto es un *déjà vu?* —ella estiró los brazos tanto como pudo para que su cuerpo estuviera lo más lejos posible del de él—. Espero que este sea un periodo corto.

Él la abrazó con más fuerza para alejar su mirada de la suave curva de sus grandes senos. Lo estaban volviendo loco.

—No muerdo, preciosa —sonrió—. Aún.

—Te equivocas. Ya nos hundiste los colmillos y dejaste una herida abierta.

Hubiera sido mejor una bofetada. Se le evaporó la sonrisa en el rostro ante el veneno de sus palabras.

—Julia, he puesto sobre la mesa una propuesta de negocios. Ni más, ni menos. Estás actuando como una niña caprichosa al borde de un berrinche, y no como la profesionista que conozco.

—Había olvidado lo mucho que sabes, Ricardo. Nos avergüenzas a todos por permitir que las emociones entren en nuestros negocios.

—Ya basta —la apretó contra su cuerpo, aunque la música se había detenido. Ya estaba harto de su insolencia. Había soportado en silencio sus faltas de respeto porque creía merecerlas. Pero no era así.

Su presión sanguínea pedía auxilio cuando estaba cerca de ella.

—He tratado de entender y darte alguna salida, y tú constantemente me lo echas en cara. Ahora mismo estás trabajando para mí y exijo algo de respeto mutuo.

Con el rabillo del ojo pudo percibir que Elvira rápidamente colocaba otro CD en el aparato para llenar el pesado silencio que oprimía la habitación. Rostros estupefactos con los ojos bien abiertos e interesados fijaron sus miradas en Julia y Ricardo, y después en el centro del escenario.

—¿Me vas a responder? —siseó, tratando de bajar la voz.

Julia se cruzó de brazos. Ignorándolo, miró por encima de su hombro y una sonrisa iluminó su rostro. Lo empujó a un lado.

—Con permiso.

Todos a su alrededor estaban con la boca abierta. Ricardo se quedó parado solo al centro del enorme e inmóvil círculo.

—¡Ricardo! —la voz de Lorenza lo despertó de su estupor. Ella señaló con la cabeza en la dirección de la dramática huida de Julia. Comenzó a hablar animadamente con un grupo de mujeres cercanas. El espectáculo había comenzado.

La música llenó la habitación de repente, pero no bastó para cambiar el ambiente. Todos parecían muñecos de cartón. Todos menos Julia parecían tener miedo de moverse. El ritmo de la música se fue acelerando mientras ella se acercaba a un inocente Francisco, parado en la puerta.

Francisco la miró y le sonrió, pero de inmediato asimiló lo que tenía a su alrededor y la atmósfera sombría.

—Hola, amigos —alzó la mano en un vacilante saludo. Sólo unas cuantas manos le devolvieron el saludo—. ¿Montalvo? —lo saludó con la cabeza. Su expresión de extrañeza parecía exigir una explicación que nunca llegó.

Julia volvió a mirar a Montalvo y después se acomodó en los brazos de Francisco. Las bocas del público cautivo se abrieron aún más.

Elvira dijo:

—Julia, mi amor, la clase.

Su voz preocupada se oyó sobre la música.

Julia le envió un beso y comenzó a moverse al ritmo de la música. Francisco no tuvo otra opción que seguirla.

Ricardo atravesó la habitación con unos cuantos pasos enormes, cada uno de los cuales provocó que los ojos de Francisco se abrieran un poco más. Le dio un golpecillo a Julia en el hombro.

Francisco dio un paso.

—Está ocupada, señor Montalvo.

—No se meta en esto, señor Valdez —gruñó Ricardo. Volteó a ver a Julia con una furia que ardía como un fuego incontrolable.

—Inaceptable, Julia. Necesitamos hablar. Ahora.

Ella miró la habitación llena de amigos y alumnos. Se alisó el vestido, el pecho jadeante.

—¡Tía, volveré en unos minutos!

Se echó para atrás el cabello al salir, como si hubiera sido su idea en primer lugar.

Ricardo volteó a mirar al silencioso grupo. Se quitó el sombrero y se inclinó levemente por la cintura.

—Si me disculpan. Los veré en unos momentos.

Se volvió a colocar el sombrero en la cabeza. Salió furioso del estudio, después de Julia.

Capítulo Seis

—Estás trabajando para mí, Julia.

Ricardo fijó la mirada en su barbilla levantada, en los labios rojos que habrían temblado de haber sabido la magnitud de su enojo.

—Cuando estemos en público, actuarás como si eso te agradara.

Ella se quedó totalmente quieta, rostro sereno, mirada enloquecedora.

—¿No vas a decir nada?

Golpeó el escritorio con su puño.

—Maldición, Julia. Deja de enfrentarme en esto. De todas las personas tú deberías entender que la imagen lo es todo para este negocio. Quiero que des una buena impresión de mis restaurantes frente a la clientela de tu tía. Si sigues saboteando mi trabajo, renegaré de mi parte del trato. Tu periodo de gracia de tres meses terminará en este mismo minuto si no me prometes toda tu cooperación.

Habían llegado hasta su oficina sin más incidentes, pero el daño estaba hecho.

—Tendrás toda mi cooperación —ella recogió su portafolios y se dirigió a la puerta. Volteó a mirarlo—. ¿Eso es todo, *jefe?*

El se pasó los dedos por el cabello, como si fuera a arrancárselo.

—No —se acercó cautelosamente a ella—. No tiene que ser así, Julia. Trabaja conmigo, por favor.

Estaba sorprendido del control en su propia voz,

cuando lo que quería era atravesar el puño en la pared.

Don Carlos le había pedido lo mismo. Lo estaba intentando, diablos. ¿No podía ella entenderlo?

—No —dijo ella en voz baja.

Haré lo que acordamos y nada más.

Sin pensarlo dos veces la jaló hacia él, lanzando al suelo el portafolio. Fuera de equilibrio, ella se aferró al frente de su camisa.

Él aferró con su otra mano la cabellera de Julia para evitar que moviera la cabeza. Se inclinó y plantó sus labios sobre los de ella con fuerza. Los ojos de ella se abrieron más de lo que él nunca había visto. No la soltó. Se negaba a soltarla. No quería soltarla.

Los labios de Julia eran increíblemente suaves. Su boca titilaba como si tuviera ahí sembrado un chile de los más picantes. Quería desviar su boca de esos labios para recorrer el cuello, la oreja, la mejilla, pero su sentido común entró en acción. Si sus labios abandonaban los de ella, ella se le escaparía, y él no estaba listo para dejarla ir.

Por un segundo pensó que era su imaginación, después estuvo seguro. Sus labios se abrieron levemente, como si estuviera tomando más aliento, se suavizaron aún más, y sus ojos se cerraron. Él suavizó el beso, ahogando los argumentos que lo habían reducido al nivel de un monstruo.

Ella le soltó la camisa, colocándole una mano detrás del cuello y jalándolo más cerca. Su otra mano le acarició la mejilla, le rozó la barba, el suave roce de sus dedos tan violento como cualquier explosivo.

Entre los dos emitieron un gemido. Él dejó que su mano abandonara su cabello para explorar su espalda. Cada centímetro de su cuerpo le quemaba la mano como si fueran llamas ardientes.

Ella se paró en las puntas de los pies y sus grandes senos se frotaron contra su pecho. Si ella no hubiera llevado puesto un saco, él habría perdido el sentido.

Él la apretó cerca, sin poderse acercar lo suficiente a esta mujer que había puesto su mundo de cabeza, arrastrando a su propia familia a presenciarlo. No le importaba.

En este momento él hasta se hubiera parado de cabeza por ellos, les hubiera prometido acciones de la cadena de restaurantes, hubiera organizado una fiesta como jamás habían visto en sus vidas. Mientras Julia permaneciera en sus brazos y mantuviera la boca cerrada por unos minutos, quizás el horrible monstruo que ella creía que él era podría desaparecer.

La habitación se volvió insoportablemente caliente. En el peor de los casos su ropa se le pegaría a las curvas del cuerpo y él tendría que ayudarla a quitárselas. En el mejor de los casos sus discusiones se derretirían en sus lenguas como trozos de hielo en un infernal día de verano en el sur de Texas.

Sus dedos le recorrieron el torso, sintiendo la orilla de sus grandes senos y ella contuvo la respiración, interrumpiendo el beso. Lo miró con deseo en sus ojos, de eso no había duda. No había forma de ocultar las reacciones de sus cuerpos traicioneros. Le acarició la mejilla con la mano, peinándole los cabellos que tenía ahí.

Ella cubrió esa mano con la suya.

—Julia, preciosa —murmuró, su voz apenas un silbido—. ¿Por qué te defiendes de mí?

Se le llenaron los ojos de lágrimas.

—Tú sabes por qué. No me lo vuelvas a preguntar.

—No sé qué decir.

No cuando su piel se sentía así, no cuando el cuerpo de Julia se amoldaba al suyo, no cuando sus labios se veían hinchados, no cuando estaba a punto de llorar.

Ella logró sonreír.

—Debe ser la primera vez —ella se llevó el dedo a los labios.

—Quizás deberíamos volver a nuestras posiciones para que no se te escapen las palabras dulces más de lo necesario.

—Tú las haces brotar de mi boca, Montalvo.

—Déjame encenderte de otra manera —se inclinó y acercó sus labios a los de ella. Eso era el paraíso.

En alguna parte de su cerebro escuchó una campana. Una corriente cálida de aire revoloteó alrededor de ellos, liberando algún aroma floral.

—¿Hueles eso? —murmuró en su oído, temiendo que sólo él pudiera percibirlo.

—Sí, son lilas.

—Bien —dijo, aliviado—. Tu perfume me gusta aún más —le olisqueó la oreja, el cuello, la mandíbula.

—No llevo ninguno.

Su voz se oía muy distante.

—¿Eres tú?

Estaba verdaderamente fascinado.

—Si pudiera embotellar eso haríamos una fortuna.

La volvió a besar.

—No. Prefiero morir pobre. No quiero compartirlo con nadie.

—Dicho como todo un empresario.

Se paró de puntas y lo besó. Definitivamente le llevaba una injusta ventaja.

¿Qué es un empresario? pensó.

Alguien tocó a la puerta cerrada que separaba las dos oficinas. Saltaron el uno de brazos del otro. Ricardo no recordaba haber cerrado esa puerta anteriormente.

Se abrió de par en par. Chase y Francisco estaban en la puerta.

Chase tenía en su rostro la sonrisa más tonta que hubiera visto Ricardo, Por su parte, el rostro de Francisco parecía estar a punto de quebrarse en mil pedazos, como una roca que cae de una montaña para estrellarse contra el suelo.

Ricardo se concentró en Chase. No podía mirar a Julia, no quería estropear la euforia confrontando a Francisco.

—¿Qué hay, Chase?

—Todos estamos esperando, cuate.

Julia recogió su portafolio.

—¿Todos?

Ricardo la volteó a ver y lo lamentó de inmediato. Julia definitivamente tenía la magia de Helena de Troya. Podía iniciar una guerra con ese rostro. Él podría perecer. Se pasó la mano contra sus labios punzantes.

Chase tomó un sorbo de lo que fuera que llevaba en el vaso desechable que llevaba en la mano. Se veía a Ricardo muy refrescante para su garganta seca.

—Familia, vecinos. Todos están ahí afuera. Vinieron directo de las clases de baile.

El rostro de Julia se empalideció.

—La reunión del consejo —miró su reloj—. ¿Por qué llegaron tan temprano?

—Por la invitación de Rick.

—¿Invitación? ¿A qué? ¿Estás tratando de comprarlos otra vez?

Una nube cubrió sus ojos. Había desaparecido la Julia que había tenido oportunidad de conocer. Sintió un hueco en el estómago.

—No se trata de soborno, preciosa. Vinieron por su propia voluntad. Nadie me hizo una fiesta de bienvenida al barrio, así que pensé que abriría mis puertas y permitiría que la gente viniera y no tuviera temor de hacerme preguntas. ¿Me olvidé de mencionártelo?

Ella lo empujó, sin más efecto que lanzar una corriente eléctrica por su pecho.

—Me parece que *convenientemente* olvidaste mencionarlo —sus labios volvieron a apretarse en un gesto de seriedad mientras pasó a su lado.

Ricardo le tocó el hombro.

—Creo que deberías refrescarte un poco antes de salir —le murmuró al oído—. Puedes usar mi baño.

Ella comenzó a decir algo, pero cerró la boca. Se pasó la mano por el cabello.

—Gracias.

Cuando hubo cerrado la puerta detrás de ella, Chase entró al ataque.

—¿Estaban trabajando en estrategias publicitarias intensivas para el restaurante? —caminó al escritorio y comenzó a pasarse el pisapapeles de una mano a la otra.

Francisco se recargó en la manija de la puerta como modelo posando para una foto de revista.

—Sabe, señor Montalvo, usted ya está pisando un terreno precario en este barrio. Yo no haría nada para empeorar las cosas.

—¿Disculpa?

—Julia es parte de la familia. Usted es un extraño. Yo tendría cuidado con la forma en que la trata a ella y a su familia si quiere algún tipo de apoyo por mi parte o por parte de la comunidad para su proyecto. Ya se ha agenciado una enemiga formidable, la misma Julia.

—Entonces también es una enemiga formidable para *usted*, señor Valdez. ¿O acaso ha olvidado cuánto invertí en su campaña cuando me ofreció su apoyo incondicional?

Francisco se enderezó la corbata y se encogió de hombros.

—No juegue conmigo, señor Montalvo. Yo puedo decidir su suerte en este barrio.

—Yo puedo decirle lo mismo a usted.

Ricardo se tronó los nudillos, una manera sencilla de distraer su energía negativa.

Aunque estaban a una buena distancia el uno del otro, Chase se colocó entre ellos.

—Esto no se trata de ustedes dos. Entre más rápido lo entiendan, más rápido tendrán el apoyo que ambos desean de la comunidad. Dudo que alguno de ustedes obtenga el apoyo de Julia a este paso.

Ricardo miró hacia la puerta cerrada del baño. ¿Qué tanto deseaba ese restaurante?

Julia salió por la puerta y los miró a cada uno de ellos, comenzando y terminando por Ricardo.

—Me perdí de algo importante, ¿verdad?

—Pregúntame lo que quieras, Julia —dijo Ricardo—, y te daré una respuesta.

—Bien. Te haré cumplir con tu palabra.

Pasó frente a todos y salió a la oficina de enfrente.

—¡Julia! —su nombre sonó más de cien veces.

Ricardo podía ver, incluso desde donde estaba, como ella se hundía en sus hombros como si le estuvieran lanzando pelotas de nieve. Dejó su portafolio y saludó.

—Hola, todos.

Ricardo estaba impresionado. No hay nada como verse en una situación inesperada y volverla a tu favor.

Ella volvió a la oficina de Ricardo.

—Toda mi familia está allá afuera —siseó—. Todo el barrio, todos. La habitación está a reventar.

—¿Hay alguien que no haya conocido?

—No te burles, Montalvo —volteó a ver a Chase—. ¿Cuánto tiempo llevan todos ustedes ahí?

—¿Veinte minutos?

—Oh, no —Julia se cubrió el rostro con las manos—. He estado relacionándome con el enemigo. Lo sabrán de inmediato.

—¿Sabrán qué, Julia? —preguntó Chase inocentemente.

Julia lo ignoró y comenzó a juguetear con la solapa de su saco.

Sus delgados dedos hipnotizaron a Ricardo. ¿Podía algo tan delicado ser a la vez tan letal?

Francisco miró molesto a Ricardo, aunque respondió al comentario de Julia.

—Sí. Estás en territorio enemigo sin un respaldo real.

—Tú también eres parte de esto, Cisco —dejó de juguetear, se puso las manos en las caderas y volteó a ver a Ricardo—. Sé que estás tratando de comprar el negocio, pero ¿podrías dejar de tratar de hacerte amigo de ellos? ¿Los estás usando para acercarte a mí? —paseó de un lado al otro—. No los arrastres a esto más de lo que ya lo has hecho, particularmente si vas a lastimarlos en el proceso para después dejarlos abandonados. No estarás aquí para ver las consecuencias de tus actos. Para entonces te habrás ido.

Se preguntó exactamente de quién estaba hablando Julia. Se preguntó si se estaba incluyendo a sí misma en el resto del clan. Decidió no seguir por ese rumbo.

—¿Crees que los estoy usando para acercarme a ti? Qué bien, preciosa. Tampoco tienes un problema de ego, ¿verdad? —sonrió.

—No es mi ego lo que me preocupa, Ricardo. Puedo manejar cualquier cosa que me presentes, pero mi familia no debería verse sujeta a tu despotismo sólo para que después les arranques el tapete de debajo de los pies cuando sea el momento indicado.

—Caray, preciosa, pensé que eso ya lo habíamos solucionado. ¿Acaso aún no confías en mí?

—No tengo razón para hacerlo. Ni siquiera me mencionaste algo tan simple pero importante como esta actividad.

—Julia, por Dios, si hay un letrero en la puerta. Dame una oportunidad.

—¿Lo hay? —ella pasó frente a ellos y ellos la siguieron. La multitud les abrió el paso.

Ella salió por la puerta principal y se volteó para mirar el edificio. La multitud la observaba en silencio. Ella regresó.

—Sí, hay un letrero. Lo siento. A veces saco conclusiones precipitadas.

—¿A veces?

Ella no entendió el sarcasmo, o decidió ignorarlo. Saludó a una pareja de buen aspecto.

—Mamá y papá, este es Ricardo Montalvo, dueño y fundador del restaurante Ricky's y, por el momento, uno de mis clientes.

—Oh, mi hija, si ya nos conocemos —su padre, también un hombre grande, estrechó con fuerza la mano de Ricardo.

—De hecho me ayudó a descargar el último envío y después preparó las mejores margaritas que he probado en mucho tiempo. Me recordaron las que yo solía preparar.

—Hay un ingrediente secreto de Texas que le da ese gusto especial.

Ricardo se meció en sus talones, al igual que el padre de Julia. Se dijeron algunas incoherencias y se rieron.

La sonrisa de satisfacción desapareció del rostro de Julia.

—¿Ya se conocen? —miró a Ricardo furiosa. ¿Por qué con él siempre se sentía como si se estuviera hundiendo en arenas movedizas?

Su madre sonrió, con un brillo en sus ojos color avellana. Estrechó la mano extendida de Ricardo, el contraste de su piel oscura con la piel clara de ella era hermoso a su manera.

—El otro día llegó con café y pan dulce, y nos visitó por un rato —dijo su madre.

—Claro que lo hizo.

—¿Estás bien, mi hija? No te ves muy bien —puso sus frescos dedos sobre la frente de Julia.

—Déjeme ver, doña María.

Ricardo deslizó su mano sobre la frente de Julia y después la bajó a su mejilla.

—También a mí me parece que está algo caliente.

—Dejen de hablar de mí en tercera persona —sonrió dulcemente—. Estoy bien, mamá. Es sólo que el

Señor Montalvo me hace hervir la sangre. Me temo que no es muy bueno para mi salud.

—A ti todos te hacen hervir la sangre, mi hija —su madre le dio unos golpecillos en la mejilla—. Tienes que relajarte saludó a la tía Elvira que estaba del otro lado de la habitación—. Trata de disfrutar de la fiesta, Julia.

La besó y se alejó. Su padre le dio un apretór en el hombro y a Ricardo una palmada en la espalda antes de ir tras ella.

Julia se inclinó de modo que sólo Ricardo pudiera oírla.

—Deja de entrometerte en nuestras vidas. No eres bienvenido —él la asustaba. Lo que la hacía sentir la asustaba aún más. No tenía nada que ver con fiestas o tácticas de negocios.

—No estoy de acuerdo, preciosa. Yo aquí me siento como en casa y haré todo lo posible por tratar de pertenecer y de hacerlos felices a todos, de paso. Es lo que mejor hago.

Ella lo miró fijamente.

—No estás ni cerca, Montalvo. Lo que mejor haces es desarraigar familias y tratar de entrometerte en ellas antes de golpearlas por la espalda y expropiarles sus negocios y comunidades. Fin de la historia.

Lo que a él mejor le salía era besarla tan increíblemente bien que la hacía perder el equilibrio. Hacía que su guerra pareciera fútil, la obligaba a preguntarse por qué estaban peleando en primer lugar. No podía perder de vista lo que tenía que hacer porque un pequeño beso había derretido la máscara helada detrás de la cual tanto se esforzaba por ocultarse.

Ella aplaudió.

—Gracias a todos por venir. Démosle una gran bienvenida al señor Montalvo.

Todos la siguieron, y aplaudieron y chiflaron en saludo.

—Gracias, señor Montalvo, por abrirnos hoy su oficina y ofrecernos estos maravillosos alimentos y la promesa de un rato agradable.

Otra serie de aplausos llenó la habitación. Todo el espacio posible estaba lleno de bandejas con botanas: nachos caseros, trozos de jícama y zanahorias para acompañar las salsas y cremas; enchiladas y tacos, arroz y frijoles, sangría y margaritas y bebidas sin alcohol en el muro del fondo.

—Asegúrense de que los conozca para que pueda relacionar a los negocios de la Ciudad Vieja con los rostros correspondientes, para que pueda ver que nuestros negocios son más que sólo tiendas. Ahora coman y disfruten. La reunión del consejo será dentro de una hora.

Volteó a mirar a Elvira.

—Tía, ¿podrías hacer lo que mejor haces?

Elvira asintió y después encendió el aparato de CD de Ricardo como si llevara años usándolo. Francisco se acomodó cerca de los padres de Julia.

Ricardo se acercó a él, preparado para borrarle el gesto de satisfacción de su rostro. Una mano se aferró a su antebrazo.

—No querrás hacer eso, hijo. Francisco es parte de la familia desde que estaba en pañales.

—Es peligroso —gruñó Ricardo.

—En realidad no lo es —dijo don Carlos—. Pero es muy protector y, al igual que Julia, es muy sentimental respecto a las cosas importantes. Eso a veces les nubla la vista.

—¿Aún está enamorado de Julia?

Ricardo notó la forma en que Francisco había mirado a Julia antes, y eso lo había trastornado.

—No lo dudaría.

—¿Y Julia sigue enamorada de él?

—No. No en la manera que tú piensas, pero deberías preguntárselo directamente a ella —don Carlos se sobó el pecho, con una sonrisa distante iluminando sus ojos.

—Podría haber cosas peores.

—¿Cómo qué?

—Como dejar que una oportunidad se te vaya de las manos como sedosos cabellos. O ver con los ojos y no con el corazón. O no entender que los negocios son una parte pequeña de la vida.

—Dígame, don Carlos. ¿Siempre es tan hábil para hacer a un lado a las personas que quieren ayudarla?

—Me temo que sí. Ella quiere ser la que presta ayuda, la que tiene todas las respuestas, la que nos protege a nosotros los mayores —le dio unos golpecillos en el hombro—. Pero debe entender que ceder un poco no es lo mismo que rendirse.

—Me temo que ahí es donde entro yo.

—Entonces cambia su modo de ver las cosas —don Carlos se alejó, meneando la cabeza—. Y estaría bien que la impresionaras en la reunión del consejo.

Ricardo le dio un gran trago a su bebida. Eso era más fácil en teoría que en la práctica.

El aire en la pequeña sala de reuniones del ayuntamiento se volvió sofocante. Ricardo y Julia estaban parados frente a los miembros del consejo, que se encontraban a una distancia mínima de los vecinos apelmazados en la primera fila de asientos.

Francisco golpeó con el mazo y ordenó iniciar la sesión. Las brillantes luces de las cámaras de televisión se dirigieron a él.

—Gracias por acudir a esta reunión improvisada —se enderezó y se aferró a los lados del podio—. Siempre me da gusto ver el apoyo y participación de esta comunidad. Como siempre, es un honor para mí representarlos.

La multitud aplaudió. Julia suspiró aliviada. Ella y

Francisco habían vivido ahí toda su vida. Este clan, como una familia, no permitiría que Ricardo Montalvo se introdujera al barrio y destruyera el estudio de su tía.

—Sólo tenemos un tema en la agenda. Simplemente le estamos dando la bienvenida oficial al nuevo hombre de negocios de la zona, a quien muchos de ustedes ya han tenido la oportunidad de conocer —se ajustó la corbata color vino tinto, que contrastaba con la camisa blanca y el traje azul marino—. Me gustaría entregarle el micrófono al señor Ricardo Montalvo para que pueda hablarnos un poco acerca de sí mismo y de sus planes.

Buena táctica, pensó Julia. Francisco retrocedió para dejar que Ricardo encarara la situación. Después de que Ricardo explicara sus intenciones, Francisco podría medir la reacción del público. Eso determinaría la manera de decirles que apoyaría el proyecto de Ricardo.

Ella quería creer que no llegarían hasta ese punto. Podía ver a la multitud levantada en armas, molesta por las suposiciones y la invasión de Ricardo. Lo correrían de la ciudad para rescatar a Elvira. Ricardo se sentó en el podio y tomó el micrófono de su percha.

—Me siento como en casa.

Julia miró hacia el techo. No había espacio para otro político en el barrio. Se sentía cómodo con el micrófono en la mano. Julia de pronto deseó que no le gustara además el *karaoke.*

—Voy a abrir un restaurante y pista de baile con tema deportivo justo entre el estudio de Elvira y el negocio de letreros pintados a mano —rodeó el podio y caminó hacia el atestado pasillo.

Unos suaves murmullos invadieron la habitación.

—No se alarmen, amigos. La hermosa señorita Julia Ríos generosamente ha aceptado ayudarme con una campaña publicitaria. El restaurante será una añadidura positiva al barrio, y los mantendremos al día respecto al proyecto. Son más que bienvenidos a visitarme en el sitio de construcción o en la oficina que está frente al negocio de Elvira con cualquier pregunta que quieran hacerme.

Estableció contacto visual con tantas personas en tantas filas como pudo. Si hubiera sido otra persona, Julia se habría sentido impresionada por su manera de manejar a la multitud.

—Quiero que quede claro que será inevitable que haya cambios en la comunidad, pero esperaremos tres meses para ver si podemos implementar entonces las sugerencias de Julia —saludó a Julia con el sombrero—. Si sus sugerencias son viables, el resto de la cuadra permanecerá intacta por el proyecto —se encaminó nuevamente al podio—. Mientras tanto, espero con ansias poder trabajar codo a codo con Julia —le guiñó el ojo—, y poder llegar a conocerlos a todos durante el verano. Ciudad Vieja me parece el mejor lugar para vivir y trabajar, y apenas puedo esperar a comenzar.

La multitud comenzó a aplaudir con vacilación, animándose cuando se les unió Francisco. Entonces se volvió atronador. Ricardo devolvió el micrófono a su lugar, saludó y volvió a sentarse al lado de Julia.

Julia estaba furiosa con los dos. Le habían tendido una trampa.

—Gracias, señor Montalvo.

Francisco habló con arrojo por el micrófono.

—Estoy seguro de que descubrirá que este es el mejor lugar de San Diego para su restaurante. Por favor llámeme o a cualquiera de nosotros si podemos serle de ayuda. Gracias a todos por venir hoy.

Lorenza se abrió camino hasta Ricardo y Julia.

—Será un placer tenerlo en el barrio. Siempre nos agrada tener novedades... digo... nuevos vecinos, claro. ¿Va a tomar más clases de baile?

Miró de reojo a Julia, tratando de parecer inocente y fracasando por completo.

—De hecho sí —abrazó a Julia como si fueran grandes amigos—. Julia se ofreció a enseñarme salsa durante el verano.

Julia se sacudió el brazo de encima.

—Hice un trato con el demonio —murmuró.

Ricardo se recargó y murmuró, su aliento cálido y suave en su oído.

—Será mejor que comiences a trabajar. El barrio depende de ti —buscó en el bolsillo de su pantalón y sacó una llave plateada en un llavero que decía "Amo a Texas"—. Mi oficina es tu oficina. Será un placer verte ahí diariamente.

Ella lo miró fijamente a los ojos.

—Va a ser un verano endemoniadamente largo.

Él lanzó su maravillosa y espesa carcajada y se alejó a paso lento, con los pantalones de mezclilla ajustados perfectamente a sus piernas y su firme trasero. Estrechó una gran cantidad de manos en el camino hacia la puerta. Las mujeres lo miraban con placer, los hombres le daban palmadas en la espalda y se reían de sus chistes.

Julia tragó saliva. Corrección. Iba a ser un verano endemoniadamente largo y muy, muy caluroso.

Capítulo Siete

La música atrajo a Ricardo hacia el estudio, como durante las últimas semanas. No había sido tan productivo como lo exigía su agenda, pero había valido la pena.

Julia estaba en posición inicial con un jovencito muerto de pena. Todos los otros asientos estaban llenos de inquietos niños que calculó tendrían unos doce años. Se estaban burlando de la pobre víctima sin piedad.

—¡Música! —exclamó Julia. Una vez iniciada la música la clase guardó silencio y los miró con gran interés. Al moverse los pies del niño al fácil compás, miró a Julia con rostro orgulloso.

Ricardo aplaudió al final de la canción. Le agradó ver la sorpresa en el rostro de Julia. Entro complaciente a la habitación.

—¿Qué hay con los escuincles?

—¿Escuincles? —la palabra hizo eco en la habitación cargada de energía.

—Nuestro pro bono. Van a la escuela durante todo el año y se vuelve algo aburrido. Así que dos veces a la semana les damos clases después de la escuela a los alumnos de sexto grado, rotando a distintas escuelas de la zona.

—¿Sexto grado?

—Es una edad clave. Además, son el futuro de nuestra música. Queremos que aprendan a apreciarla, a amarla y a volverla parte de sus vidas mientras crecen —se frotó una mano contra la otra como si se estuviera limpiando migajas—. Tenemos suerte. Por ahora hay una nueva fiebre del baile dirigida a los niños.

Ricardo examinó cuidadosamente al grupo, frotándose la barba. Lo miraron en silencio, cautelosos y comportándose como típicos alumnos de sexto grado.

—¿Por qué sexto grado? —preguntó con el volumen suficiente para que oyeran cada palabra—. Sé por experiencia que los alumnos de sexto grado son irrespetuosos y es difícil enseñarles. ¿Ya saben bailar o sólo están aquí para no ir a clases?

—¡Oye! —se elevó un murmullo entre el grupo.

Julia los tranquilizó.

—Ricardo, estaban perfectamente bien hasta que llegaste de agitador. Pareces hacerlo bien, dejando destrucción a tu paso como un tornado.

La ignoró y volteó a ver al grupo.

—¿Es buena maestra? —señaló a Julia con su pulgar.

El grupo asintió con entusiasmo y después con más calma. Todos se inclinaron hacia adelante en sus asientos.

El se inclinó con aire conspirador.

—La señorita Ríos también es mi maestra.

Las expresiones de incredulidad llenaron la habitación.

—Señorita Ríos... uy, uy, uy.

Julia se ruborizó.

—Muchas gracias, Ricardo. ¿Pretendes iniciar un motín?

Él levantó las manos.

—¿Quién, yo?

Ella dio un paso hacia delante y le dio un golpecillo al niño en el hombro, indicándole que podía retirarse.

—Como el señor Montalvo es mi alumno avanzado y doña Elvira no pudo venir hoy, él nos ayudará durante la última media hora —le tomó la mano.

Se oyeron más burlas.

—Espera un minuto —Ricardo había caído en la trampa.

—Ahora párense todos y formen un círculo a nuestro alrededor. Volveremos a revisar el paso básico. De prisa, no perdamos tiempo.

—No estarás hablando en serio, preciosa.

Ricardo trató de zafarse. Ella lo sostuvo con firmeza.

—No sabes con quién estás tratando, cariño. Yo también puedo jugar este juego.

Pidió música y se paró en posición inicial frente a él. Ricardo la tomó renuentemente entre sus brazos, aumentando las burlas de los niños. Soltó las manos y les ordenó:

—Todos busquen una pareja. Si yo tengo que hacer esto, ustedes también.

Julia lo miró divertida.

—Vamos, vamos, ten paciencia con los niños.

Él miró hacia el suelo, respiró hondo y la tomó entre sus brazos. Eso se sentía bien.

—La paciencia es mi segundo nombre, preciosa.

—Ajá —volteó hacia los niños que los miraban estupefactos—. ¿Todos tienen parejas? Bien, primero obsérvenme a mí y al Señor Montalvo.

Comenzó la música y Ricardo la pisó. Los niños aullaron de risa. Ricardo no disfrutaba siendo el centro de atención.

Julia obviamente sí. Se rió con ellos.

Miró a su alrededor.

—Los niños te comen vivo.

Julia inclinó la cabeza, estudiándolo.

—Así que hay una forma de intimidarte —reinició el sedoso movimiento—. Mírame a los ojos, Ricardo. Confía en ti mismo.

—Sí, maestra.

Ricardo decidió darle una probada de su propia medicina. La miró profundamente a los ojos. Se ampliaron, cuando él no desvió la mirada. Su boca se abrió levemente, pero gracias a Dios permaneció cerrada. Y entonces ella se tropezó con él.

Los niños volvieron a aullar y Julia se ruborizó.

—Son crueles, ¿no? —deseaba pasar su boca por ese cuello y seguir la ruta ascendente de su rubor hasta su oreja, su sien, a través de su mejilla hasta sus labios tentadores. Soportaría a los niños tanto como pudiera y después los enviaría a comprar pan dulce para mantenerlos ocupados por un rato.

—La venganza te sienta bien, Ricardo —ella levantó la barbilla de esa forma enloquecedora y volteó a mirar a los niños.

—Ah, cariño, no era venganza lo que tenía en mente. —no le soltó la mano—. Deshagámonos de los niños, Julia —le murmuró al oído con palabras indistintas tras embriagarse con ella como si fuera un exquisito champagne.

—Mejor acostúmbrate a los niños —con fuerza zafó su mano de la de Ricardo—. Voy a contratar a un par de ellos para que me ayuden en la oficina.

—No puedes hacer eso.

—Claro que puedo.

No le gustaba la idea de tener bajo los píes a dos niños de doce años criticándolo constantemente, desafiantes por derecho propio. Ya para eso le bastaba con Julia. Lo último que quería era otro obstáculo entre ellos dos. Sólo quería llegar a conocerla mejor.

—¿Qué hay de la imagen de la que hablamos?

—Ellos mejorarán esa imagen. Necesitan aprender sobre los negocios. Tú necesitas aprender modales y paciencia. Yo necesito ayuda para poder cumplir con el periodo establecido. Te va a encantar mi trabajo y terminarás por dejar en paz a mi tía.

Ella le dio una palmada en el pecho. Si se asomaba dentro de su camisa, de seguro encontraría ahí la marca de su mano.

—Además —le dijo—, necesitas algo de intimidación de vez en cuando. Te hace bien.

Ella volteó a ver al grupo y llamó a una pareja a que se parara junto a ellos.

—Ahora el señor Montalvo bailará con Patricia mientras yo bailo con Javier.

Ricardo se volvió a quedar con la boca abierta. Esperen a que la tuviera en su propio territorio. Ahí dominaban los negocios, no los niños, y ciertamente no Julia. Aquí se sentía como la bruja mala del oeste que se derrite y se derrite.

Le echó un vistazo al curvilíneo cuerpo de Julia y tragó con fuerza. Debía admitir que en estos días se le estaba haciendo muy difícil resistir su calor y la amenaza de derretirse. Pero, cielo santo, le traía noches sin dormir con ataques de fantasías libres y apasionadas.

Quería seducirla sin distracciones. Quería recorrer su cálido cuerpo con las manos, moldeándolo como un escultor. Apreciando cada curva, cada suave centímetro de su cuerpo, cada movimiento de su agitada respiración, con las manos, los labios, con su calor, el cuerpo de ella terminaría por relajarse ante sus caricias hasta adaptarse perfectamente al suyo. Estiró el cuello de su camisa.

Se obligó a sí mismo a escuchar las instrucciones de Julia. Ella tenía capturada la atención de los niños. Estaba impresionado. Quizás los niños de sexto año no eran tan intimidantes como se decía. Aunque se veían igual de fascinados con ella que él. Por eso la escuchaban. Él se meció hacia atrás, disfrutando del espectáculo.

—No son los terrores que me temí que fueran.

—Tampoco tú. Eres humano, después de todo.

—No estés tan segura, preciosa. Sólo me atrapaste con las manos en la . . . con las defensas bajas.

Ella se le acercó velozmente. Él dejó de trabajar porque disfrutaba de verla moverse.

—Cuando no eres cruel eres muy agradable, Ricardo. Deberías intentarlo más seguido.

—No soy cruel, preciosa, sólo soy un estupendo hombre de negocios. Si te quitaras esa venda de los ojos me verías como soy y quizás eso hasta te gustaría.

—Te veo cambiar como Dr. Jekyll y Mr. Hyde y me pregunto cuál será el verdadero Ricardo.

—Soy todo eso, Julia. Lo bueno y lo malo, como cualquier persona.

Ella exhaló un suspiró y le sonrió.

—Gracias por ayudarme hoy. Lo tomaste bien. De seguro los niños pasarán varios días hablando de esto y serás famoso por un rato.

Él le tomó la mano y la jaló a sus brazos. Le dio un beso en la mejilla.

—Gracias. De hecho me lo pasé bien después de que dejaron de reírse de mí.

Se rió.

—Tienden a humillarlo a uno. Pero estuviste bien con ellos, y con tu baile. Es cuestión de confiar en ti mismo, Ricardo, y dejarte llevar por el ritmo —se alejó de sus brazos—. Nos veremos mañana. Tengo que ir a trabajar. Sólo me quedan unas semanas para entregar mi campaña de publicidad.

Llegó hasta la puerta lateral y levantó la mano en vacilante despedida.

—Cierras al salir.

Ricardo se llevó la mano al rostro e inhaló a Julia. Se la frotó contra el pecho, reconociendo su aroma y esperando que resurgiera en esos sueños inquietos.

Sus palabras le resonaron en los oídos mientras cerraba la puerta. Él perdía la confianza en sí mismo cuando estaba con ella, y no le agradaba esa sensación en lo absoluto. Él se había dejado llevar, sí, pero no por el ritmo que provenía del aparato de CD.

Julia mantuvo la respiración mientras Ricardo examinaba la presentación publicitaria preliminar que había preparado. ¿Por qué estaba tan preocupada por su opinión? Pero ella sabía la respuesta antes de haber formulado totalmente la pregunta. Se veía a sí misma en cada línea que había dibujado, en cada palabra que había manipulado para dar a entender el mensaje publicitario de la mejor manera posible.

Su trabajo era una extensión de ella misma; su creatividad fluyó y ella vertía un poco de su corazón y de su alma en el trabajo de cada cliente en el que creía. Incluido el trabajo de Montalvo.

Eso fue una revelación sorprendente para ella. Montalvo tenía un maravilloso producto. Si hubiera estado tratando de desarrollarlo en cualquier otro lugar de San Diego, lo hubiera apoyado sin reservas.

—Esto es de lo mejor que he visto, preciosa —esparció la media docena de láminas en su escritorio y separó la agenda detallada, con calendario y todo, para la campaña publicitaria—. ¿Dónde estuviste toda mi vida? —le preguntó sin mirar hacia arriba.

Ella se llevó la mano al cuello. La incertidumbre la inundó como el paradisíaco olor a rosas, lilas y geranios que impregnaba el aire que los rodeaba. Qué tonta, pensó al recobrar el sentido. Era una tontería pensar que se refería a algo más que su relación profesional.

—Bueno, Montalvo, una vez un hombre sabio dijo que lo que importa es el aquí y el ahora. Supongo que te gusta mi propuesta.

—Estoy extasiado, preciosa.

—Vaya. No te reprimas —rodeó el escritorio para mirar mejor sobre su hombro. Respiró hondo—. La campaña de anuncios ha sido un trabajo sencillo. Tienes un gran producto. Si esto te gusta espero que estés abierto a las alternativas en las que he estado trabajando para mantener intacto el estudio —se recargó hacia él y señaló una de las ilustraciones, sus senos presionando peligrosamente su brazo—. Las alternativas se desprenden de esto.

Al alejarse, sus senos rozaron el cálido y firme cuerpo de Ricardo, y la envolvió una ola de calor como una llama viva.

Él carraspeó.

—Si se parecen en algo a estas muestras de tu trabajo, estoy ansioso por verlas.

Se volteó y la miró fijamente. Sus rostros estaban a sólo unos centímetros de distancia. A un suspiro del paraíso. Ella podía oler su pasta de dientes mentolada, podía ver los pequeños remolinos de cabello en su barba, fácilmente podría haberse inclinado otro par de centímetros para besar su boca, una boca que había invocado dulces sueños durante las últimas noches inquietas.

Se dio la vuelta y se alejó unos pasos de él, temiendo que le leyera la mente y viera en sus ojos el deseo que ardía ahí desde ese primer beso.

—Lo siento. No quise tocarte así. Fue sólo un... un... —dejó de cavar más en el hoyo que ella sola había creado y se llevó las manos a la cadera—. Estás disfrutando esto, ¿no?

—Muchísimo —se enderezó y caminó deliberadamente hacia ella, la tomó de la mano y la jaló hacia él.

—En realidad esta no es muy buena idea, Ricardo.

¿Por qué, entonces, sus pies no hacían caso de sus palabras y salían corriendo por la puerta?

—¿De qué tienes miedo, Julia?

Salió un ruido gutural de su garganta.

—De nada —logró decir, y retrocedió un poco.

—Como quieras. Entonces responderé a tu comentario anterior.

—¿Cuál fue?

—No te reprimas.

Se dio la vuelta y encendió el aparato de CD. Subió el volumen a niveles ensordecedores permitiendo a Gloria cantar a todo pulmón su nueva música.

—¿Estás loco?

—Sólo por ti —sonrió ampliamente y le acarició la barbilla—. Tu trabajo, preciosa, tu trabajo. ¡Vamos a ganar!

Lanzó un grito estridente y lanzó su sombrero al

aire. Agarró a Julia y la levantó del suelo, bailando por toda la habitación y cargándola con facilidad, como si fuera más ligera que un balón de fútbol americano.

Ella se defendió por tan sólo unos segundos antes de ceder. Echó sus brazos alrededor de su cuello e inclinó su cabeza hacia atrás, llena de regocijo.

—¡Vamos en camino, nena! Tú, preciosa, eres la publicista más talentosa que he visto. Eres un ángel disfrazado —la posó en el suelo—. Un gran disfraz, debo añadir —la miró como midiéndola.

—No llegarás muy lejos adulándome, Montalvo. No a mí —sus palabras eran fuertes, si se consideraba que últimamente se le ablandaban las rodillas cada vez que Ricardo se acercaba lo suficiente como para poder abrazarla.

—Muy bien, cariño. Entonces celebremos.

Él quería hacer algo especial, alejarla de la seguridad de su oficina.

Ella se rió, un hermoso sonido acogedor que no escuchaba con la frecuencia que le gustaría. Quería pensar que ella ya se estaba sintiendo lo suficientemente cómoda a su alrededor para ser ella misma y dejar de estar a la defensiva. Miró la piel cremosa y los labios que sabía eran más suaves, más tiernos, de lo que debía ser legalmente permisible, y le tocó la mejilla.

—¿Montalvo? —se calmó y tronó sus dedos frente a su rostro—. Ya vuelve en ti.

—¿Acaso soy esclavista? Has estado trabajando demasiado duro.

—Amo mi trabajo. No eres esclavista, pero quiero que el trabajo quede bien hecho, Sin embargo la verdad es que mi única meta es salvar el estudio de mi tía. Eso me mantiene concentrada —cerró su portafolio.

—Aunque he llegado a disfrutar el trabajar contigo, nunca te olvides de una cosa: siempre defenderé a mi tía, a mis padres y a mi familia.

—Julia, yo... —¿cómo decirle que se había equivocado, al menos en la forma en que la había puesto contra la pared y había asustado a su familia? —Yo también he aprendido algo de ti, lo creas o no.

—¿Y te ha costado digerirlo? —bajó la mano de su mejilla y el calor se fue con ella.

Él tomó su mano y le acarició el dorso con el pulgar, sin querer alejarse aún de ese calor.

—Yo también haría cualquier cosa por proteger a mi familia.

Ella titubeó por tan sólo un segundo. Una mirada de duda entró en esos grandes ojos cafés que lo invitaban a recorrer nuevos territorios inexplorados.

—Sé que lo harías, Ricardo —dijo en voz baja.

El sólo pudo asentir.

—Entonces nos entendemos —reprimió el impulso de acariciarle el cabello, disfrutando la manera en que un mechó oscuro estaba cortado perfectamente para enmarcar la forma ovalada de su rostro.

—Déjame llevarte al restaurante que inició la idea de mi cadena. Eso quizás te dará una idea para la campaña publicitaria. Se come bien, también.

—¿Y en el camino me contarás la historia de tu vida?

—No. Quiero mantenerte despierta, es la única forma de apreciar las imágenes, los detalles, la magia del lugar. ¿Puedes estar lista en una hora?

—Por supuesto.

—Te recogeré entonces. Ponte algo cómodo y trae una muda de ropa. El camino es un tanto escabroso. Será una noche inolvidable.

—No espero menos de ti —agitó la cabeza y se dirigió a la puerta. Con la mano en la perilla, se dio la vuelta—. Sabes, no hay necesidad de... no importa. Estaré lista.

Ricardo emitió un gran suspiro, agradeciendo que se hubiera evitado otro enfrentamiento. Se sentó en el escritorio y comenzó a marcar el teléfono. Le había prometido algo especial y lo iba a cumplir.

Capítulo Ocho

Ricardo cambió a cuarta con brío. Con el Jeep negro descapotado, el increíble día de verano y Julia sentada a su lado con ese diminuto vestido, los recuerdos de Texas no tenían comparación con el aquí y el ahora.

Condujeron hacia el norte a lo largo de Harbor Drive, cerca del centro de San Diego, con el aire cálido azotándose en sus rostros, y disfrutando de los sitios que recorrían como si fueran una pareja de turistas. Acababan de pasar el puente Coronado, sus brillantes luces apenas cobrando vida. Ricardo podía ver dos portaaviones de la Marina anclados en la isla. Lo que no podía ver pero sabía que existía era una comunidad curiosa y tranquila, algo lujosa, que apenas toleraba la invasión de Coronado por parte de la Marina. Parecía pacífico desde esa distancia.

En la Marina flotaban toda clase de veleros atados a los muelles, las suaves olas proporcionando su propio tributo a la música. Sus desnudos mástiles se erguían contra la brillante puesta del sol. Había bastantes yates y lanchas, y sus lustrosos acabados reflejaban la luz del sol. Las personas corrían y patinaban a lo largo del embarcadero, solos o en parejas, con o sin perros, y se veían completamente satisfechos.

Julia volteó y le sonrió. Ricardo se vio tentado a extender el brazo y quitarle sus oscuros Ray-Ban. Últimamente le gustaba mucho su mirada.

Ella se inclinó hacia él y gritó:

—¿Falta mucho más?

Él miró hacia delante, el campo Lindbergh apareció a la vista, y cambió de carril. Había un restaurante tras otro a lo largo del paseo marítimo, y le habían contado que llegaban hasta Point Loma. Entendió que ella pensara que se dirigían a uno de ellos.

Ricardo negó con la cabeza y siguió la desviación hacia una ruta de entregas y servicio para el aeropuerto. Los llevó hacia un hangar vacío. Se estacionó en un espacio reservado y apagó el motor.

—¿Te espero aquí?

Julia se levantó los lentes, y una mirada de incertidumbre cubrió sus ojos.

—No, preciosa. Éste es el fin del camino.

Recogió la pequeña maleta de Julia y su propia mochila de la parte trasera del Jeep. Le abrió la puerta y la ayudó a bajar.

Ella tomó su mano y la apretó.

—Montalvo, ¿qué estás haciendo? —preguntó cautelosa—. Aquí adentro sólo hay una cafetería. Por favor no me digas que esa fue tu inspiración.

—Ten un poco más de confianza en mí, preciosa —dejó el equipaje en el suelo y se sobó el hombro sin soltar la mano de Julia.

—¿Estás bien? Yo puedo cargar mi maleta.

—Ahora sí me ofendes. Es sólo una vieja herida de guerra, ¿recuerdas? De mis tiempos en el campo de batalla del fútbol americano. Me molesta de vez en cuando.

—Y tú, Montalvo, te pones cursi cuando hablas de los viejos tiempos. ¿Podríamos posponer esta excursión? —ella miró a su alrededor como si estuviera buscando la salida de emergencia más cercana.

Él le dio el brazo y levantó el equipaje.

—Lo siento. Tu boleto es sólo de ida, y te prometo no volver a mencionar las viejas historias de guerra esta noche.

Ella retrocedió como si fuera una niña que están arrastrando hacia el dentista contra su voluntad.

—Espera. ¿Boleto de ida? No lo creo. No confío en ti.

—Eres inteligente —Ricardo se rió y le sostuvo la mirada—. ¿Qué te parece si hoy nos limitamos a pasarla bien y trabajamos después en eso de la confianza? Yo pensé que tenías sentido de la aventura.

Ella se enderezó de inmediato, y la sedosa y brillante tela anaranjada de su vestido se acomodó sobre su cuerpo como si fueran llamas y chispas ardientes.

—Eso me suena a desafío, y sabes que yo no rechazo un desafío. Sigue adelante, Montalvo.

Ricardo la miró larga y fijamente y ella le sostuvo la mirada. Fácilmente podía cambiar de opinión y llevarla a la seguridad de su hogar para después retornar a la soledad del suyo. *Ella te hará arder, Montalvo.*

Él se encogió de hombros. Ella lo había llevado hasta un punto sin retorno con su comentario sobre el desafío. Él no le temía a un poco de calor.

—Mi tipo de mujer.

Caminaron de la mano a través del hangar hasta la pista. Julia se paró en seco nuevamente.

—Montalvo.

A él no le agradó el tono de su voz.

—¿Preciosa?

—Esto no puede ser en serio —le soltó la mano y caminó lentamente hacia la escalera colocada junto a su *jet* Longhorn Lear.

Un hombre con traje de piloto le quitó las maletas a Ricardo.

—En quince minutos, señor. O cuando estén listos.

Ricardo le tocó la mejilla y la obligó a mirarlo.

—Julia, cariño, es sólo un avión. Se estaba empolvando y la única manera de llegar al restaurante sin tomarnos una semana de vacaciones es usando esto.

—¿Este *jet* es tuyo? —se le quebró la voz.

—Es uno de ellos —se le estaba acabando la paciencia. Se pasó la mano por el cabello. Sólo tenía el restaurante por una noche. Podía entender cómo se sentía la Cenicienta con su límite de media noche. Los detalles para el resto de la noche dependían de lograr que Julia subiera su hermoso trasero a bordo en menos de cinco minutos.

—Tenemos que seguir. Jerry dijo que estamos listos para despegar en quince minutos —la llevó por la escalera—. Créeme, se ve mejor por dentro.

Ella pareció salir de su trance.

—No te creo —logró emitir una pequeña risa nerviosa—. ¿Siempre lo haces todo así, a lo grande?

Se detuvieron justo afuera de la cabina.

—No pienso en términos de grande o pequeño, preciosa. Sólo pienso acerca de lo apropiado para la situación y a partir de ahí me lanzo.

—¿Y siempre te lanzas a todas las ciudades y pasas por encima de todo?

—No —apretó la mandíbula. Él no le había dado razón alguna para que creyera otra cosa, pero no permitiría que ella lo condujera a una discusión cuando lo único que deseaba era no discutir, al menos por esta noche. Se echó el sombrero hacia atrás para que ella pudiera ver la verdad en sus ojos.

—¿Siempre tienes que analizar a la gente y juzgar sus acciones sin conocer sus intenciones?

Una mirada de sorpresa pasó por el rostro de Julia, y después volteó a verse los pies.

—No —murmuró.

—Entonces dame una oportunidad, al menos esta noche, preciosa. No tengo intenciones ocultas. Sólo déjame mostrarte el restaurante y hacerte pasar un rato agradable. Es lo menos que puedo hacer. Te has partido el lomo por mí, cuando sé que hubieras preferido estar en cualquier lugar que no fuera mi oficina. Aprecio tu gentileza más de lo que crees.

Ella lo miró un momento más, parecía estar luchando con una profunda indecisión.

—Gracias por la invitación. Es un honor estar aquí —se dio la vuelta y entró al área de pasajeros.

Ricardo levantó la vista y pronunció un silencioso "gracias" antes de entrar tras ella.

¿Partirme el lomo? ¿Gentileza? ¿Qué se aplica a esta situación? Julia habría preferido estar en cualquier otro lado que no fuera el fino asiento al lado de Ricardo, esperando a que salieran de su boca las siguientes palabras terribles. Ella definitivamente estaba fuera de su elemento cerca de él y su elegante jet, y él no hacía las cosas más fáciles al perturbarla.

—Ajústate el cinturón, preciosa. Serviremos la champaña cuando Jerry nos dé luz verde.

Ella se ajustó el cinturón. Intentó desesperadamente mantenerse sentada en una posición erguida, pero su cuerpo se hundió en el fino cojín del asiento hasta que sintió deseos de subir los pies y pedir una champaña y, además, un buen libro. Suspiró.

Ricardo sonrió complacido.

—Así está mejor, preciosa.

El lento desfile de aviones que esperaban el despegue era todo un espectáculo visto desde donde estaban. Ricardo tenía la capacidad de sorprenderla hasta dejarla anonadada.

Ella volteó a mirar a Ricardo, que ya parecía estar a miles de kilómetros de distancia. Él le había dado algunas pruebas de su generosidad. El corazón de Julia podía ver su espíritu, pero su mente aún veía al magnate ambicioso que no daba cabida a las emociones en un trato de negocios. En lo que a él se refería, ella ya había atravesado esa línea.

Ella miró nuevamente por la ventanilla, convencida de que si seguía los rayos del sol poniente encontraría alguna respuesta para calmar su corazón turbulento. Se sintió maravillada por el increíble baño de naranjas y rosas del atardecer, una perfección que era aún más perfecta porque tenía a Ricardo sentado a su lado. Esa revelación la asustó más que la idea de volar, incluso en un *jet* así. Sólo son negocios, se repitió a sí misma, tratando de convencerse.

Julia sólo bebió una copa de champaña, pero aún así divulgó más información sobre sí misma de lo que debía. Cuando Ricardo respondió a una llamada a su teléfono celular, su profunda voz la arrulló hasta que se durmió sin soñar.

Él le sacudió el hombro.

—Oye, dormilona, ya llegamos.

—¿Tan pronto?

Se permitió un sensual estirón, hasta que se dio cuenta de que Ricardo la miraba con ojos traviesos. Ella bajó de inmediato los brazos.

—¿Disfrutas del espectáculo?

—Disfruto de ti, preciosa.

—¿De verdad? —ella permitió que su mirada examinara lentamente su cuerpo de las botas a la cabeza. En lugar de darle el aire despreocupado que había deseado mostrar, el deseo ardió con fuerza en todo su cuerpo, desequilibrándola—. Pues no deberías. Es de mala educación.

La risa franca de Ricardo rompió la tensión.

—¿Así que tú también lo sientes? No estoy ciego, preciosa. Puedo apreciar las cosas buenas de la vida y tú eres, por mucho, una de las mejores. Y así pienso tratarte. Disculpa.

Ella lo miró en silencio y con asombro. Era demasiado arrojado y soberbio para su propio bien. O el de ella. Prefirió no arriesgarse a hablar.

Él se levantó y sacó las maletas de detrás de los asientos.

—Espero que hayas descansado lo suficiente. Ese es

todo el descanso que obtendrás hasta mañana —la miró con fingida inocencia—. ¿Te gustaría refrescarte?

Ella se asomó por la pequeña ventanilla.

—¿Dónde estamos?

—Nueva York.

—¿Nueva York? ¡Debes estar bromeando!

Ella saltó en su asiento y se volvió a asomar por la ventanilla. La oscuridad y las luces centelleantes no revelaban nada.

—Esto es increíble. Me han secuestrado.

—Prefiero pensar que te robé.

El bajó las maletas y caminó hacia ella. Tomándole la mano, le dijo:

—Sólo quiero hacer algo agradable para ti. Trabajas duro, te preocupas por tu abuelo y tu tía, y la sonrisa que debería iluminar tu rostro no se aparece ahí lo suficiente. Pensé que un cambio de ritmo nos haría bien a ambos. Espero que puedas relajarte y divertirte.

Ella respiró hondo para calmar su agitado corazón. ¿Cuándo había sido la última vez en que a alguien le había importado su felicidad? ¿Cuándo le había importado a ella misma?

—Eso me gustaría mucho —dijo, y hablaba en serio.

—Entonces andando. Te perdiste la vista mientras llegábamos. Ahora tendrás que verla desde el auto.

—Entonces dame cinco minutos —la adrenalina le recorrió el cuerpo. ¿Era por las sorpresas desconocidas que aún le tendría preparadas Ricardo, o por la idea de pasar una noche a solas con él, lejos del trabajo y la familia? Decidió no meditarlo mucho. Estaba decidida a pasarlo bien.

Ya refrescada, salió del lujoso baño. Estaba decorado con madera de teca y latón, y los accesorios eran de lo mejor, así como las otras maravillas que había visto desperdigadas por el avión. Miró la puerta en la parte trasera, preguntándose qué podría haber detrás.

Él la sacó del avión y la llevó a una limosina como si fuera contra reloj.

—¿El ritmo de Nueva York te hace esto automáticamente, o se te ha hecho tarde para algo?

—No preguntes.

Ricardo se rió y se recargó en su asiento, pasando distraídamente el brazo sobre sus hombros.

Pasearon por Manhattan durante casi dos horas. Ricardo le señalaba los puntos de interés como guía de turistas con sus propios comentarios respecto a todo, desde la escultura del mundo frente al edificio de la Organización de las Naciones Unidas, hasta el piso ochenta y siete del Empire State.

—¡Esto debe ser Times Square! —a Julia se le olvidó tener cuidado, su alegría al estar cerca de Broadway con sus filas de teatro era demasiada como para que pudiera disimular—. Ricardo, gracias. Siempre soñé con ver Broadway. Ahora sé que volveré.

—Me encantaría volverte a traer si me lo permites. Sin negocios de por medio, lo prometo.

Se le hundió el corazón en el pecho. Ella no quería pensar en negocios. Ya no quería que Ricardo fuera su adversario. No quería pelearse por una propiedad que Ricardo debería haber sabido que no estaba en venta.

—Mira, preciosa —Ricardo bajó la voz y esperó hasta que ella volteó a mirarlo—, odio mencionarlo, pero es por eso que vinimos en primer lugar. Si ves el restaurante, quizás podrás entender más claramente de dónde vengo. Quiero ponerte todas las cartas sobre la mesa, algo así como desnudarme ante ti, si lo prefieres, y responder cualquier pregunta que puedas tener, pero no quiero hablar toda la noche de negocios.

Ella sintió su boca inesperadamente seca. Hablando de dobles sentidos. Lo que se imaginaba desnudo sobre la mesa no eran precisamente sus propuestas de negocios. Quizás fuera mejor prolongar el tema de los negocios todo lo posible.

—Cariño, no me importa hablar de negocios. Necesito terminar mi trabajo para ti para poder seguir adelante y para que tú puedas retroceder. Va a hacer falta más que un restaurante especial para convencerme de que lo que le estás haciendo a mi familia es la única solución para tu problema de estacionamiento. Estoy tratando de hacer a un lado las emociones, según tus instrucciones, pero ni siquiera entiendo tu lógica.

Él se quitó el sombrero y lo golpeó contra su rodilla.

—Dame una oportunidad, Julia. ¿Hacer a un lado las emociones? Hiciste todo lo contrario —el retiró su brazo de los hombros de Julia y se apretó las manos entre las rodillas—. Diablos, tú me haces sentir todas las cosas que no deberían interferir con un trato de negocios. ¿Te hace eso sentir mejor?

Ella se encogió de hombros.

—Un poco.

Bastante, pensó. *Este era un paso en la dirección correcta.* Lanzó un suspiro de alivio.

—Creo que esta vez estamos en igualdad de condiciones.

Él golpeó la ventana corrediza que los separaba del chofer.

—Texas, por favor.

La limosina se detuvo en la esquina de Broadway con la cuarenta y ocho. Ricardo se volvió a poner el sombrero. Le abrió la puerta del auto y le ofreció su brazo mientras paseaban en silencio por la calle. Estaba sorprendida ante su capacidad camaleónica. Él se veía igual de cómodo aquí que en San Diego, igual que en el avión, con las botas puestas o con un traje de mil dólares delineando su musculoso cuerpo. Ella desvió la mirada antes que seguir pensando en su cuerpo.

Julia respiró hondo, asimilando las luces y marquesinas, los enormes letreros de neón y las inusitadas formas de publicidad. Sabía, por sus lecturas, que en esta zona había miles y miles de tiendas, restaurantes y hoteles apiñados en un área de menos de dos kilómetros cuadrados. El aire se cargaba de electricidad mientras la gente caminaba apresuradamente a su alrededor con una energía que les aceleraba el paso.

Manhattan, uno de los lugares más poderosos e influyentes del mundo, debía ser un sueño hecho realidad para cualquier ejecutivo de publicidad. Sin embargo se imaginaba que la feroz competitividad rápidamente podía volverse agotadora. Le gustaba la idea de que algunos de sus clientes fueran de Nueva York y estuvieran completamente conformes con su trabajo. Estaba completamente conforme de trabajar en San Diego, un pueblo provinciano en comparación con Nueva York. Sin embargo aceptó que era agradable ir de visita.

Ella se atrevió a mirar de reojo el perfil de Ricardo y sostuvo el aliento. Su tosco atractivo y aire de seguridad la cargaba con su propia e innegable respuesta eléctrica hacia él. La ponía nerviosa saber cuántas veces, durante los últimos meses, le había tenido que ordenar a su corazón que se calmara cuando él entraba al estudio o se paraba a su lado mirando el trabajo por encima de su hombro.

Al saber que podía provocarle eso en un ambiente seguro, ella de repente entendió que quizás venir había sido un gran error.

Aquí, sola con él y sin trabajo que le ocupara las manos, ella podía imaginarlas recorriendo los amplios bordes de su pecho con movimientos lentos y sencillos, apreciando su fortaleza y su firmeza. En casa, cuando estaba entre sus brazos en la pista de baile, él la sostenía como si fuera algo más precioso que un manojo de gemas. A veces ese sentimiento la avasallaba.

Ella quería que esos brazos la cubrieran y olvidar el desagradable negocio pendiente que se abría entre ellos como algún abismo olvidado. Ella quería encontrar respuestas a las preguntas que cada día los atormentaban más.

Llegaron al restaurante justo a tiempo. "Texas, Texas, Restaurante y Cantina", decía el letrero. A su lado había otro letrero: "Cerrado, fiesta privada".

Él abrió la puerta.

—¿No leíste eso?

—¿Y a quién crees que se refiere? —abrió la puerta y la volvió a cerrar detrás de ellos.

—¿Rentaste todo un restaurante un viernes por la noche en Manhattan? —ella pronunció cada palabra con incredulidad.

—Sólo hasta la media noche —le dio el brazo y casi la arrastró—. Vamos, no tenemos mucho tiempo y quiero que lo veas todo. Me encanta este lugar.

El lugar era increíble. La decoración era una combinación ecléctica de lo contemporáneo y lo tradicional, cada objeto contando su colorida versión de la historia de Texas, así como de su condición actual.

—Mira a tu alrededor, preciosa. ¿Ves de dónde obtuve la idea para un restaurante con un tema en especial, y de esta magnitud?

—Ya lo creo.

Sobre el bar más largo que Julia había visto en su vida pendían los estereotípicos cuernos. Entre las filas de botellas, de al menos diez por fila, se asomaba un pequeño letrero al centro del bar donde había un armadillo disecado con aspecto iracundo. En una esquina del área de trabajo del cantinero estaban amontonados los vasos con forma de bota.

Un enorme candelabro pendía del techo increíblemente elevado. Sus suaves luces proyectaban sombras de confeti en el suelo y las paredes. En la esquina había un muro de ladrillo con un hogar. Decoraban las paredes ilustraciones del Álamo hechas por distintos pintores famosos, además de mapas de Texas de distinto tamaño.

Dos enormes abanicos de bronce giraban perezosamente, al ritmo de los clásicos lamentos melodiosos de Dolly Parton, Merle Haggard y Willie Nelson que habían llenado el ambiente desde el momento en que entraron al restaurante.

Por su parte Ricardo estaba escuchando un ritmo propio, pensó Julia. Era contagiosa la emoción que lo impulsaba a saltar de un sitio a otro mostrándole todo como un niño que quiere compartir su colección favorita de tarjetas de fútbol americano.

—Tu oferta de trabajar para mí fue lo mejor que pudo sucederme, preciosa —se llevó las manos a los labios y las besó—. Con tu trabajo me has devuelto una emoción que no había sentido desde la primera vez que entré aquí y descubrí todas las posibilidades. Ojalá las circunstancias del proyecto fueran distintas.

—Ricardo, espero que algún día me digas por qué tienes que seguir este camino. Siempre hay alternativas. De igual manera, sé que tienes los recursos y habrías podido cerrar nuestro negocio sin pensarlo dos veces. Has sido un caballero respecto a esto al cumplir con tu palabra y darnos tiempo. Eso significa mucho para mí. Te convenceré de que busques otra alternativa, algo con lo que podamos vivir todos. No lo lamentarás.

—Sigue hablando, preciosa. En este momento no hay nada que deseo más que una alternativa.

Él sabía cómo sorprenderla de las maneras más inesperadas. Ella siempre parecía estar a la defensiva al lado suyo, lista para poner sus barreras y hacerlo retroceder a golpes de cualquier raya que se atreviera a cruzar antes de que ella estuviese lista, pero sus sorpresas le proporcionaban un bienvenido alivio.

—¿Qué tal si nos bebemos una bota y nos olvidamos del trabajo por un rato?

—Suena peligroso.

—En realidad no.

La llevó a una mesa con un mantel blanco, luz de velas y brillantes cubiertos de plata. Las otras mesas eran más pequeñas y menos elegantes, con manteles a cuadros. La carta que estaba sobre la mesa tenía la fotografía de un vaso en forma de bota. La lista de ingredientes de las bebidas en bota parecía interminable.

—¿Puedo recomendarte La Rosa de San Antonio? Tiene tequila, ron y también algunos jugos de fruta y licores. Muy apropiado. Una rosa para otra rosa.

—¿Esperas que me beba eso y salga caminando de aquí?

Una mirada maliciosa iluminó sus ojos.

—Siempre puedo sacarte en brazos. Sería un placer.

—De eso estoy segura.

Se paró por un segundo para buscar algo en la silla que tenía detrás de él. Se inclinó y sacó una hermosa y perfecta rosa amarilla.

—Hablando de rosas... ésta es para ti, preciosa.

Su corazón palpitó con la fuerza que ya estaba acostumbrándose a sentir cuando lo tenía cerca.

—Cuando eres agradable, eres demasiado agradable, Ricardo —ella se inclinó sobre la mesa y cubrió la mano de Ricardo con la suya—. Deja de ser tan agradable.

La sorpresa que se asomó a su rostro volvió a ocultarse de inmediato tras una máscara de tranquilidad.

—Jamás.

Acarició el dorso de la mano de Julia con su pulgar. Ella sintió como si miles de plumas minúsculas le fueran disolviendo a caricias la tensión que sentía en cuerpo y mente, casi hipnotizándola. Esa tensión se vio rápidamente reemplazada por una sensación de calidez que le recorrió su cuerpo con una velocidad alarmante. Ella se mordió el labio inferior, y esperó.

Ricardo carraspeó.

—Baila conmigo. Te enseñaré un paso doble lento.

Ella comenzó a retirar la mano.

—No lo sé bailar.

—Déjame enseñarte. Lo entenderás rápido —se levantó y se inclinó, extendiéndole la mano. Linda Ronstadt estaba cantando suavemente una versión perturbadora de "Desperado".

Julia tomó la mano extendida de Ricardo.

—Esta música es tan lenta y triste. ¿Cómo pueden bailarla?

La apretó fuertemente contra sí, el movimiento deliberado de sus caderas era lento e insoportablemente sexy, y el cuerpo de Julia respondió.

—El baile lento tiene lo suyo.

Se inclinó hacia delante. Ella retuvo el aliento al sentir la pierna de Ricardo entre las suyas; un ardiente deseo la cubrió de inmediato.

Su voz se volvió áspera.

—Esta música no es triste si estás con la persona indicada, Julia. Escucha.

Ricardo cantó en voz baja sin perder un solo compás. Colocó las manos de ambos sobre su pecho, postura ya familiar. Ella le dio la vuelta a sus manos para que él también pudiera sentir el latido de su corazón.

Julia cerró los ojos y se inclinó contra él, entregándose, sus pies deslizándose ligeros. Ella lo olió, una selvática combinación de colonia Stetson con el incomparable aroma del mismo Ricardo. Ella podía sentir su áspera palma contra la suya, la presión de su gran mano en la espalda envió escalofríos por sus brazos al escucharlo cantar para ella, y sólo para ella.

Se movieron lentamente, creando su propia pequeña pista de baile, sin necesitar de mucho espacio para sus casi inmóviles cuerpos. Su canción flotaba alrededor de ella; los murmullos y las promesas acunaban esperanzas y deseos. Sus temores se disiparon muy, muy lentamente con las últimas notas de la triste guitarra.

—Será mejor que dejes que alguien te ame antes de que sea demasiado tarde.

Ricardo terminó la canción en perfecta coordinación con la inquietante voz de Linda. Se alejó de Julia por un momento, mirándola a los ojos con un deseo que ella sabía era simplemente el reflejo del suyo. Sus pies se dejaron de mover.

Volvió a cantar ese verso sin acompañamiento musical, acariciando su cabello con los labios.

—Será mejor que dejes que alguien te ame antes de que sea demasiado tarde.

A Julia le surgieron lágrimas de la nada. Retiró suavemente la mano de su hombro y le rodeó el cuello, aferrándose a él con todas sus fuerzas. Presionó el cuerpo de Julia contra el suyo, deseándolo hasta la locura.

Él había irrumpido en su familia. Había amenazado todas las cosas que ella defendía y en las que ella creía. La había estremecido hasta los huesos. Y ahora, contradiciendo toda lógica, se había enamorado de él.

—Shh. No creía ser tan mal cantante, preciosa. —su voz se quebró—. Se supone que estamos celebrando, ¿recuerdas?

—Esto no debía suceder, Ricardo. —los sollozos sacudieron su cuerpo hasta que los brazos de Ricardo la rodearon. La dejó llorar, dejó que se aferrara a él, la dejó soñar. Cuando se hubo calmado, le peinó el cabello hacia atrás y la besó con ternura.

—Vaya maestro que soy. ¿Quieres tratar de seguirme otra vez? Sus manos se deslizaron de su cintura y lentamente recorrió con ellas su trasero.

Ella negó con la cabeza.

—¿Por qué no me sigues tú a mí?

Se paró de puntas y le cubrió las mejillas con las manos. Le dio un beso largo y lento, y el aliento que se había mantenido tranquilo, se rehusó a permanecer así.

Él metió la mano al bolsillo y aventó un gran fajo de billetes en la mesa. La levantó con facilidad en sus brazos. Llevándola hacia la puerta interrumpió el beso sólo el tiempo suficiente para decir:

—Vámonos a casa.

Julia tomó la mano de Ricardo con facilidad, como si llevaran toda la vida haciéndolo. Miró por la ventanilla del *jet*, sorprendida por lo tranquilo del vuelo, lo silencioso de los motores, el solo hecho de estar ahí.

No podía detener el palpitar de sus labios. Sus besos en la limosina, camino al aeropuerto, se habían ido volviendo más apasionados a cada minuto.

Una voz en su cabeza no cesaba de repetirle a Julia que estaba cometiendo un grave error. No quería escucharla.

—¿Ya me puedo levantar?

—Claro —dijo Ricardo—. Ya es seguro.

Caminó de un lado a otro del pasillo, acercándose cada vez más a la puerta cerrada al final. Volvió a voltear la cabeza y sonrió.

Ricardo se interpuso en su camino.

—¿Qué te pasa? Actúas como petardo en un barril.

Trató de rodearla.

—Es que ya estoy más allá del agotamiento, supongo. No te escuché.

—No escucharías ni a un cohete despegar a tu lado. —la estrechó fuertemente—. Se me ocurren mejores maneras de liberar energía, o de encender la mecha... lo que prefieras.

—Eres *tan* sutil. ¿Comenzarías así?

Recorrió con manos inquietas su increíble pecho, sus hombros, y sus manos se curvearon por su espalda y se deslizaron hasta su trasero, para permanecer ahí.

Él gimió y eso la desarmó.

Desaparecieron todas sus dudas sobre ellos dos. Sorprendido ante su propio arrojo, esperó, con la respiración jadeante, el calor emanándole de los poros.

—Preciosa, yo, yo... ay, ay, ay.

—¿Tú? ¿Sin palabras?

Le acarició el trasero, disfrutando la sensación del movimiento circular de sus manos, y disfrutó también de la expresión en su rostro.

—Hay otras formas de decir las cosas.

Él abrió la puerta que estaba detrás de ella y la cerró después de entrar.

Sus ojos se ampliaron.

—¿Una cama?

—Ya llegaremos ahí, no te apresures.

—No me refería a eso.

—¿A qué te referías entonces?

No le dejó responder, cubriéndole la boca con la suya. La empujó contra la puerta apretando su cuerpo contra el de ella.

Él le subió un poco el vestido y recorrió lentamente sus muslos desnudos con manos tibias, acercándose peligrosamente a su ropa interior. Alejó las manos.

Julia gimió.

—No es justo. Definitivamente no es justo.

—Tú empezaste —la sostuvo por la cadera, dejó que sus manos le recorrieran el torso, los pulgares rozando los costados de sus senos, enloqueciéndola.

Le tomó la mano para detener su paseo y la colocó gentilmente sobre su seno.

—Vaya, vaya, señorita Julia. Es usted *tan* sutil.

—Todo tiene su momento y su lugar. Incluyendo la sutileza.

Las puntas de sus dedos rozaron su mano y siguieron el musculoso antebrazo hasta volver a su hombro. Se apretó contra él, atrapando su mano hasta que no tuvo a dónde más ir.

—¿Y tú no sabes entender una sugerencia?

—Ya lo creo, preciosa —le apretó firmemente el seno, rozando el pezón con su pulgar. La empujó suavemente hacia atrás hasta que estuvieron contra la puerta. Se inclinó y tomó el seno en su boca, el sedoso material era una pobre y triste armadura contra la exquisita tortura.

Le recorrió el cuello con la boca, tocó su oreja y halló sus labios.

—Déjame hacerte feliz, Julia.

Su respuesta quedó perdida en un beso. Sus labios se abrieron a un beso más profundo, hallando un ritmo que concordaba con el de sus caderas ondeantes.

Presionó su excitación contra ella. Las caderas de Julia se balancearon lentamente, creando su propia música hipnótica. Sus manos la recorrieron con más fuerza y deliberación sin que se le escapara ni un centímetro de su cuerpo. Finalmente las deslizó debajo de su vestido, ese último escudo protector, y la jaló hacia él. Sus dedos la encontraron, se deslizaron dentro de ella, la soltaron.

—¡Oh, Ricardo! —lo envolvió entre sus brazos. Su respiración se aceleró. Una caricia mágica bastó para dejarla sin aliento. Sus dedos experimentados (incansables, indómitos, intrépidos) la llevaron a la cúspide hasta que su cuerpo se tensó una y otra vez alrededor de ellos. Ella cerró los ojos y trató de tranquilizar sus miembros temblorosos. Su liberación fue lenta y total, dejando su cuerpo cálido y listo.

Ella recargó la cabeza hacia atrás y se cubrió los ojos con la mano.

—Oh, cariño, yo jamás, jamás...

Se le puso la mente en blanco.

—¿Julia sin habla? Vaya, vaya —rió Ricardo—. Preciosa, déjame intentar otra cosa para mantenerte en silencio un rato más.

—No va a funcionar.

Lo golpeó en el pecho y trató de zafarse de su abrazo.

—Puedo reconocer un desafío —le recorrió el

cuerpo con la mano desde el cuello hasta él y se detuvo. Ella no quería que se detuviera.

Su determinación no duró mucho tiempo. Ricardo le besó el cuello, sus labios calientes y húmedos, inflamando instantáneamente su deseo.

Sus manos le desabrocharon rápidamente la camisa, y se reprimió el impulso de arrancársela. Luchó con la hebilla de su cinturón y se dio por vencida. Le acarició el miembro excitado; se moría por tocarlo, por sentirlo dentro de ella.

—Diablos, Ricardo, ¿ esta es tu versión de un cinturón de castidad? Tienes demasiada ropa puesta. Ayúdame.

Él se rió y se apretó contra ella.

—Tus deseos son órdenes —se arrancó la camisa y la lanzó a sus pies.

Recargándose contra la puerta, ella lo miró extasiada. En menos de un minuto su glorioso cuerpo estaba desnudo y listo para ella. La levantó, sus manos sosteniéndola firmemente del trasero, besándola, cantándole, amándola como jamás la habían amado.

Ella envolvió sus piernas y brazos alrededor de su cuerpo, aún más lista para él.

Él la cargó a la cama y la colocó ahí con suavidad.

—Ahora *tú* traes demasiada ropa puesta.

Le quitó el vestido por la cabeza, le jaló la ropa interior y permitió que su mirada la recorriera, absorbiéndola centímetro a centímetro.

Ella tragó con fuerza. Ricardo paseó el dedo por su mejilla y a través de sus labios palpitantes. La besó con ternura y después posó su frente contra la de ella.

—Que Dios me ayude, Julia.

Ella se retiró; tenía necesidad de verlo. Vio la desesperación en sus ojos, que hacía eco a la suya propia. Buscó sus manos. La magia de su tacto la había hecho olvidarse de todo excepto el aquí y el ahora.

Y se había adueñado de su cuerpo y su corazón de un solo golpe fatal.

¿Y si esta fuera su única noche juntos? Se recargó y lo jaló a su lado. El deseo les fluía por las puntas de los dedos y hacía que sus cuerpos ardieran insoportablemente.

Ella estaba lista para él, siempre estaría lista para él. Murmuró, sin aliento:

—¿Tienes protección, Ricardo?

Él interrumpió el paseo de sus manos y la miró, divertido.

—Esperaba que lo preguntaras.

Un tono de advertencia emergió en la voz de Julia.

—Ricardo.

No podía ser tan inocente como aparentaba. Saltó de la cama y fue a un pequeño armario. Sacó una caja de cartón que parecía que podría contener una bola de boliche, y se la llevó en la palma de la mano. La colocó frente a ella.

Lo miró con extrañeza y después la abrió. Se rió, no pudo evitar reírse.

—¿Toda una caja? ¿Otra vez pensando en grande, Ricardo?

Él empujó la caja fuera de la cama y se recostó al lado de Julia, plantándole un gran beso en su boca abierta.

—No, preciosa, en lo que a ti se refiere sólo son grandes mis esperanzas.

Extendió el brazo y recogió uno de los condones que se habían salido de la caja. No volvieron a tocar tierra hasta que el *jet* aterrizó en casa.

Capítulo Nueve

Ricardo pateó el basurero de metal hasta el otro lado de la oficina. Golpeó la pared con un sonido estruendoso y sus contenidos se esparcieron como confeti por el suelo. Caminó desesperadamente hacia él, listo para lanzarlo otra vez. En lugar de ello se quedó ahí, parado, jadeando con fuerza. Y su mirada fue a dar al trabajo descartado de Julia. Recogió uno de los papeles arrugados y vio un dibujo de su restaurante rodeado no por asfalto, sino por pasto. Un puente lo unía con el estudio de su tía.

Diablos. Lo volvió a arrugar y lo tiró al suelo cerca de sus pies.

Ella no había respondido al teléfono, ni había abierto la puerta ante sus golpes incesantes en los dos días que siguieron a su regreso de Nueva York. Había aparecido en la clase de danza con nuevos alumnos: una joven pareja con sus tres hijos. Apenas lo había saludado con una inclinación de la cabeza y lo había dejado con Elvira.

Trató de seguirla al salir del estudio después de las clases, pero se vio rodeado por el clan que le hablaba con entusiasmo sobre la noche familiar. Para cuando llegó afuera, ella ya se había ido.

Se recargó en la pared y se deslizó hasta quedar sentado en el suelo. Él nunca dejaba que las emociones interfirieran con los negocios. Pero tampoco había planeado enamorarse de Julia.

La idea lo sobrecogió. Pensó que si le vertieran concreto encima centímetro a centímetro oprimiéndole el pecho hasta que no pudiera respirar, se sentiría igual.

Mal momento, mala situación, malos negocios. Golpeó la cabeza contra la pared. Se le voló el sombrero y cayó a sus pies. Esa mujer le había lanzado algún hechizo. Ahí estaba, repitiéndolo todo tres veces, como si eso pudiera ayudarle a aclarar su posición, o a entender cualquier cosa que tuviera relación con Julia.

Era cuestión de principios. Él no necesitaba de otro restaurante para no tener dudas de que su familia estaría protegida. Era lo lógico, a todas luces, ahora que había tomado todas las precauciones para que su familia estuviera cómoda de por vida, y siendo que él jamás se vería en el lugar de su padre, que de un solo golpe fatal perdió todos los ahorros de su vida, el trabajo, hogar y todo lo que importaba.

Todo lo que le importaba era Julia. Si lo seguía evitando no tendría la oportunidad de convencerla de que le diera una oportunidad más allá del salón de conferencias. Extendió el dibujo entre los pies y trató de aplanar las arrugas. La falta de luz no influyó en su opinión de la obra. El dibujo era hermoso, era único y, ciertamente, era posible.

Alguien llamó a la puerta.

—¡Váyanse! —no estaba de humor para visitas.

—Rick, ¡soy Chase!

—Entonces de verdad será mejor que te vayas. No me hago responsable de cualquier daño a tu integridad física.

Chase se asomó por la puerta.

—Ya soy un niño grande, y puedo manejarte sin problemas aún en mis peores días.

Encendió la luz antes de entrar.

Ricardo lo miró furioso, demasiado consciente de la imagen que proyectaba ante su amigo: Ricardo en el suelo con el bote de basura a su lado y los papeles dispersos a su alrededor. Un empresario en su mejor momento.

Chase dejó a un lado una bolsa de comida rápida. El fuerte aroma del ajo surcó el espacio y el estómago de Ricardo gruñó. Chase entró a la oficina y salió con la gran nevera llena de refrescos.

—¿Quieres hablar sobre ello?

Dejó la nevera cerca de los pies de Ricardo y se sentó en ella. Crujió en protesta, como el inicio de una avalancha.

Ricardo meneó la cabeza.

—No.

Apretó aún más los puños.

—¿Se trata de Julia?

La sola mención de su nombre le hizo hervir nuevamente la sangre. No podía controlar la forma en que se desarmaba cuando ella estaba cerca.

—¿Qué te hace pensar eso? —levantó un puñado de papeles del suelo y los echó en el basurero.

—¿Adiviné?

Chase se encogió de hombros cuando Ricardo no le devolvió la sonrisa. Recogió el papel que estaba entre los pies de Ricardo.

—Es trabajo de Julia, Bastante bueno. Una gran alternativa, si decidieras dejar intacto el estudio.

—No hay alternativas. Quiero ese estacionamiento.

—Tienes razón. Tú eres el jefe y todo está escrito en piedra —Chase se golpeó los muslos con las manos y se paró—. Será mejor que nos vayamos.

Ricardo miró el músculo tenso en la mandíbula de Chase, el gesto serio de su rostro, la postura rígida. Definitivamente una avalancha estaba por arrasar con todo.

—¿Adónde vamos? —gruñó.

—A la noche familiar en el estudio de baile.

—No puedo hacerlo.

—Oh sí, claro que puedes. Ya les dijimos que irías. A

menos que te mate en este momento no tienes excusa para faltar. Necesitas bajarte de tu nube, cruzar la calle y portarte como un hombre —puso su mano ante el rostro de Ricardo.

Ricardo la tomó y Chase lo ayudó a ponerse de pie.

—Dame un par de minutos.

—Seguro. ¿Me prestas tu sombrero esta noche?

—Ese no —miró a lo que solía ser un inmaculado sombrero blanco, ahora de un tono grisáceo. Al verlo de cerca se notaba el borde gastado y las marcas de sus dedos donde siempre lo tocaba.

—Hay otro en el armario.

Cerró la puerta del baño detrás de sí y llenó un gran recipiente de plástico con el agua corriente. Se inclinó sobre el fregadero y se vació el agua sobre la cabeza. No era el mejor sustituto, pero tendría que bastar. Necesitaba saltar en un lago de agua helada para eliminar los pensamientos indeseables sobre Julia de su cabeza y volver a controlar su cuerpo.

Dejó que el agua goteara de las puntas de su cabello y por su rostro. Miró su terrible aspecto en el espejo. Arrancó la toalla del toallero y se la frotó en la cara con fuerza. Hoy se mantendría alejado de Julia, pero eso le trajo a la cabeza otra terrible idea. Lorenza lo molestaría y le pediría detalles. Quizás Chase aceptaría como su deber frenar esa locomotora para salvarlo. O quizás estaría feliz de echar a Ricardo a la boca del lobo después de la forma en que había estado actuando últimamente.

Enrollando las mangas de su camisa de algodón, salió a unirse a Chase.

—Gracias por la patada en el trasero. Me hacía falta.

—Claro que sí. De nada. ¿Estás listo para irte?

—En un minuto —caminó hacia el escritorio y estudió tan objetivamente como pudo el dibujo de Julia—. ¿Qué tan posible sería usar algo así en lugar de lo que tenemos?

Chase examinó el dibujo.

—Es mucho mejor que poner el estacionamiento, Rick. Los cambios que Julia muestra aquí ni siquiera afectarían la estructura. Estarían más de acuerdo con el flujo de la Ciudad Vieja, realzando su importancia como sitio histórico. Ella ciertamente conoce la zona y su potencial, y tiene un buen ojo para trabajar *a favor* del diseño y no en contra.

Ricardo golpeó el escritorio nerviosamente con los dedos. Se veía demasiado prometedor, al igual que ella hace unas noches.

—No lo sé. Necesito el estacionamiento. Eso atrae clientela, pues sabes que hay muy pocos buenos lugares para estacionarse en la Ciudad Vieja.

Chase pasó una mano sobre el papel, aparentemente ignorándolo.

—Los caminos empedrados son un gran detalle; dirigen a la gente de cualquier punto de la Ciudad Vieja directamente hasta la puerta del restaurante. Un *valet parking* podría ser la respuesta que dejara a todos satisfechos.

Ricardo fácilmente podía ofrecer un servicio de *valet* de primera y llevar esos autos a cuatro kilómetros de distancia, de ser necesario. Ese no era realmente el punto. Había alternativas. Aceptar las ideas de Julia no tenía por qué ser señal de que estuviera cediendo, ni una muestra de debilidad.

De hecho, en teoría su pista de baile podría trabajar conjuntamente con el estudio, y se les podría ofrecer a los alumnos un descuento en la tarifa de entrada. Podía financiar concursos o enviarle a Elvira alumnos potenciales. Podía impresionar a Julia como lo había hecho ya una vez.

Una mirada de preocupación atravesó el rostro de Chase.

—Julia invirtió demasiadas emociones en este proyecto y tú no le dedicas las suficientes. Debe haber algún punto medio entre ustedes dos.

En lo que a Rick se refería, el punto medio eran arenas movedizas. Diablos, cualquier cosa que tuviera alguna relación con Julia le movía el piso. No estaba preparado para algo de esa magnitud.

—Este *es* el punto medio.

Ella consideraba que su noche juntos había sido un error. La única vez que se abrió a ella resultó contraproducente. Lo había debilitado. Pero ya no más.

Apretó la mandíbula.

—No voy a ceder, Chase. Un estacionamiento es algo tangible con lo que puedo contar, y sé que mejorará mi negocio. Todo lo demás son tonterías.

Eso incluía sus oportunidades con Julia. Había cometido un gran error al suponer otra cosa, y eso no volvería a suceder.

Tiró los planos de Julia al suelo.

—Procederemos con los planes originales y después volveré a Texas.

Chase recogió los planos del suelo tranquilamente y los volvió a colocar en el escritorio.

—¿De regreso a Texas? No puedes huir de Julia.

—No estoy huyendo, ni de ella ni de nadie. Le he dedicado demasiado tiempo y esfuerzo a San Diego. Es hora de planear la siguiente cadena de restaurantes.

Eso lo mantendría ocupado. San Diego se desvanecería en una de sus hermosas puestas del sol, y él podría levantarse y largarse lejos de ahí.

—¿Qué hay del restaurante? ¿Y de mi empleo?

—Todo tuyo. El restaurante se queda, yo me voy.

—¿Qué hay de Julia?

—Estará bien.

No podía decir lo mismo de él.

—Las cosas no siempre son en blanco y negro. ¿Por qué no piensas...?

Alguien tocó a la puerta principal.

—¿Ricardo? ¿Chase?

El olor de colonia Old Spice anunció la presencia de

don Carlos incluso antes de que entrara a la habitación.

—Muchachos, me estaba preocupando por ustedes. Todos están esperando.

—Lo lamento, don Carlos, me distraje.

—Ah, ¿y ahora qué hizo Julia? —los amonestó con un dedo huesudo y sonrió—. Los vecinos me dijeron que ustedes dos volvieron muy tarde la otra noche. Van a volver a iniciar los chismes —meneó la cabeza—. No importa. Díganme cuando tengan una hora o dos. Lorenza ya se apuntó para bailar varias veces con ambos. Lástima que no estamos pidiendo dinero para alguna noble causa, y cobrando por cada pieza.

Ricardo miró a Chase y supo que ambos estaban pensando lo mismo.

—No en la noche familiar, don Carlos, pero es una gran idea. Lo haremos alguna otra noche, sacaremos todas las campanas y trompetas y haremos una gran campaña de publicidad para atraer a las multitudes.

—Hasta entonces, será mejor que vayamos.

Don Carlos tomó una de las asas de la nevera. Abruptamente se llevó la mano al centro del pecho y dio un traspié.

—¡Don Carlos! —Ricardo corrió hacia él, le rodeó la cintura con el brazo y levantó al débil anciano, arrastrándolo hasta la silla más cercana.

—¡Déjame, muchacho! Estoy bien —jadeó don Carlos. Dijo secamente:

—Tú y Julia son iguales. Es sólo mi indigestión, diablos, y me tratan como si fuera un inválido.

—No quise faltarle al respeto, don Carlos.

Se arrodilló al lado del anciano que se había convertido en su amigo y en quien reconocía la misma terquedad que en su propio padre.

Lo llenó un feroz impulso de protección. Eso no lo ayudó a deshacerse del acre sabor de un mal presentimiento. Debía ser peor para don Carlos.

—Chase, trae algo de agua. Don Carlos, sólo siéntese por unos minutos. Después nos iremos.

—Ya es tarde —se esforzó por enderezarse. Sus ojos se llenaron de lágrimas por el esfuerzo.

—Entonces haremos una entrada triunfal.

Tomó el vaso de agua que le ofreció Chase y lo acercó a los labios temblorosos de don Carlos.

El anciano tomó un pequeño sorbo y se recargó. Su mano finalmente cayó de su pecho a su regazo.

—¿Se siente mejor?

Ricardo quería escuchar un "sí" atronador como respuesta, pero don Carlos se veía más pálido de lo normal.

—Estoy bien, hijo. Nada más no me trates...

—Lo sé, lo sé. Como a un inválido. Usted es un anciano terco.

—Dios los cría y ellos se juntan.

Ricardo se rió.

—Oiga, ¿y yo a usted qué le he hecho?

Le quitó a don Carlos los lentes con gentileza y los colocó a su lado en el suelo. Por suerte no se resistió. Ricardo mojó sus dedos con el agua, los sacudió y acarició con ellos las mejillas sonrojadas. De reojo notó la incomodidad de Chase.

—A mí nada, hijo —don Carlos cerró los ojos.

—Son tú y Julia. Me recuerdan a mí y a mi esposa. Julia heredó su orgullo de ella.

Sonrió. El color volvió a sus mejillas.

Se enderezó y abrió los ojos. Lo peor había pasado. Su rostro se suavizó en incontables arrugas. Le dio unos golpecillos en el hombro a Ricardo.

—Eres un buen chico y harás lo correcto. Pero no pierdas de vista lo importante. No querrás quedarte solo sin nadie con quién compartir tu éxito. ¿Qué tendría eso de bueno? Ayúdame a pararme —se deslizó a la orilla el asiento y tomó el brazo de Ricardo—. Estamos haciendo esperar a las mujeres y eso no es correcto —jaló el hombro de Ricardo para poder murmurar en su oído—. Incluso invité a una amiga de Julia para Chase. Ese muchacho la pasará bien esta noche.

Ricardo se sintió aliviado de descubrir que la mano de don Carlos se sentía tan firme y segura como sus palabras.

—Don Carlos, esta noche Chase y yo queremos anunciar un nuevo plan que dejará al estudio intacto. Eso los tranquilizará a todos.

Sus ojos azules se dirigieron a Ricardo con mirada penetrante.

—Gracias, hijo. Ahora puedo descansar.

Señaló sus lentes y Ricardo se agachó para recogerlos.

Don Carlos comenzó a caminar con paso lento, seguido por Ricardo y Chase. Ricardo le ofreció su brazo y se sorprendió cuando el anciano aceptó. Deseó poder cargar a don Carlos y llevarlo al otro lado de la calle. No quería verlo esforzarse.

Ricardo miró al primer piso del estudio de baile de Elvira, donde tenía sus habitaciones. Se le cerró la garganta.

Julia estaba parada en el pequeño balcón. Una increíble puesta del sol pintaba el cielo de anaranjad apagados, rosas y suaves azules que la enmarcaban. Los colores la coronaban, parecían emanar de ella, competían con su propio brillo.

Ella se inclinó sobre las macetas. Las flores rosas y moradas, y la enredadera que pendía del techo, hacían resaltar el majestuoso color morado de su vestido sin mangas. Ricardo quería arrodillarse ante ella, como un caballero de la era medieval, para jurarle lealtad a ella y a su familia.

Ricardo se tropezó y don Carlos se detuvo. Pasó su otra mano sobre la de don Carlos para sostenerla firmemente.

—¿Ahora qué sucede, muchacho? —preguntó impaciente.

Ricardo, atontado, no le pudo responder. Encontró la mirada de Julia y la sostuvo.

Ella le sonrió y los saludó.

—¡Ricardo! ¡Abuelo! ¡Chase!.

Don Carlos miró lentamente hacia arriba.

Ella miró a Ricardo y a su abuelo y se le congeló la sonrisa. Sin una palabra más se dio la vuelta y entró corriendo del balcón.

Julia descendió corriendo por las escaleras. El estudio festivamente decorado ya bullía de actividad. Se alejó de los brazos que trataron de detenerla, y de las voces que la llamaban por su nombre.

Llegó a la puerta principal justo al mismo tiempo que Ricardo, el abuelo y Chase.

—¿Ricardo...?

—Dijo que era indigestión?

—¿Y le creíste?

—No, preciosa, no le creí.

Había una mirada de decisión en sus ojos, una especie de callada desesperación que ella sabía los conectaba. Ella asintió, tomó la mano de su abuelo y se la colocó en el brazo.

—Mi hija, hablan de mí como si ni siquiera estuviera aquí —dijo, en un tono más cansado que molesto. Soltó su mano—. Te quiero. —le besó la mejilla y volteó a mirar a Ricardo—. E incluso a ti, hijo. Pero ahora me siento mejor y mi agenda de baile está llena. Ustedes dos pueden seguirme.

Se alejó con paso nuevamente alegre. Era obvio que estaba en su elemento. Se acercó a un grupo de mujeres, se inclinó y dijo algo que Julia no pudo escuchar, haciéndolas reír como colegialas.

—Anciano terco —dijo Julia, meneando la cabeza.

—Eso le dije.

Ricardo se metió las manos a los bolsillos del pantalón.

Ricardo olía divino y se veía aún mejor.

—¿Se lo dijiste? —preguntó—. ¿Y cómo reaccionó?

—Dijo que Dios los cría y ellos se juntan.

Julia se rió.

—Suena a algo que él diría —volteó a mirar al abuelo, que estaba entre sus admiradoras—. Hoy tendré que vigilarlo con cuidado.

—Nos podemos turnar.

Ricardo también tenía la mirada fija en él. Era inconfundible la preocupación en las cejas arqueadas y los labios apretados.

—Gracias —dijo con voz quebrada. Se pasó la lengua por los labios, dolorosamente consciente de que él había besado esa boca durante tantas horas en el vuelo de regreso a San Diego que ella casi se había desmayado. Sus labios habían recorrido cada centímetro de su traicionero cuerpo, haciéndola vivir el paraíso en la tierra, pero sus besos la habían llevado fuera de este mundo. Ella se llevó las puntas de los dedos a los labios. Aún capaz de sentirlo ahí, probarlo, desearlo como nunca había deseado a nadie.

—Me has estado ignorando —Ricardo volteó a mirarla, recorriendo todo su cuerpo.

Ella se cruzó los brazos frente al pecho, sus pezones respondiendo a la larga y perezosa mirada de Ricardo. Le hormigueaban al rozar la suave seda de su vestido. Ella deseaba fervientemente que él la volviera a tocar, que hiciera que sus senos y cada parte de su cuerpo respondieran a la alegría más exquisita y aguda que hubiera conocido.

—No lo hago porque quiero sino porque debo hacerlo.

La miró fijamente a los ojos.

—¿Por qué, preciosa?

—Porque no voy a arrastrar mi corazón al centro de este asunto. Tenías razón. No deben entrar las emociones en una transacción de negocios.

Había sido una agonía mantenerse lejos de él desde que volvieron de Nueva York.

—¿Qué clase de hombre crees que soy? —sus ojos brillaban su furia—. Me he quebrado la cabeza tratando de pensar en aquella alternativa de la que tanto platicamos porque quiero que se acabe todo esto, sin nada entre nosotros, como borrón y cuenta nueva. Te deseo, Julia, pero me rechazas a cada paso que das. Sigo siendo el adversario en todo esto. Hasta que dejes de considerarme como una amenaza, siempre seré el adversario.

El escalofrío que invadió el cuerpo de ella le provocó frío y de repente quiso un suéter, aunque reconociera perfectamente que no era un suéter que necesitaba, y tampoco era lo que deseaba. La miró por entre sus innegablemente largas pestañas y con esa mirada penetrante que la haría sentirse desnuda aunque en ese momento estuviera ataviada de cuerpo entero en un traje de buceadora.

—Ricardo, tú eres el adversario. Tú eres una amenaza. Me aterras profesionalmente, pero más aun personalmente. Y no tengo la menor idea de qué puedo hacer al respecto.

Lorenza estaba parada con un grupo de amigos en el otro extremo del cuarto, y señalaba abiertamente en dirección a Julia y Ricardo. Julia habría dado lo que fuera por poder volverse invisible en ese momento.

—Mejor platicamos más tarde. Parece que tenemos un público muy atento —miró hacia la mochila que yacía a los pies de Oscar—. Permíteme guardar la mochila. La comida está por allá —señaló en dirección de la pared cerca del tocadiscos.

—No tan rápido —la tomó por el brazo, y sus dedos la quemaban con la magia de su calor—. Encontré tus dibujos. Chase y yo buscaremos una solución. Ella se negaba a dejarse llevar por ninguna esperanza, por temor de que fallara cualquier plan.

—Hablaremos de los negocios más tarde, ¿de acuerdo? Vamos a divertirnos. Esta noche estamos festejando a mi tía.

Ricardo miró a Elvira y asintió.

—Tienes razón —recogió la bolsa y colocó su mano en la cintura de Julia, llevándola hacia la mesa—. Te acompaño.

Estaba demasiado callado. Volteó a mirarlo de reojo, disfrutando de su tosco atractivo tanto como las mujeres mayores que estaban en el estudio. Les abrieron el paso, murmurando entre sí. Aparentemente ella y Cisco eran noticia pasada.

Julia se concentró en Chase que estaba parado en la esquina al lado de la comida. La tía Elvira estaba frente a él, abrazando a una mujer de cabello largo y negro.

Chase notó la mirada de Julia y sus ojos se le abrieron pidiéndole auxilio.

—Discúlpame, Ricardo —dijo.

—De ninguna manera, preciosa. No quiero perderme de esto —colocó la bolsa en la orilla de la mesa y con una enorme sonrisa en el rostro caminó hacia Chase. Saludó con el sombrero—. Doña Elvira —volteó a ver a la joven—. Señora. Discúlpeme —volteó a ver a Chase—. Julia y yo vamos a salir un momento a revisar los nuevos planos. ¿Crees poder esperarnos aquí?

Un gesto de temor atravesó el rostro de Chase.

—Tengo los planos en el auto. Yo también voy.

—No hace falta, amigo. Sólo vamos a hablar. No necesitamos de los planos —Ricardo sonrió, divirtiéndose enormemente—. Ya te ves ocupado. Siento haber interrumpido. Doña Elvira, ¿ya le llenó su agenda de baile?

Ella lanzó una gran sonrisa.

—En eso estoy.

—Bien. No le deje mucho tiempo libre o se acabará la comida.

Julia le dio un codazo a Rick.

—Chase —dijo en un volumen más alto del que deseaba—. No escuches a Rick. No hablaremos de negocios esta noche. Es una fiesta. No iremos a ninguna parte.

Chase lanzó un suspiro de alivio.

—Julia —rodeó a las dos mujeres y le plantó un beso en la mejilla—. Qué gusto me da volverte a ver. De veras.

—Igualmente.

Se colocó entre Chase y las dos mujeres.

—¿Por qué no ayudas a Ricardo a sacar las cosas de la bolsa que trajo?

—Será un placer. Señoritas —se inclinó levemente—. Rick, hagamos lo que nos pidió la dama —dijo en un tono helado, y se alejó de ahí tan rápido como pudo.

Chase le estaba diciendo a Ricardo algunas verdades, de eso Julia estaba segura. Veía su boca moverse en silencio, pero a doscientos kilómetros por hora. Ricardo estaba muy divertido. Algunos de los alumnos de sexto grado rodearon a los dos hombres y comenzaron las bromas y empujones mientras se arrebataban la comida.

Hombres. Comenzaban desde jóvenes. Julia dirigió su atención a las dos mujeres.

—¿Qué sucede, tía?

—Oh, nada, mi hija. Si Chase se queda tendrá que bailar. Sólo lo estoy presentando con algunas de mis alumnas más jóvenes.

—Sólo le presentas... entonces estás dejando que él elija, ¿verdad?

Su tía lanzó un profundo y exagerado suspiro. Volteó a ver a Chase y Ricardo, que se habían acercado discretamente a la mesa y ya tenían en la mano pequeños platos de cartón con comida.

—Por supuesto.

—Bien —Julia volteó hacia la joven vivaz—. Probablemente bailará contigo cuando no esté arrinconado.

—Eso espero —dijo.

Sonrió y se alejó para unirse a un grupo de mujeres que estaba cerca de la entrada.

La tía Elvira aplaudió para atraer la atención de todos.

—Mejor comencemos antes de que esos dos muchachos se coman toda la comida de la fiesta —anunció.

Como sólo algunas personas interrumpieron sus conversaciones, Julia se llevó dos dedos a los labios y emitió un agudo silbido. Después se paró detrás de Ricardo para evitar ser tan conspicua.

Él dejó la comida, dio un paso lateral y la rodeó con un brazo.

—Estoy impresionado. No es una forma muy sutil de llamar la atención de alguien.

—Hay un momento y un lugar para todo. Esta noche la sutileza no funciona.

Se inclinó y le murmuró al oído.

—¿Qué va a funcionar esta noche, preciosa?

Ah, así que ya se sentía mejor. Aparentemente no le importaba coquetear en la habitación llena, y a ella eso le gustaba.

—Usa tu imaginación, *precioso.*

Se llevó la lengua al cachete en un aparente intento de reprimir una sonrisa. No funcionó por mucho tiempo. Cuando él deslizó su mano lentamente por su espalda hasta la curva misma de su trasero, la recorrió un estremecimiento de placer. Sus labios lujuriosos se curvearon formando una lenta sonrisa. Ella quería saborearlo. Él miró inocentemente hacia enfrente.

La voz de la tía Elvira flotó alrededor de Julia, pero no pudo escuchar una sola palabra. ¿Cómo podía concentrarse en otra cosa que no fuera el calor de la gran mano de Ricardo? ¿O el calor que le recorría el cuerpo? Ella también podía jugar ese juego.

Volteó a mirarlo y puso una mano en su pecho, presionándola fuertemente para sentir el latir de su corazón. Latía tan fuerte como el suyo. La sonrisa se le desvaneció del rostro y fue reemplazada por un gesto que no podía descifrar, pero que la volvía loca. Todo a su alrededor se salió de foco.

Ricardo puso su mano sobre la de Julia.

—¿Ya ves lo que me haces, preciosa?

Ella tragó con fuerza.

—Entonces estamos a mano.

—Es bueno saberlo —sus dedos estrecharon los de ella.

La voz de su tía interrumpió sus confundidos pensamientos.

—Así que mi sobrina Julia y Ricardo, su compañero de baile, iniciarán la fiesta con la primera pieza. Denles un aplauso.

Arrancada de su ensueño, Julia sintió un hueco en el estómago. La habitación se llenó de aplausos y burlas y pareció volverse más pequeña a cada minuto.

—Ojalá tuviera una cámara —Chase empujó a Ricardo hacia delante—. En esta vida todo se paga. ¡Ja! Lo pensarás dos veces antes de volverme a torturar.

Ricardo soltó la cintura de Julia.

—¿Elvira está hablando en serio? —su voz casi se quebró.

—Totalmente. Si estamos parados juntos, bailaremos juntos. Sin discusión. Sin mirar atrás. Sin elección.

Él se encogió de hombros.

—Se me ocurren cosas peores, preciosa.

—No abuses de tu suerte —ella lo tomó de la mano, llevándolo hasta la pista de baile. Se estremeció—. Odio ser el centro de atención —ella lanzó una profunda exhalación—. Comienza el espectáculo.

Julia encendió su encanto. Sonrió y los saludó a todos cuando en realidad lo único que deseaba era escaparse al balcón con Ricardo. *¿De dónde le venía eso?*

No, ella trató de convencerse de que le alegraba el caos que los rodeaba. Mejor así, hasta que estuviera terminado el plan de negocios.

Se apagaron algunas luces y ella elevó la mirada al techo.

—La próxima vez te paras al otro extremo de la habitación y dejas las manos quietas, ¿de acuerdo? Probablemente esta es su manera de castigarme.

—Según recuerdo, tus manos también hicieron de las suyas. Eres tan culpable como yo.

Afortunadamente las luces se desvanecieron en el momento justo. Ella se ruborizó. Él retrocedió un paso y se llevó la mano de Julia a los labios.

El fuego seguía ardiendo. Ella no lo había imaginado. Su corazón se negó a detener su rebelde golpeteo. Se quedó sin habla.

—Mira, Julia. Será mejor que le veamos el lado positivo a esta situación.

Echó un vistazo a su alrededor. Había solteros, parejas y niños alegres y ruidosos parados esperando alrededor de la pista de baile. Vio a don Carlos y lo saludó. El anciano le respondió el saludo.

—¿Irá a comenzar con algo lento? —preguntó, esperanzado.

—Seamos realistas, Ricardo. Esta es una fiesta. Vamos a mover el esqueleto hasta que la gente se quede sin aliento —ella se deslizó entre sus brazos—. Sólo sígueme, querido.

—¿Tú vas a llevar?

Su rostro de mortificación la hizo reír.

—No te preocupes. No se enterarán.

La música comenzó a todo volumen. Julia automáticamente comenzó a agitar las caderas, mientras el vestido le acariciaba los muslos. Sus manos se sentían pequeñas en las de Ricardo, y de inmediato se calentaron. La sensación le penetró hasta los huesos.

—¿Tienes el ritmo, Ricardo?

Él asintió, sin retirar la mirada de sus pies. Ella soltó su mano de la de él y levantó la barbilla.

—Mírame como si fuera con intención. Confía en ti mismo. Cierra los ojos si debes hacerlo, pero confía en ti mismo y confía en mí.

Confía en mí, pensó.

Él gimió.

—Lo tengo, preciosa. Vamos.

—Una, dos, tres y vamos.

La pisó al primer paso.

—Lo siento —farfulló, y comenzó a mirar nuevamente hacia abajo.

—No, no, no Ricardo —ella le frotó el hombro con la mano y la colocó en su cuello. Era la única acción natural—. He tenido cientos de alumnos a lo largo de los años. Tú eres mejor que muchos de ellos.

—Sólo estás siendo amable.

—Algo raro contigo, lo sé.

—Es maravilloso. Tú eres maravillosa.

Ella se rió. El cuerpo de Ricardo se relajó de inmediato. Sus poderosas piernas se presionaron contra las de Julia y el paso 'rápido, rápido, lento' cobró vida propia.

Elvira aplaudió.

—¡Todos a bailar! Gracias, Julia y Ricardo.

Julia sonrió.

—Gracias a Dios que no lo prolongó demasiado.

—No fue tan doloroso —dijo Ricardo.

Al aumentar su confianza, finalmente miró a Julia y le dio una dramática vuelta.

—¿Cómo lo hago, maestra?

—Mejor, Ricardo. Confía en ti mismo. Mírame como si fuera con intención...

Cuántas veces les había dicho esas frases a sus alumnos a lo largo de los años? Nunca deseó tanto como en este momento que se hicieran realidad.

La miró con ojos que la traspasaban. La recorrió un

escalofrío. ¡Enemigo, oponente, adversario! Su mente gritó las tres descripciones lógicas para Ricardo, el hombre de negocios.

Su corazón no estaba dispuesto a escuchar.

Y menos cuando la estrechaba aún con más fuerza de lo que indicaba el instructivo. Menos cuando su lento acento la atraía aún más cerca.

—Es con toda intención, preciosa.

Y definitivamente no cuando dejó de bailar y acercó sus labios a los de ella.

—¿Me prometes también el último baile, Julia?

Ella quería prometerle más que un baile, pero el temor ante esa idea la obligó a guardar silencio. Ella asintió y volteó a ver sus pies inmóviles. Las parejas que giraban y se agitaban a su alrededor se reían y les guiñaban el ojo. Ella quería una alegría como la de ellos. La quería con Ricardo.

La música cambió a una lenta y suave tonada de jazz.

—Pensé que la música lenta comenzaba más tarde.

—No creo que la selección haya sido de mi tía.

Julia miró en la dirección del aparato de CD. Chase estaba parado al lado con un manojo de CD's y una gran sonrisa en el rostro.

Julia se rió. En este momento la vida era buena.

Bailaron durante unos minutos en silencio. El murmullo de las voces en el estudio armonizaba con la música. Ella descansó su cabeza en el pecho de Ricardo. El ritmo acelerado de su corazón era la mejor música.

De repente un fuerte estruendo hizo añicos el silencio.

Un agudo grito penetró a Julia hasta los huesos. Se desprendió de los brazos de Ricardo, mirando desesperadamente a su alrededor.

—Dios, mío, ¡el abuelo!

Capítulo Diez

Ricardo y Julia corrieron hacia el pequeño grupo agolpado ante la puerta del baño.

—¡Ayúdenme! —Lorenza golpeaba la puerta con todas sus fuerzas—. ¡Ay, Dios mío, ayúdenme! ¡Es Carlos!

Se encendieron las luces de la casa.

—¡Retrocedan todos! ¡Retrocedan! —Ricardo se abrió camino por la multitud—. Déjenme pasar. Demonios, déjenme pasar.

Los golpes de Lorenza se debilitaron. Miró a Ricardo, con el maquillaje marcándole surcos en las ancianas mejillas.

—Ayúdame, Ricardo. No puedo abrir la puerta —se le quebró la voz y cayeron nuevas lágrimas.

Ricardo tomó entre sus manos los puños ensangrentados y en carne viva de Lorenza.

—Lo hiciste bien, Lorenza.

Besó con suavidad sus manos y la hizo a un lado. Julia rodeó los hombros jadeantes de Lorenza con el brazo.

Chase se llevó a Lorenza. Elvira se aferró a Julia, que estaba congelada unos metros atrás de Ricardo.

Ricardo meneó la perilla. Era de un pesado latón, la puerta eran sólidos paneles de roble.

—Don Carlos, si me escucha, si se puede mover, aléjese de la puerta.

Retrocedió y embistió la puerta con el hombro. Lo volvió a intentar. Apenas se movió.

Para obtener mejor impulso y fuerza, sabía que tenía que usar su hombro izquierdo. Contuvo la respiración y se lanzó contra la puerta. Un dolor intenso como fuego ardiente le atravesó el hombro.

Respiró hondo y la volvió a embestir. Sintió como si le punzaran los huesos con astillas de vidrio.

Apretó los dientes para soportar el dolor. Sintió náuseas y se le nubló la vista. Retrocedió trastabillando.

Concentración. Concentración. Emitió un fuerte grito y arremetió contra la puerta con cada gramo de su peso.

La puerta cedió. Le dio un puñetazo a la abolladura, quitó algunas astillas de madera y metió la mano por el pequeño hueco. Abrió la puerta desde adentro y se controló, abriéndola lentamente.

Se abrió unos centímetros. Ricardo se asomó. Don Carlos yacía en el suelo impidiendo el paso.

—No, no, no —murmuró Ricardo.

Se escurrió dentro, empujando la puerta contra don Carlos. Ya había perdido demasiado tiempo. Cayó de rodillas al lado del cuerpo inmóvil.

Julia trató de escurrirse en el pequeño cuarto.

—¡Sal de aquí, Julia! ¡Consigue ayuda! ¡Llama a emergencias! —movió cuidadosamente el cuerpo de don Carlos hacia él, sabiendo que no podría mantenerla afuera. Comenzó la resucitación cardiopulmonar—. Ayúdame a contar, Julia.

Ella abrió la puerta por completo. El aire fresco le aclaró la cabeza a Ricardo.

—¡Elvira! ¡Retira a la gente de la puerta!

Elvira les gritó que se alejaran.

Julia se arrodilló frente a Ricardo. Se llevó la mano a la boca y agitó la cabeza.

—Ayúdame o salte, Julia.

—Lo siento.

Quitó con cuidado los lentes del pálido rostro de su abuelo y comenzó a contar.

Ricardo presionó el pecho de don Carlos al conteo rítmico de Julia. Ignoró el agudo dolor que recorría su hombro y brazo.

—Vamos, viejo, vamos. No nos vas a abandonar tan fácilmente. Tenemos una noticia que anunciar. Tú debes estar ahí.

Julia lo miró como si le hubiera salido otra cabeza. Tomó la mano lánguida de su abuelo.

—Vamos, abuelo. No me dejes ahora.

Comenzó a oírse un murmullo en el silencioso estudio. Los paramédicos entraron corriendo al edificio. Se apresuraron al baño.

—Nosotros nos haremos cargo. Lo hicieron bien.

No lo suficiente, pensó Ricardo, mirando el tono azulado de los labios de don Carlos. *No lo suficiente, maldición.* Se levantó y retrocedió del cuarto, jalando a Julia de la mano.

Se quedaron parados justo al lado de la puerta, mirando las intravenosas, las agujas y los monitores. Los paramédicos rasgaron la camisa de don Carlos para adherirle monitores, y lo levantaron a una camilla.

Un paramédico hablaba por la radio mientras el otro continuaba aguijoneando a don Carlos.

—Ataque cardíaco. Está respirando. La presión desciende. Está perdiendo el color.

Escupieron preguntas a diestra y siniestra. Julia les gritó las respuestas. Qué medicamentos tomaba don Carlos. Otros ataques. Su historia clínica.

—Vamos en camino —gritó el paramédico por la radio.

—Iremos detrás de ustedes. ¡Sálvenlo! —gritó Julia.

El peso en el pecho de Ricardo amenazaba con aplastarlo. La respiración se fue volviendo más difícil a cada segundo que miraba el descenso de la presión sanguínea de don Carlos.

Se quedaron parados en la atestada acera, mirándolos meter a don Carlos en la ambulancia. Viendo el rostro pálido y los labios temblorosos de Julia, Ricardo rezó como nunca había rezado antes.

Con las lágrimas a punto de brotar, la mirada de Julia se fijó en él. La total desesperación de su rostro le rasgó el corazón.

Él quería decirle que todo estaría bien, pero no quería darle falsas esperanzas. Quería apretarla contra sí, pero temía lastimarla más. Quería prometerle que no habría más dolor.

—Lo siento tanto, Julia.

Ella levantó su mano temblorosa y con el gesto más tierno que Ricardo jamás hubiera visto, le limpió la humedad de la mejilla.

Antes de que Ricardo y Julia llegaran al hospital Sharp Memorial, ya se habían llevado a don Carlos a la unidad de cuidados intensivos. Ricardo trastabilló en la sala de emergencias aferrándose el hombro.

Los ojos de Julia se abrieron. Lo abrazó por la cintura.

—Ay, Montalvo. ¿Por qué no dijiste nada, mi corazón?

Él trató de encogerse de hombros, pero su hombro izquierdo se negó a cooperar.

—Estaba ocupado —las palabras se le barrieron. Se pasó la lengua por los labios tratando de decir su nombre, pero la palabra se le adhirió al interior de la boca como algodón.

Ella lo había llamado *corazón.* Cerró los ojos y dejó que su dulce voz lloviera sobre él.

Ella le ayudó a pasar por las puertas de emergencias y lo sentó en el primer asiento vacío que encontró. Corrió a la recepción gesticulando agitadamente, su voz bajando y subiendo como la marea en Mission Beach.

La amaba. Parpadeó fuerte, tratando de que ella no se saliera de foco.

Ella volvió con un internista y una silla de ruedas.

—Escucha amor, te vamos a curar ahora mismo.

—¿Carlos? —logró preguntar. Lo invadió el pánico y trató de enderezarse. Parecían haber pasado horas desde la última vez que lo había visto.

Ella posó la palma de la mano sobre su frente y le peinó el cabello.

—Se están haciendo cargo de él —le temblaba la voz—. Para cuando hayan terminado contigo sabremos más.

Julia y el internista lo ayudaron a subir a la silla de ruedas. El sudor perló su frente. Julia le limpió la cara.

—Gracias, Ricardo —murmuró, besándole la frente—. Voy a subir corriendo a ver al abuelo y volveré tan pronto como pueda. Sammy se hará cargo de ti, ¿está bien?

No te vayas, quería gritarle al cuerpo que se alejaba, pero sólo pudo tragar saliva. *Te amo,* pensó, antes de que el dolor hiciera presa de su cuerpo una última vez y lo envolviera la oscuridad.

La familia y los amigos estaban a lo largo del corredor del hospital, afuera de cuidados intensivos. La imagen le trajo a Ricardo recuerdos de la muerte de su abuela. Sus padres lo habían besado a él y a sus hermanas con frecuencia durante esos últimos días en el hospital, cuando la triste realidad les había golpeado duramente. Ellos habían estado ahí para él mientras su propio mundo se les venía encima. Había jurado jamás volver a dar por sentado el amor de nadie. Entonces él se había ido, demasiado asustado y enojado como para mirar atrás. Hoy había vuelto a dar por sentado el cariño de otro amigo.

No cometería ese mismo error con Julia.

Julia caminaba de un lado a otro al final del pasillo. Alguien la había envuelto en una enorme chaqueta del equipo de los Chargers. La orilla de su vestido de fiesta se asomaba por debajo. Llevaba zapatos tenis. Llevaba el cabello recogido en la nuca, sostenido ahí con un lápiz amarillo. Algunos mechones le caían libremente por el rostro.

Era la visión más hermosa que hubiera visto Ricardo.

Recorrió el pasillo empujando torpemente la carreta que había robado de la cafetería. Estaba llena de tazas de café negro, jugos en caja y latas de Pepsi. Se fue deteniendo en el camino, ofreciéndoles bebidas a los cansados visitantes. Era lo menos que podía hacer.

Extendían los brazos para tocarlo. Voces que no reconocía murmuraron su nombre una y otra vez. Los rostros que había visto cientos de veces en el estudio o en el barrio se volvieron borrosos cuando se concentró en Julia. Masculló algunas incoherencias, sin poder mirar a nadie más. Dejó la carreta al centro del pasillo. Avanzó hacia ella, deseando arrancarse el cabestrillo que le sostenía el brazo izquierdo pegado al pecho. El áspero material se le encajaba en el cuello, inmovilizando su brazo y entorpeciendo su coordinación.

Julia volteó a mirarlo. Por un momento brilló una luz en sus ojos. Desapareció en un parpadeo. Su mirada suplicante le examinó el rostro y se detuvo en su hombro.

Avanzó unos pasos hacia él.

—Lo siento, Ricardo. Me dijeron que estarías abajo un par de horas más. Iba a volver en un rato a ver cómo estabas.

—En cuanto pude sentarme y buscar mi sombrero, me salí de ahí —su torpe intento de bromear fue un fracaso.

Ella volteó a verlo con la mirada vacía, su sonrisa detenida en algún lugar profundo dentro de ella.

La atrajo hacia sí con su brazo sano.

—Tienes cosas más importantes de qué preocuparte.

Ella recargó la cabeza contra su pecho. Él le acarició

la cabeza, soltándole el lápiz. Éste cayó al suelo. Julia lentamente envolvió sus brazos alrededor de la cintura de Ricardo y exhaló un suspiro entrecortado.

—¿Cómo está?

No estaba seguro de querer saberlo.

Ella levantó la cabeza para mirar a Ricardo a los ojos.

—En realidad está mejor. Su estado es crítico pero estable —deslizó la mano en la de él—. Ven a verlo.

—Creo que no debería. Necesita descansar.

Ricardo quería recordar a don Carlos bebiéndose una cerveza helada o en la pista de baile rodeado por sus admiradoras.

—Tú le salvaste la vida, Montalvo.

—Aún no está fuera de peligro, Julia.

—Mayor razón para que lo veas ahora —su voz permaneció tranquila, aunque sus ojos le gritaban un ruego silencioso.

A Ricardo le bastó una mirada a esos ojos para dominar el pánico. Le apretó la mano.

—Entonces vamos, preciosa.

Ella lo llevó a la habitación oscura. Ricardo se detuvo en la puerta, sus pies no deseaban entrar. Don Carlos se veía pequeño y frágil en la cama de hospital. Tenía los ojos cerrados. Su pechó se elevaba y descendía más rápido de lo que debía.

—Este no es mi lugar, Julia —murmuró. Miró las agujas insertadas en don Carlos. Se le saltaron las venas en las manos que sostenía quietas, como rezando, ante su vientre.

La madre y padre de Julia habían acercado sus sillas al lado de la cama. Su tío y su esposa estaban parados del otro lado. Elvira estaba cerca de la ventana, mirando la calle a través de las persianas.

Ricardo retrocedió.

—Eres su amigo —dijo Julia en voz baja.

—No creo que sea ese el término que emplearía tu familia para mí.

Julia le apretó aún más la mano.

—Sí lo harían —se mordió los labios temblorosos.

Él no quería enfrentar a ninguno de ellos.

—Quizás yo le haya causado ese ataque. Vaya amigo.

Había tomado a la familia de don Carlos y los había atropellado como un buldozer, todo por un edificio. Al final había resultado ser el cruel monstruo que Julia creía que era. En lugar de responder de igual manera, su familia le había abierto sus brazos y sus puertas. Lo habían invitado a formar parte de sus vidas, aún cuando conocían bien sus planes.

Uno a uno le habían abierto el corazón y los ojos a un mundo más allá de los negocios, lo habían hecho desear a la familia que apenas ahora sabía que extrañaba y necesitaba. Él quería algo más que negocios; quería a Julia más que ninguna otra cosa que recordaba haber querido. Se tragó el nudo que tenía en la garganta. Caminaron de la mano hasta el pie de la cama.

Don Carlos merecía más que su respeto. Ricardo haría todo lo que estuviera en su poder para ver que recibiera la mejor atención médica que el dinero pudiera comprar. En cuanto se restableciera, Ricardo le contaría sus planes para el estudio.

Limpiaría el desastre que había causado. Le pediría perdón a Julia y abandonaría la ciudad. Entre más distancia pusiera entre la familia Ríos y él, más fácil sería para ellos volver a remendar sus vidas . . . los retazos que él les había quitado.

La idea de dejar a Julia lo hería con un dolor más agudo que el que había sentido en el hombro.

La madre de Julia se levantó de su asiento.

—Gracias, Ricardo.

Tenía el rostro lleno de lágrimas. El padre le apretó el hombro.

—Necesita un descanso. Por favor tomen nuestros asientos. Cuida a Julia.

Don Marco y su esposa los siguieron con cajas rosas de pan dulce bajo sus brazos. Ricardo esperó que el café siguiera caliente para ellos.

—Preguntó por ti, hijo.

Ricardo quería huir. Familia, familia, familia. Él había abandonado a una, casi había destruido a otra, y sin embargo sabía que lo ayudarían si él lo necesitara.

Ricardo le acomodó la silla a Julia. Soltó su mano de la de ella y se inclinó para darle un beso en la mejilla, sintiendo una vez más el dolor penetrante en su brazo. Los analgésicos estaban dejando de surtir efecto rápidamente.

—Ahora vuelvo, preciosa.

Ella asintió y acercó más su silla a la cama.

—Lo siento tanto doña Elvira.

Ella lo miró con ojos enrojecidos. Las lágrimas se le derramaron. Si se hubiera abierto la tierra para tragárselo, él habría saltado de cabeza. La abrazó con torpeza, maldiciéndose por su propia estupidez.

Su cuerpo frágil se agitó en suaves sollozos hasta que creyó que se rompería. Después de unos minutos se detuvo con un estremecimiento.

—Ayer me dijo que tomara una decisión respecto al estudio —murmuró—. Siempre se preocupó por mí. Me dijo que la vida era corta y que era mejor que hiciera todas las cosas antes de que se me acabara el tiempo y terminara preguntándome "¿Y si hubiera... ?" Me dijo que el cielo te había enviado como una oportunidad disfrazada.

¿Amenazar con arrebatarle su negocio a una familia era una bendición disfrazada? Ricardo maldijo al anciano. Carraspeó.

—Él siempre supo qué decir —miró a don Carlos y a Julia, que no se habían movido ni un centímetro—. No tenemos que hablar de negocios ahora.

—Lo sé, Ricardo, pero cerraré el estudio de todas

maneras. Siempre quise viajar a España y a Grecia. Es un buen momento para hacer algo así.

Se quedó sin habla. El cambio de planes, las oportunidades. La culpa.

—No, Doña Elvira. Por favor.

—Ya es el momento, Ricardo —le dio unos golpecillos en la mejilla—. Me dijo que eres un buen muchacho. Yo también lo creo firmemente —Elvira miró la cama de hospital—. Mi sobrina está enamorada de ti y golpeada por lo de su abuelo. No es una buena posición para negociar. Tienes mi palabra de que te ayudaré en todo lo que sea necesario. Haz lo que tengas que hacer, pero no te atrevas a lastimarla.

Elvira levantó la barbilla y se limpió las lágrimas del rostro.

Lo dejó parado ahí, sin habla, y echó sus brazos alrededor de Julia. Ésta se aferró a los brazos que tenía envueltos alrededor del cuello, acercándose a su tía lo suficiente como para que sus mejillas se tocaran.

Don Carlos se movió. Julia contuvo el aliento. Elvira lo besó y salió corriendo de la habitación para avisarles a los demás. Julia se levantó y tiernamente acarició una arruga de su frente, suavizando el surco que había aparecido en ella.

—Chiquita —don Carlos se pasó la lengua por los labios partidos. Sus párpados se agitaron, pero no abrió los ojos.

—Shh, Abuelo.

—¿Ricardo? —tragó con gran dificultad.

—Estoy aquí, don Carlos.

Ricardo extendió el brazo para tomar el vaso de agua que estaba sobre la mesa de noche, pero después lo pensó mejor. Sacó un cubo de hielo y lo pasó por los labios de don Carlos.

—Qué bien. Están juntos —una lágrima descendió por el costado de su ojo cerrado, a lo largo de su sien y al cabello—. Ojalá pudiera verlos juntos. No puedo ver.

Se le atragantó la voz. Y tosió. Su rostro se tensó ante los espasmos de dolor que debía estar sintiendo.

—Podrás vernos mañana, abuelo —le dijo con voz suave—. Tú sólo descansa.

Ricardo dejó el cubo de hielo y miró a Julia asombrado. Su voz era tan reconfortante como una canción de cuna, pero las lágrimas cubrieron sus mejillas, cayendo por su barbilla a la sábana blanca que lo cubría.

—Tu abuela está feliz, Chiquita. Él es el indicado —contuvo la respiración y la dejó salir lentamente—. Ricardo, cuida bien a mi nena.

Las palmas de Ricardo se llenaron de sudor, como él que le corría por la espalda. Tenía que decir algo, cualquier cosa que cambiara la situación.

—Viejo, no puedes irte a ninguna parte. Tienes que estar en nuestra boda.

Las comisuras de los labios de don Carlos se curvearon en una triste sonrisa. Buscó la mano de Julia. Ricardo cubrió las manos de ambos con la suya.

Julia se inclinó contra Ricardo. Su calor combinado debía calentar las manos y pies de don Carlos. Si fuera así de sencillo, pensó Ricardo, lo hubiéramos hecho hace horas.

El monitor comenzó a sonar sin control. La línea verde se estiró y el corazón de don Carlos se detuvo.

Capítulo Once

—¿Cuánto tiempo llevan ahí? —Ricardo lanzó hasta el otro lado de la habitación su sombrero, que golpeó la puerta y se deslizó al suelo. Pateó la silla más cercana haciendo brincar a todos—. Lo siento —murmuró.

Julia lo dudó. Miró hacia otra parte y deseó, por un momento, poder hacer lo mismo. Se asomó por la única ventana, jugueteando con la cruz que llevaba en él.

—Dijeron que la cirugía para colocarle el by-pass podría durar hasta diez horas.

Se sorprendió a sí misma por su capacidad de recordar ese dato, así como otros que entraban y salían del flujo de su conciencia. Cada rostro, cada palabra mencionada, cada dolorosísimo minuto que había pasado en esa silla al lado de la cama del abuelo era una nebulosa. Sabía que después de que habían dado de alta a Ricardo él se había quedado a su lado, la había abrazado, había hablado con su abuelo. Alguna tontería sobre una boda que incluso hizo sonreír al abuelo.

Ricardo la había consolado. Ahora la estaba poniendo muy nerviosa.

Se sobó la nuca. Sus ojos ardían inmisericordemente, y un nuevo diluvio de lágrimas amenazaba con volver a comenzar si alguien la miraba siquiera. Estaba cansada hasta la médula, un dolor que iba más allá de cualquier cosa que hubiese conocido.

Los golpes en la máquina de refrescos la desconcertaron.

—¡Montalvo! Te van a correr de aquí. Contrólate.

Sus ojos miraban descontroladamente de aquí para allá dándole el aspecto de un hombre desesperado y explosivo. Volvió a dirigir su atención a la máquina y la volvió a golpear. Su brazo izquierdo vendado parecía un ala rota.

Él había estado ahí para ella, pero ¿quién había estado ahí para él? Ella miró a Chase, que estaba al otro lado de la habitación. Le respondió encogiéndose de hombros, la mirada vacía en sus ojos llenándose con sus propios demonios.

Ella caminó hacia Montalvo y colocó la mano en el centro de su espalda. Le acarició toda la espalda y después presionó con mayor firmeza los tensos músculos. *Este muchacho está a punto de explotar.*

—Ven a sentarte conmigo, Montalvo.

Él recargó la mano sobre la máquina, tensando el brazo, y agachó la cabeza contra la parte superior de éste.

—No quieres sentarte junto a mí —las palabras se barrieron—. Soy de mala suerte.

Julia sospechó que la fatiga finalmente estaba asentándose. Le volvió a sobar la espalda.

—No hables así. No preferiría sentarme con nadie más.

Volteó hacia ella. Sus ojos oscuros, como pozos sin fondo, la atraían hacia un mundo en el cual no estaba muy segura de querer entrar. Buscaron en el rostro de Julia alguna respuesta que no podía darles.

Su mirada se endureció.

—Entonces, preciosa, lo siento por ti.

Ella se ruborizó y, antes de que pudiera controlarse, las lágrimas comenzaron a salir. Él estaba tratando de hacerla a un lado, poniéndose a la defensiva para evitar lastimarla, o a sí mismo.

—Debes dejar de sentir lástima de ti mismo, Montalvo.

Levantó la cabeza de repente. La miró como si fuera la primera vez.

—Julia, lo siento. Lo siento. ¿Cuántas veces tendré que seguirlo repitiendo?

—Lo has dicho suficientes veces —sollozó—. Maldición, Montalvo, estoy tan cansada de llorar. No seas malo conmigo o volveré a empezar.

—Oh, nena, ven acá.

—No —lloriqueó como una niña—. Maneja tu culpa en tu propio tiempo. Sé que eso es contra lo que estás luchando pero seguirá ahí en la mañana, créeme, y yo no quiero estar ahí cuando lo enfrentes cara a cara.

—Por favor, Julia, lo siento.

Otra vez ese acento, rodeándola como una cobija caliente. Ella quería acomodarse contra ese calor y dormir durante días para despertar ya habiendo dejado muy atrás esta pesadilla.

—No —murmuró, pero sus pies tenían voluntad propia.

La llevó de la mano a la silla más cercana. Se sentó y la jaló a su regazo. La movió y gimió.

Ella se enderezó rápidamente.

—Tu hombro.

—Está bien —la atrajo hacia su pecho y recargó la barbilla en su cabeza—. Julia, si pudiera hacerlo todo de nuevo, jamás te arrastraría a ti ni a tu familia por esto —murmuró sólo para sus oídos—. ¿Dices que salvé la vida de tu abuelo? Bueno, preciosa, pues ustedes han salvado la mía.

Los dedos de Ricardo descendieron del cabestrillo y se posaron en su muslo, y el calor de ese contacto se filtró hasta sus cansados y doloridos huesos.

—Debemos arreglarlo todo.

—Lo haremos.

Ella casi le creyó. Se aferró a su camisa, mojada por sus lágrimas. Se acomodó, acurrucándose contra su firme y macizo cuerpo. Él la abrazó con fuerza y ella creyó, en ese instante, que ahí mismo en sus brazos podría encontrar las respuestas que había estado buscando.

La voz de Ricardo resonaba sobre ella como el perezoso zumbido de las abejas en verano. Su suave y tranquila respiración calmó la de ella. Luchando tanto como pudo contra la improvisada canción de cuna, finalmente cedió y permitió que sus ojos se cerraran.

El zumbido aumentó de volumen y sobrecogió a Julia. Sabía que estaba despierta, pero su cuerpo se negaba a aceptar ese hecho. Abrió lentamente los ojos, uno a la vez.

Francisco estaba parado en la puerta con una enorme sonrisa en el rostro.

—Escuchen todos. Soy portador de buenas noticias. Carlos está en recuperación y está mejorando.

La gente celebró y Montalvo se despertó de golpe, casi tirando a Julia al suelo. Gesticuló por el repentino dolor en su hombro y la abrazó con el brazo sano, como para protegerla.

—¿Qué diablos...?

Miró desesperadamente a su alrededor hasta que su mirada se posó en Francisco. Sus ojos se trabaron. La temperatura de la habitación descendió unos cuantos grados y Julia se estremeció. Con esa mirada fija y helada Ricardo de plano daba miedo. Podía ver lo peligroso que podría ser en la cancha de fútbol americano o en una negociación intensa. Francisco guardó admirablemente la compostura y ella supo que él podría enfrentarse fácilmente a cualquier contrincante político en cualquier tipo de debate.

Si ella no hubiera estado en medio, se hubiera hecho a un lado para ver los fuegos artificiales.

—Qué espantosa forma de despertar —masculló Ricardo. —. ¿Qué le viste a ese tipo?

Ella examinó a Francisco. Recién rasurado y perfectamente planchado, estaba impecable. Recorrió la habitación repartiendo firmes apretones de manos con una cálida sonrisa y palabras reconfortantes. Si hubiera sido cualquier otra persona, ella lo habría creído el típico político astuto. Al menos aquí, en esta habitación, era genuino y sincero. De eso no le cabía duda.

Ella se atrevió a mirar al ceñudo Ricardo que no le quitaba la vista de encima a Francisco.

—Ciertamente podría dar clases de Ciencias Políticas. Lección número uno: recorre la habitación —volteó a ver a Julia—. Un segundo... dijo que tu abuelo está en recuperación.

Finalmente asimiló la noticia. Julia saltó del regazo de Ricardo.

—¡Cisco! —gritó —. ¿Estás seguro de lo del abuelo? —se levantó, se alisó el vestido y se pasó la mano por el cabello enredado.

Francisco se aproximó a ellos.

—El doctor pasó por aquí, pero como estaban durmiendo, lo intercepté.

—Siempre buscando la oportunidad de ser el centro de atención —masculló Ricardo—. No te pares tan cerca, Valdez. Me enceguece.

Cisco se rió alegremente.

—Buenos días a usted también, señor Montalvo.

Ricardo estrechó la mano extendida.

—Podría haberlo sido hasta que usted llegó —le dedicó una amplia sonrisa.

—De hecho yo sentí lo mismo cuando usted fue la primera persona que vi al entrar aquí.

Julia exhaló un suspiro de exasperación.

—Este no es el lugar ni el momento, señores — apretó los dientes hasta que le dolieron.

Al lado de Francisco, con su ropa arrugada, cabello despeinado, un brazo en cabestrillo, Ricardo parecía haber sido duramente castigado por toda la línea defensiva de Denver. Le gustaba bastante ese contraste entre los dos, pero en ese momento ninguno le agradaba demasiado.

—¿Recibiste la noticia y no te molestaste en despertarme? —Julia luchó por controlar su voz—. Y a ti... —se volteó para encarar a Ricardo—. ¿Lo único que se te ocurre es molestar a Cisco?

Los dos voltearon a mirarla como si hablara un idioma extraterrestre. La habitación se quedó en silencio.

—Hemos estado aquí toda la noche enfermos de preocupación en espera de una noticia, y *sólo* cuando se te da la gana te decides a informarme acerca de la condición de mi abuelo? ¿Cómo está eso, Cisco?

—Lo siento, no estaba pensando. Sólo quería ahorrarte...

—Sólo estabas pensando en ser el centro de atención, como dijo Ricardo. Ahora si me disculpan tengo que ir a cuidar a mi abuelo.

Ricardo dio un paso al frente.

—Voy contigo.

Ella zafó la mano de su brazo.

—No. Sólo continúen con el pleito de machos que estaban a punto de tener y acaben con esto de una vez. Estoy cansada y tengo cosas más importantes que hacer.

Se abrió paso entre ellos, repentinamente consciente de lo estrafalario de su indumentaria. Los zapatos tenis, la chaqueta de los Chargers, su vestido de fiesta. El improvisado traje reflejaba su caos interior. Si volvían a interponerse en su camino con sus tonterías machistas, estarían en graves problemas.

Julia se apresuró hacia el pie de la cama de su abuelo y dijo una rápida oración en agradecimiento. Él estaba respirando normalmente y le había vuelto el color a las mejillas. Sus padres, la tía Elvira, el tío

Marco y su esposa voltearon a verla, con el alivio evidente en sus sonrisas tentativas.

Ella los besó uno por uno. Se inclinó sobre el abuelo y lo besó suavemente en la frente. Le tocó el terso rostro con las puntas de los dedos, siguiendo las líneas de muchas arrugas como si la llevaran hacia un tesoro.

No fue su imaginación. El rostro del abuelo se relajó. En ese momento supo que había encontrado ese tesoro. El abuelo volvería a casa.

Transmisor en mano, Ricardo estaba parado ante las amplias puertas dobles de su restaurante. Sólo siguió caminando cuando detectó a Chase en el estudio de Elvira.

—¿Allá todo está bajo control, Chase?

La radio siseó por la interferencia. Chase se paró en la puerta del estudio y lo saludó.

—Si usas tu transmisor para preguntarme eso una vez más, aventaré el mío por la ventana. Cálmate, cuate.

—Muy bien, muy bien. Puedo entender una sugerencia.

—Voy a dejar mi radio para reacomodar las cosas —dijo Chase riendo, y volvió a saludar.

—¿Reacomodar las cosas?

La radio se apagó.

Muy bien, así que estaba obsesionado con los detalles. Quería que la sorpresa funcionara sin ningún tropiezo. Hacía demasiado tiempo que no se había visto tanta actividad en el estudio. El clan del barrio prácticamente lo había abandonado desde el encuentro cercano de Carlos con la muerte, y él había optado por visitar al abuelo diariamente durante horas. Arrastrado por la corriente emocional, él había estado ahí tanto como le había sido posible.

Miró su restaurante terminado y después el estudio.

Dos mundos increíbles en los que tenía suerte de vivir.

El estudio se había convertido en su refugio; la gente de ahí, sus amigos. Era una vida que nunca había esperado encontrar, y que definitivamente no había apreciado. Extrañaba la vivacidad del estudio, la música llenándolo de vida, las instrucciones en la dulce voz de Elvira, el sentimiento de hogar que le proporcionaba.

Más que nada, extrañaba la cercanía de Julia desde que había terminado la campaña publicitaria y las lecciones de baile, particularmente la sensación de tenerla en sus brazos, la forma en que a veces la atrapaba mirándolo. Era una mirada que podría obligar a cualquier hombre a retroceder y chocar contra un cacto espinoso sin siquiera sentirlo.

Diablos, él también la volvía loca, pero ni siquiera estaba seguro de que fuera una locura buena. Sabía que él a veces actuaba un tanto intempestivamente, con un comportamiento machista que ella casi no toleraba.

En todos sentidos era un desafío estar cerca de Julia. Y ya se lo había dicho. Después la había hecho sonreír al decir lo mucho que le encantaba enfrentar los desafíos.

Julia apareció en la esquina con la camioneta azul que había rentado para ella. No tenía exactamente el mismo efecto que su Miata rojo, pero Julia podría hacer que cualquier carcacha pareciera un Rolls Royce.

Tomó la radio.

—Aquí están. Prepárate.

—Diez-cuatro —respondió Chase.

—Oye, eso suena estupendo, suena oficial —dijo—. Diez-cuatro, mi amigo.

—Chase, por lo que más quieras, ponte en posición.

—Diez-cuatro.

La radio volvió a apagarse y el movimiento cesó dentro del estudio.

Colocó la radio en la banca de madera que estaba junto a la puerta. La banca era un regalo de Marco, hecho por el mismo carpintero que había creado la que tenía frente a su panadería.

Julia abrió las puertas corredizas de la camioneta y comenzó a sacar una silla de ruedas.

Ricardo corrió hacia ella.

—¡Julia! Permíteme ayudarte con eso.

El rostro de Julia se iluminó como una hermosa flor, haciéndolo vacilar.

—¡Ricardo! Gracias por venir.

—No me lo hubiera perdido por nada.

Con una mano levantó la silla de ruedas y la acomodó, colocándole el freno.

Le tocó el cabestrillo suavemente.

—¿Cómo sigues?

Su sonrisa vibrante lo hizo desear cosas que alguna vez creyó fuera de su alcance.

—Cada día mejor.

La estrechó contra sí.

—Ya extrañaba esto.

Ella envolvió sus brazos alrededor de su cintura.

—¿Qué es *esto*?

—Tu sonrisa, preciosa.

Ella suspiró y su cuerpo se relajó.

—Parece que pasó lo peor.

—¡Oigan! —un bastón golpeó la puerta—. ¿Ya terminaron ustedes dos? Hace calor aquí.

—Don Carlos, veo que ya volvió a la normalidad.

Ricardo se rió, se alejó de Julia y estiró los brazos hacia Don Carlos.

—Se siente bien estar en casa —don Carlos se aproximó a la orilla de la camioneta y colocó un brazo tembloroso alrededor del cuello de Ricardo.

Ricardo lo levantó con facilidad y delicadamente lo

colocó en la silla de ruedas que sostenía Julia. Don Carlos miró a su alrededor, con la suave brisa despeinándole el cabello.

—El estudio está demasiado silencioso, pero se ve maravillosamente bien —señaló hacia Ricky's con su bastón—. Al igual que tu restaurante desde este ángulo, hijo.

—Espere a que vea los planos terminados, Don Carlos.

Él y Chase habían contratado un nuevo diseñador para que les diera vida a los primeros dibujos de Julia.

—Estoy seguro de que serán una obra de arte.

Eso esperaba Ricardo. El asfalto se vería reemplazado por caminos empedrados y puentes que unirían el estudio y varios otros negocios con el restaurante. Se colocaría tierra en todas partes para darle vida al lugar con el verde de las plantas. El color lo proporcionarían las toneladas de flores que habían ordenado, incluyendo rosas amarillas, lilas y geranios. El aroma de esas flores había permeado el aire tan intensamente en su oficina, que eso debía ser algún tipo de señal. Le había encantado la idea de incluirlas en el lugar. Las columnas y enrejados de los edificios serían decorados con enredaderas de glicina y buganvilla.

Apenas podía esperar a ver la mirada en el rostro de Julia cuando presentara esta noche los planos modificados.

—Espero que todos lo crean —se puso detrás de la silla de ruedas—. Por favor, permíteme, preciosa. Si pudieras abrir la puerta...

—¿Qué te traes entre manos? —murmuró al pasar junto a él.

No iba a dejarla pasar tan fácilmente. Presionó su cuerpo contra el de ella, interrumpiéndole el paso.

—¿Y bien? —murmuró, en lo absoluto preocupada por su postura.

Su ceja arqueada lo provocó aún más.

—Es sólo una pequeña sorpresa.

La dejó pasar renuentemente.

—Oh-oh. Tú no conoces el significado de la palabra pequeño. Sólo asegúrate de que yo no esté cerca cuando presentes esa pequeña sorpresa.

Le guiñó el ojo y le lanzó su encandilante sonrisa, estimulándolo.

—¿Sorpresa? ¿Qué sorpresa?

La impaciencia se hizo evidente en la voz de don Carlos.

—No importa. Avancemos. Elvira debe estar preocupada.

Ricardo empujó la silla de ruedas a través de la puerta principal que Julia sostenía y entró por la recepción hasta el estudio.

—¡Sorpresa!

Don Carlos se sobresaltó y después una sonrisa iluminó su rostro.

La habitación estaba llena de parientes y amigos. Una variedad de panes, platos llenos hasta el borde con arroz y frijoles, bandejas de enchiladas y carne asada y cerros de tortillas se desbordaban de las mesas que estaban contra la pared opuesta. El olor era paradisíaco.

Pendía del techo un enorme letrero que decía: "Bienvenido a casa, Carlos". Chase prendió la música, pero la mantuvo a un volumen respetable. Ricardo le hizo una seña de aprobación.

Todos corrieron hacia don Carlos, hablando a mil kilómetros por hora.

—Gracias, gracias —murmuró, pero su voz no se escuchó. Con una mano en el hombro de don Carlos, Ricardo se inclinó cerca de su oído.

—¿Quiere decir algo o guardará silencio para siempre?

—Quiero decir algo —cubrió la mano de Ricardo con la suya—. No me dejes.

—No lo haré, viejo, y usted lo sabe.

No deseaba gritar o silbar tan cerca de don Carlos, así que a señas le pidió a Julia que emitiera su poderoso silbido.

Lo hizo. La alharaca disminuyó y finalmente se detuvo. Todas las miradas estaban fijas en don Carlos.

—Casi me da un ataque cardíaco —dijo.

La multitud se quedó anonadada. Don Carlos se rió.

—Es broma.

Se rompió el hielo y todos rieron con él. Don Carlos alzó las manos.

—Ustedes son la razón por la cual decidí quedarme. Ustedes me trajeron a casa. Los extrañé a todos —se le quebró la voz.

Ricardo parpadeó con fuerza. De repente no le gustó el sitio donde estaba. Ser el centro de atención junto al hombre que lo había obligado a examinar muy de cerca su modo de vida era una lección de humildad. Todos verían a través de su máscara, pero aún no estaba preparado para hacer confesiones emocionales en público.

—He vivido una vida larga, plena y productiva, y aún así me parece demasiado corta. Hoy estoy rodeado por las únicas cosas que importan: mi familia y mis amigos —él extendió la mano—. Julia, Elvira, María, Marco, sus esposas y esposos. Y todos aquellos que siempre serán como parte de la familia, Ricardo, Francisco, Chase, vengan acá.

Se juntaron a su alrededor.

—Si puedo darles algún consejo es que no desperdicien ni un solo minuto. Hagan lo que siempre han querido hacer, rodéense de aquellos que significan más para ustedes.

Don Carlos se quitó los lentes y los colocó en su regazo. Cubrió sus ojos con una mano temblorosa, las lágrimas fluyendo a pesar de sus mejores esfuerzos.

Relampagueó un flash. Ricardo le había pedido a

uno de los niños de sexto grado que le ayudara a tomar fotografías de la celebración.

Francisco dio un paso al frente y, por una vez, Ricardo se alegró de ello.

—Don Carlos, no puedo decirle el gusto que me da que vayamos a tenerlo en casa. Éste es definitivamente un día de nuevos comienzos.

Ricardo se arriesgó a mirar a Julia. Por una vez en la vida se había quedado sin habla, incapaz de expresar su amor no sólo por esta mujer, sino por su generosa y amante familia.

Las lágrimas corrían por las mejillas de Julia, pero le sostuvo la mirada. Él le tomó la mano extendida.

—¿Bailarás conmigo más tarde? —le preguntó, limpiándole las lágrimas del rostro.

Ella asintió.

Elvira se alejó del grupo por un momento antes de regresar con una hoja de papel enrollada y atada con una liga. Besó a don Carlos y se paró tan cerca de él que su pierna rozaba la silla de ruedas.

—Me gustaría decir algo.

Chase bajó el volumen de la música. Perfectamente serena, Elvira volteó a mirar al grupo de amigos.

—Durante estas últimas semanas mi padre me ha enseñado muchas, muchas lecciones.

Ella jugueteó con el papel, enrollándolo con sus manos.

—Voy a tomarme en serio las palabras de papá y haré las cosas que siempre he deseado hacer antes de que se me acabe el tiempo.

Se inició un rumor entre la multitud. Las cabezas asintieron en señal de comprensión.

—Voy a viajar a España y Grecia.

Levantó la barbilla, su juvenil y poco arrugado rostro se veía tranquilo. Su labio inferior tembló.

A Ricardo se le heló la sangre en las venas.

—¡No!

Trató de arrancar su mano de la de Julia, pero ella la apretó más fuerte, reteniéndolo para que Elvira pudiera terminar.

—A fin de mes, cuando espero esté mejor mi padre, cerraré el estudio de baile para poder viajar.

La multitud reaccionó con asombro. Elvira levantó la mano, blandiendo el papel blanco para llamar su atención, pero a Ricardo le pareció más bien una bandera de rendición.

—Los amo a todos. Ustedes son mi vida y extrañaré este lugar, pero finalmente, es sólo un edificio.

Lágrimas, lágrimas, lágrimas por doquier. Ricardo se sintió como si se estuviera ahogando. Hubiera preferido estarse ahogando. Podía ver en sus lágrimas el gusano que había sido. ¿Cómo pudo ser la causa de una decisión así?

La voz de Elvira tembló sin reservas.

—Siempre bailaré con ustedes aquí —señaló su corazón—. Esta noche necesito que estén felices por mí y porque mi padre está de vuelta con nosotros. Como dijo Francisco, que este sea un día de comienzos, una celebración que todos necesitamos mucho. Esta noche bailaremos aquí —extendió los brazos como si fueran alas—, como nunca hemos bailado antes. Chase, música.

Aturdido, Chase sólo asintió y subió el volumen un poco.

Los invitados se fueron recuperando poco a poco de la sorpresa. Lorenza caminó hacia Elvira y le dio un gran abrazo.

—Ya era hora, cariño.

—Tienes que venir conmigo.

—Pensé que jamás lo pedirías. Que se cuiden esos matadores —Lorenza presionó su mejilla contra la de don Carlos—. Apresúrese a curarse antes de fin de mes, Carlos. Quiero bailar con usted una vez más en este estudio.

Don Carlos se rió y la besó.

—Esa es mi meta, Lorenza. Te haré mover el esqueleto.

—Más te vale. Sin excusas —volteó a ver a Ricardo—. ¿Por qué te ves tan pasmado? Ya era hora. Todo saldrá bien.

Le golpeó el pecho y, jalando a un caballero desprevenido, lo llevó al centro de la pista de baile.

La celebración comenzó. Cuando el grupo se dispersó para hablar con don Carlos, Elvira caminó hacia Ricardo.

—Doña Elvira, lo siento tanto.

—Ya hablamos sobre esto antes, Ricardo. No más disculpas. Tengo muchísimas ganas de conocer España —colocó el papel en la mano de Ricardo y le apretó los dedos—. Éste es el contrato del edificio. Puedes arreglar los detalles con Julia. Es tuyo para que hagas lo que quieras —le dio unos golpecillos en la mejilla—. Eres un buen hombre. Hagas lo que hagas, que sea sabiamente y de corazón.

Besó a Julia, se dio la vuelta y caminó hacia el grupo de gente que estaba al otro lado de la habitación.

Volteó a ver a Julia, llena de desesperación.

—Por favor, preciosa, hazla cambiar de opinión.

Julia se mordió el labio y negó con la cabeza.

—Está decidida, Montalvo. Créeme, si pudiera lo haría.

La tristeza en los ojos de Julia era más de lo que podía soportar. Había puesto a su familia entre la espada y la pared hasta que no les quedó otra salida. Eso era lo que había querido, ¿no? Obtener el estudio para convertirlo en estacionamiento. Ahora era suyo, y la victoria era superficial; diablos, ni siquiera era una victoria.

Él tomó el papel con su mano prácticamente inutilizada y acarició la mejilla de Julia con la otra. ¿Cómo iba a desearlo Julia después de que le había causado tanta tristeza a su familia? La había decepcionado, a ella y a todos.

La música que tanta alegría le había proporcionado al colocar a Julia cómodamente entre sus brazos se volvió insoportablemente alta. Retiró la mano de su tersa piel y retrocedió.

—Lo siento, Julia —cerró el puño arrugando el papel, y salió intempestivamente del estudio, ignorando el sonido de su nombre.

Capítulo Doce

Ricardo se sentó en medio de la pista de baile vacía de su restaurante, sobre un banquillo no muy cómodo del bar. Tomó nota mentalmente de que debía comprar unos más cómodos. Se acarició la barba una y otra vez, como si así pudiera obtener alguna respuesta, como el genio de una lámpara.

Miró a su alrededor. Julia había sido su genio, transformando el diseño del restaurante en uno de los mejores de la cadena. Había hecho milagros para darle al lugar el sabor de la Ciudad Vieja, y para integrarlo al entorno. La campaña publicitaria era agresiva y atractiva.

Diablos, ¿a quién quería engañar? El restaurante no significaba nada sin Julia. Ella había hecho realidad deseos que él ni siquiera se atrevía a decir en voz baja. ¿Por qué iba ella a quedarse a su lado si él ahuyentaba a toda su familia?

Ya no podía imaginarse la vida sin ella. No le daría ninguna satisfacción la inauguración del restaurante, si no podía compartirla con ella.

—Te doy un dólar por tus pensamientos —la voz de Julia flotó hasta él, acompañada por la canción de salsa que se oía a todo volumen desde el estudio. Ella se quedó parada en la puerta que separaba al restaurante de la pista de baile. Su rostro, recién maquillado, parecía de satén al irse aproximando a él. Había desaparecido todo rastro de las lágrimas, dejando sus ojos brillantes y deslumbrantes.

Ricardo tragó con fuerza ante la forma en que Julia lo subyugaba. No se sentía ofendido, pero tendría que acostumbrarse a la sensación.

—Hay cosas a las que no se les puede poner precio, ¿verdad cariño?

—No a las cosas que importan.

Caminó detrás de él y le hizo un firme masaje en el cuello y entre los hombros.

—¿Quieres hablar de ello?

—El daño ya está hecho.

La magia de sus dedos, la magia de sus besos. Él movió los hombros, pero no podía deshacer los nudos que tenía ahí ni en su interior.

—Ricardo, Chase está esperando. Le pedí que nos diera un par de minutos a solas. Eso es todo lo que puedo robarle a mi abuelo —lo tomó por el cuello y se colocó frente a él.

Sus labios se veían suaves, pintados de un color que le recordaba a una roja y jugosa ciruela. Si pudiera tan sólo probar su labio inferior, volvería a Texas sabiendo que había probado el paraíso.

—Debemos llevarlo a casa pronto.

—Hay tiempo.

Ricardo la miró a los ojos.

—¿Habrá tiempo para nosotros, Julia?

Ella recargó su frente en la de él, respirando suave y tranquilamente, casi como disculpándolo.

—Mi corazón, tienes que hacer a un lado tu culpa para abrirme espacio a mí.

—No podré hacer eso si no me perdonas antes.

Apretó los dientes.

—¿Puedes perdonarme por todo lo que le he hecho a tu familia?

—No fuiste sólo tú, Ricardo. Tú no nos *hiciste* nada. Nosotros elegimos cómo reaccionar a tu propuesta.

Él se arrancó el cabestrillo, gesticulando mientras llevaba las manos a los hombros de Julia. La reacción de su rostro le daría claramente la respuesta, fuera la que él deseaba o no.

—¿Puedes perdonarme por irrumpir en sus vidas como un lunático avaro?

Por un instante ella bajó la mirada.

—No lo sé. No lo sé —lo miró directamente a los ojos—. Yo sólo sé que te amo.

Él le estudió el rostro, arraigándose en él la agonía y la desesperación, emociones que no debían estar ahí. El nudo que tenía en el estómago se apretaba inclemente.

—Eso no es suficiente para casarte conmigo, ¿verdad?

Ella negó con la cabeza.

—Podría haberlo sido, pero tú te das por vencido de antemano.

Ella bajó las manos de sus hombros y suspiró.

Si la besaba, ella dejaría de decirle cosas que él no quería oír. Lo dudó demasiado.

Ella entrelazó sus dedos con los de Ricardo.

—Nada puede suceder hasta que enfrentes a tus demonios, y creo que yo tendré que enfrentar a los míos.

Él le acarició la mejilla con la mano izquierda, y después tomó la barbilla que tantas veces lo había desafiado a lo largo de los últimos meses.

—Entonces tengo que volver a casa, Julia.

Sintió el cuerpo de Julia tensarse bajo sus dedos.

—¿Texas? ¿Después de todo esto aún lo consideras tu hogar, o es tan sólo un lugar al que puedes huir?

—No estoy huyendo. Sólo estoy... —*huyendo,* pensó desdichadamente—. Te amo, Julia.

Ella asintió, reprimiendo las lágrimas.

—Lo sé —lo besó suavemente en los labios—. Haz lo

que tengas que hacer, cariño —murmuró y se alejó del lugar.

El capataz saltó de su equipo y se aproximó a Ricardo.

—Discúlpeme, Señor.

Ricardo le echó una mirada superficial y volvió a fijar su atención en el lugar de Elvira.

—¿Tiene algún problema?

—De hecho sí. Mi personal lleva tres días sin trabajar y yo me pregunto cuándo va a querer que demolamos el edificio para ajustar mi agenda para el resto de la semana.

Ricardo colocó su pie en la baranda y se recargó en su pierna, sin despegar los ojos del estudio.

—Le estoy pagando el doble de la tarifa normal. ¿Cree que podría inventarse alguna manera creativa de luchar contra el aburrimiento?

El hombre no cedió.

—Sí, señor, pero también tenemos otros clientes.

Ricardo se levantó los lentes oscuros espejados y se los colocó sobre la cabeza desnuda.

—Se lo haré saber esta tarde, ¿le parece lo suficientemente pronto?

—Sí, señor.

Se dio la vuelta para retirarse.

—Espere un minuto —se alejó de la baranda y buscó detrás de la puerta de enfrente. Tomó varias de las cajas de cartón llenas con el pan dulce de Marco—. Lo siento. Ha sido un mes terrible. Esto es para su personal, el mejor pan dulce mexicano de la ciudad, y viene de ahí enfrente —señaló hacia un almacén de aluminio que estaba a la derecha del restaurante—. Ahí hay un refrigerador lleno de refrescos y agua. Sírvanse. Va a ser un día caluroso.

—Gracias, señor Montalvo.

Le hizo un débil saludo al capataz. Hoy tenía que alcanzar a Elvira cuando saliera. Durante los últimos días lo había evitado como si tuviera la peste. Si no podía convencerla de que se quedara, al menos quería presentarle un plan de contingencia.

Ella salió por la puerta en un colorido vestido de flores y tacones altos. Recargó una pequeña maleta y un cartel grande contra la pared. Sacó unas llaves de su bolso y cerró la puerta. Las volvió a colocar en el bolso y sacó una cinta adhesiva.

Hábilmente colgó el cartel y retrocedió para mirarlo. Se abrazó a sí misma por un momento, se persignó y levantó la maleta.

Ricardo aceleró el paso. No quería correr por temor a ahuyentarla nuevamente. Mientras ella daba la vuelta a la esquina, él volteó a mirar el cartel. Decía: "Cerrado".

El pánico se le atravesó en la garganta.

—¡Doña Elvira, espere!

Ella volteó a mirarlo y respiró hondo antes de hablar.

—Cariño, mañana tomaré mi avión.

—Se me ha ocurrido otra manera de que el estudio permanezca en la familia.

Había desaparecido por completo la máscara de "conquístalos y que muerdan el polvo". Era capaz de arrodillarse con tal de que lo escuchara y aprobara su idea.

—Entonces vas a necesitar esto —volvió a sacar las llaves de su bolso y se las puso en la mano.

—No vine por eso. Sólo le pido cinco minutos.

Ella cubrió el puño de Ricardo con su mano.

—Julia es desdichada. Papá extraña sus lecciones de baile.

Ricardo no pudo hablar. Durante toda la semana la oficina había emanado mensajes florales que ni siquiera podía comenzar a descifrar, y sabía que no podía volver a tomar la decisión de negocios equivocada.

La voz de Elvira recobró su tono melodioso, y lo tomó del brazo.

—Te daré diez. ¿Por qué no me cuentas tu plan con una taza de café?

Ricardo paseó de un lado al otro de la oficina. La idea de volver a ver a Julia le hacía hervir la sangre.

—¿Crees que logremos hacer esto?

—¿Qué clase de pregunta es esa? Claro que podemos —Chase le dio un golpe en la espalda a Ricardo—. Tu idea es brillante. Sé que estaré orgulloso de ti.

—No lo estoy haciendo por ti —se asomó por las persianas por centésima ocasión.

—No te haría daño mostrar un poco de tacto, cuate. ¿Julia tiene alguna idea?

—No. Sólo le dije que quería finalizar el anuncio para la Noche de Salsa de la gran inauguración del restaurante. Falta sólo una semana, así que tenemos el tiempo a nuestro favor.

Comenzó a pasear por la oficina nuevamente, golpeando el sombrero contra su muslo cada tantos pasos.

—Me estás volviendo loco, Rick. Si no te sientas te voy a atar a la silla —sacó un lazo del cajón inferior del escritorio y lo golpeó contra su palma—. Vuelve a tu oficina y yo la haré pasar. Cielos. Contrólate, hombre.

—Estoy totalmente bajo control —se colocó el sombrero en la cabeza y pasó al lado de Chase—. Puedo entender una indirecta. De todos modos tengo trabajo que hacer.

Se sentó con desparpajo en la silla y la giró varias veces. Lo último que tenía en la mente era el trabajo. Miró la caja que tenía a los pies y la otra, más grande, que estaba metida debajo de su escritorio, y le dio un leve golpe al bolsillo de su camisa.

El video del comercial ya estaba en la videograbadora y el control remoto estaba a la orilla de su escritorio. Los cuadros cronometrados del anuncio estaban esparcidos al centro de su escritorio, con aspecto de tiras de dibujos animados. Quería que todo pareciera oficial, aunque no quería creer que tendría que recurrir al protocolo.

—¿Querías verme? —la gruesa voz de Julia le borró de la mente todos los saludos que había ensayado.

—Por supuesto que quería verte, preciosa —nunca había estado más seguro de algo en su vida... hasta que notó la mirada defensiva en sus ojos—. Es decir, por favor pasa y siéntate. Tenemos que hablar sobre la inauguración.

Control, hombre.

Ella entró sin decir palabra y se sentó frente a él.

—¿Hay algún problema?

Él rodeó el escritorio y se sentó en la orilla, lo más cerca posible de ella. Julia cruzó sus largas piernas y se aferró a los posabrazos. Su pintura de uñas roja lo hipnotizaba. Él carraspeó.

—Me preguntaba si te interesaría dar clases de salsa para promocionar la Noche de Salsa una vez por semana después de que abramos el negocio.

—¿Yo? ¿Y por qué, dime?

—¿Te diste cuenta de que ya se fueron los trabajadores?

—Yo... no —se agitó en su asiento.

—Me gustaría mantener abierto el estudio.

A ella se le endureció la voz.

—Por favor no me hagas perder el tiempo. ¿Tienes algunas preguntas sobre la publicidad?

—Ninguna —puso una rodilla en el suelo.

—Pero sí tengo otra pregunta para ti.

—Ricardo, no lo hagas.

Juntó sus manos y se las llevó a los labios.

—Julia, no quiero vivir el resto de mi vida sin ti, preciosa. Quiero bailar siempre contigo el primer y el último baile, y te prometo que seguiré tomando lecciones para algún día dejar de pisarte.

Ella le puso la mano en el pecho.

—¿Cuál es tu pregunta, Montalvo? —murmuró—. Suéltala o calla para siempre.

—¿Te casarías conmigo, Julia?

Ella tomó su rostro entre las manos y lo besó de lleno en la boca. El exquisito sabor de Julia. Él sacó la caja de terciopelo azul de su bolsillo.

Se alejó renuentemente de ella.

—¿Eso es un sí? —preguntó, sin dar nada por sentado en lo que a Julia se refería.

Entrelazaron los dedos. Los olores de rosas, glicinas y varias otras flores no identificables se entrelazaban a su vez para crear un aroma simultáneamente fuerte, sensual, perfecto.

—Es un sí definitivo, Montalvo. ¿Por qué esperaste tanto tiempo?

—A veces me cuesta aprender las cosas —abrió la caja y sacó un antiguo anillo de diamante Marqués que le había pertenecido a su abuela. Lo colocó en el dedo de Julia.

—Ya es oficial, preciosa. ¿Podríamos adelantar la noche de bodas?

—Claro que no —lanzó esa risa tintineante que tanto amaba y lo volvió a besar.

—Bueno, entonces me gustaría adelantar un par de regalos de bodas. ¿Chase?

—A tu servicio.

Chase entró con una enorme carreta de tres pisos, dos llenos de copas para champaña, el otro con cubetas de hielo llenas de hielo y botellas de champaña color verde oscuro.

—Ésta es mucha champaña para tres personas —dijo Julia con los brazos cruzados.

Chase se colocó una servilleta blanca en el antebrazo y fingió un acento británico.

—Entonces, querida, ¿por qué no organizamos una fiesta?

—¡Sorpresa! —el clan entró detrás de él a la habitación, dirigida por los padres de Julia, el abuelo y Elvira.

Julia envolvió sus brazos alrededor del cuello de Ricardo.

—Te amo tanto, Montalvo.

Se besaron, ignorando las burlas y silbidos.

Chase se ocupó de servir la champaña. Se repartieron los vasos hasta que cada quien tuvo el suyo. Alzó su copa.

—Un brindis. Por dos de las personas más tercas que he conocido.

La habitación se inundó de risas.

—*¡Salud!*

Julia y Ricardo chocaron las copas y se bebieron la champaña afrutada. Él le besó la nariz.

Chase se dirigió hacia ellos. Abrazó fuertemente a Julia y la besó. Volteó a ver a Ricardo, lo abrazó y murmuró:

—Entre más pronto la dejes abrir los regalos, más pronto nos iremos de aquí y los dejaremos continuar, cuate.

Ricardo corrió detrás del escritorio y sacó los regalos.

—Siéntate, preciosa. Le entregó primero la caja más pequeña.

Ella volteó a ver a su familia.

—Los amo a todos.

—Ay, chiquita, ya basta de suspenso —los ojos de su abuelo brillaban alegremente.

Ella le tomó la mano y la besó antes de comenzar a deshacer el moño de satén blanco del regalo. Levantó la tapa de la caja y cuidadosamente hizo a un lado el papel de china.

Se cubrió la boca con las manos. El silencio en la habitación se hizo pesado. Ella miró a Ricardo, con sus enormes ojos llenos de lágrimas.

La voz de Lorenza tronó por encima de todos.

—Nos estamos haciendo viejos, Julia.

Julia sacó un marco. La familia retuvo colectivamente el aliento mientras leían sobre su hombro.

—No podemos ver desde acá, niña —se quejó Lorenza—. ¿Qué es?

Julia le entregó la caja a su madre y le pasó el marco a su abuelo. Ella se paró y miró a sus amigos.

—Es el contrato del estudio. Ahora está a mi nombre.

—Ahh —todo el grupo asintió y comenzó a aplaudir.

Volteó a ver a Elvira.

—Tía, ¿qué...?

Elvira abrazó a Julia.

—Fue idea de Ricardo, pero lleva mi bendición.

—Gracias.

—No. Gracias a *ti* —Elvira retrocedió para unirse con el resto de la familia.

Julia volvió a besar a Ricardo.

—No sé qué decir.

—Está bien, cariño —besó el mechón de cabello que le atravesaba la mejilla—. Sólo abre la otra.

Colocó la caja entre ellos sobre el escritorio y al abrió. Lanzó un grito de alegría y tomó la pesada placa de madera que estaba en la caja. Era otro letrero pintado a mano, un duplicado exacto del letrero que Elvira había colocado ante el negocio, excepto por una pequeña diferencia.

Julia lo sostuvo sobre su cabeza y lentamente se dio la vuelta para que todos pudieran leerlo. Su sonrisa era radiante, las lágrimas eran de alegría, su beso tierno y lleno de promesas. Ricardo infló el pecho a enormes proporciones mientras miraba la placa.

Send In This
FREE BOOK Certificate
Today to Receive Your
4 FREE Encanto Romances!

PLACE
STAMP
HERE

El perímetro del letrero estaba decorado con buganvillas pintadas. En una hermosa caligrafía decía: "Estudio de baile de Elvira y Julia".

La gran inauguración del restaurante había pasado sin incidentes. Los medios se hicieron presentes, los invitados disfrutaron, los valientes ya estaban bailando. Julia había estado a su lado, amable y hermosa, y no podía recordar mejores tiempos.

Le gritó a la anfitriona que cubriera la puerta. Saltó sobre la baranda y se dirigió al estudio.

Ricardo se recargó en la puerta y observó a Julia con su corto vestido morado. No se veía tan distinta a la primera vez que la había visto en esta misma habitación. Su reacción física ante ella tampoco había cambiado. Se puso en una posición más cómoda. Mentira, viejo, sí ha cambiado. En estos días le era imposible controlar su deseo por ella.

Una melodía *country* salía del aparato de CD y Ricardo arqueó las cejas, sorprendido. Parecía que el instructor de baile en línea trataba de seguirle el paso a Julia.

Ricardo inclinó la cabeza hacia atrás y se rió. Cuando volvió a abrir los ojos, se detuvo de inmediato. Julia lo miraba furiosa, con los brazos cruzados y el pie golpeteando nervioso.

—Esta iba a ser una sorpresa.

El instructor aprovechó la intromisión. Se sentó en una silla cercana y se limpió la frente con una toalla. Después tomó un trago de su botella de agua.

—¿Qué es lo gracioso? —demandó Julia cuando Ricardo se volvió a reír.

—No es gracioso, preciosa, sólo maravilloso —se le acercó y ella lo tomó de los brazos como si de repente hubiera entrado un viento helado a la habitación.

El enojo desapareció y se pasó la lengua por los labios.

—Tú también me pareces más que delicioso, Ricardo.

Ella levantó la mano y esperó.

Él deslizó el brazo alrededor de su cintura. Ella posó su mano sobre su palma y él se la llevó al pecho.

—Me gusta cómo se ven así.

Sin retirar su mirada de la de ella, le dio un golpecillo a sus botas vaqueras cafés con la punta de la suya.

—¿Se te ocurre una mejor manera de ponerte a tono? —preguntó inocentemente. Ella lo miró con ojos invitadores, para poner a prueba los límites.

—Oh, se me ocurren varias —la jaló hacia él para que no le cupiera duda alguna de que estaba seriamente considerando unas estupendas alternativas.

Comenzó a mecer las caderas de una manera súmamente sexy. Después de unos cuantos minutos de deliciosa tortura, Julia se detuvo.

—No hay música, Montalvo —dijo, sin aliento. Su pecho rozaba el de Ricardo, torturándolo a su manera, mientras trataba de recuperar el aliento.

—Siempre habrá música, preciosa.

Le dio un beso largo y lento, y dejó que la música de sus mentes los guiara a casa.

Epílogo

En una brillante tarde de septiembre Ricardo estaba sentado al lado de Julia en una carreta blanca jalada por caballos, rodeando cómodamente sus hombros desnudos con el brazo.

Ella miró el estudio y el restaurante debajo de la colina. Había miles de visitantes paseando por ahí y esperando su llegada. Las fotografías habían tardado años y estaba impaciente por llegar a ellos. Acarició la mejilla de Ricardo y con el sencillo gesto descubrió que la sensación de su barba la tranquilizaba.

—Te amo, Montalvo.

—Yo también te amo, preciosa —volteó su mano y le besó la palma.

—No te será difícil acostumbrarte a esto.

Ella se acurrucó en sus brazos y miró la cumbre del siguiente cerro. Ricardo les había comprado una nueva casa para que pudieran estar en el mismo barrio que el resto de la familia.

En el estudio la cargó firmemente por la cintura mientras ella levantaba la larga cola y velo, y la colocó suavemente en el suelo.

Ella volteó a ver el letrero que pendía del toldo. El orgullo y la alegría la recorrieron. Con su nombre al lado del de su tía, no podía irles mal.

Chase atravesó la puerta y abrazó a Julia.

—Muchacha, te ves impresionante.

La colocó al lado de Ricardo, quien de inmediato la

envolvió en sus brazos. Chase le dio un golpe a Ricardo en el pecho.

—Tienes suerte de haber visto la luz, cuate.

—Tengo suerte de que me arrastraras a ello. Cuate.

Se estrecharon las manos y después se dieron un fuerte abrazo.

—Tengo suerte de tenerte como amigo, Chase.

Julia los abrazó a ambos por la cintura.

—Yo también.

Chase le dio un ruidoso beso en la mejilla.

—Tu abuelo espera. Yo los alcanzaré más tarde. Hoy me toca hacerla de DJ.

Un Francisco impecablemente vestido los interceptó.

—Maravillosa ceremonia. Y fue un gran trabajo el del restaurante.

Los dos hombres se estrecharon las manos amistosamente.

—Tú también cumpliste —dijo Ricardo—. Gracias por usar tus influencias para ayudarnos a comprar el otro lote baldío de la cuadra. Es el estacionamiento perfecto para el servicio de valet.

—Es lo menos que podía hacer después de que tú y Julia se comprometieron e hicieron de éste un negocio muy superior a la propuesta original.

Ricardo miró al estudio.

—Sin embargo creo que le debemos la mayor parte de este éxito a Julia.

Francisco sintió y apretó la mano de Julia.

—La jardinería y los caminos empedrados fueron una gran idea. Si ustedes dos deciden entrar juntos en la política, siempre podemos usar personas con buenas ideas para hacer que las cosas sucedan.

Ricardo no iba a morder ese anzuelo.

—Creo que me gusta estar en donde estamos. —le guiñó un ojo a Julia.

Ella besó a Francisco en la mejilla.

—Gracias por todo, Cisco.

Francisco vaciló, y por un segundo la duda se asomó a sus ojos. Desapareció con igual rapidez.

—Cuando quieras, Julia. Cuídala —le dijo a Ricardo, y se alejó.

—¡Es mi turno! —gritó el abuelo. Se veía contento y guapo con su esmoquin, a pesar de la silla de ruedas. Los niños le habían pegado serpentinas y un letrero en la espalda que decía: "Nieta recién casada". Abrazó a Julia cuando se inclinó a besarlo—. Chiquita, él fue enviado aquí para ti.

—Lo sé. Nunca fui más feliz —murmuró—. Aquí no hay ningún acuerdo prenupcial, abuelo. Él es el bueno.

Ricardo tomó la mano de Julia y besó la frente de don Carlos.

—¿Alguna vez vio a una mujer más hermosa que Julia, don Carlos?

—Sólo a una, hijo —se le nublaron los ojos.

—Apuesto a que era hermosísima. Gracias por abrirme los ojos.

Ricardo jaló a Julia hacia el centro del grupo.

Lorenza le guiñó un ojo.

—Tenemos que darle a Ricardo algunos consejos para la noche de bodas.

Ricardo se ruborizó y envolvió a Julia en sus brazos.

—Sálvame.

Elvira levantó las manos.

—No, no. No tengo nada que ver con esto.

—No eres divertido —se quejó Lorenza—. Necesitamos nuevos chismes para armar otro escándalo—examinó a la gente—. Oh, Chase —gritó, haciendo a todos reír.

Elvira volteó a mirar a Julia:

—¿Ya estás lista para darle su regalo?

Ricardo miró a cada una de las tres mujeres.

—¿Tengo que ponerme algún equipo de protección?

Julia lo tomó de la mano.

—Estás listo.

Le dieron la vuelta al edificio, seguidos por todo el grupo.

—Cierra los ojos.

—Confío en que no me avergonzarás, Julia.

—Hoy no. Tienes mi palabra.

Él cerró los ojos y ella lo llevó a la ventana panorámica del estudio, cerca de la entrada principal.

—Ahora puedes abrirlos.

Sus ojos automáticamente examinaron el cartel que estaba pegado en la esquina de la ventana. Su sonrisa se volvió radiante.

Julia giró el anillo de bodas en su dedo.

—Yo hice el letrero para mi tía cuando tenía trece años. Ayer lo puse al día para que estuviera listo cuando volviéramos de nuestra luna de miel. Fue la mejor opción que se me ocurrió, después de grabar tu nombre en piedra, para hacerte parte de la familia por la eternidad. No volveremos a quitar el letrero.

—Es perfecto, preciosa. Perfecto.

La besó.

El cartel mencionaba los tipos de baile que se enseñaban en el estudio, escritos en una letra rasgada. Debajo del vals, en el único espacio disponible hasta abajo del cartel se ofrecía un nuevo baile: el paso doble.

Hogar, luna de miel, él. Ella miró a su alrededor, rodeada de aquellos que amaba, mirando a un hombre cuyo amor y promesas le hacían desvanecerse. Ella extendió el brazo y lo tocó, temiendo que desapareciera.

La música *country* llenó el aire.

—Esa es nuestra entrada.

Ricardo tomó a Julia en sus brazos y sus pies automáticamente iniciaron el lento paso doble. La gente formó un círculo a su alrededor ahí mismo, en la calle.

—Paso doble o salsa, la música no importa, preciosa

—murmuró Ricardo en su oído—. Lo importante es tenerte aquí mismo.

Apretó a Julia más fuerte, y su calor se filtró en ella.

Cuando sus labios tocaron los de ella sus dudas se desvanecieron por completo, la multitud se esfumó, y su cuerpo bailó al compás de la música más dulce que jamás había escuchado.

SERENADE

Sylvia Mendoza

In memory of my uncle, Panchio, a handsome, proud family man, with a true mischievous twinkle in his eyes and the ability to make me laugh on the darkest of days. He's what heroes are made of. I'll miss you, Uncle.

Chapter One

The salsa music wasn't loud enough, even though the floor vibrated beneath Julia Rios's high-heeled sandals. She closed her eyes and smiled, not minding one bit the way the backs of her thighs stuck to the uncomfortable folding chair. She inhaled deeply, taking in the beat until her body surrendered to it, and the muted chattering and laughter around her faded clean away.

This was bliss. If she could have, she would have cranked up the CD player even louder. As long as the rhythm ricocheted off the stuccoed walls of her aunt's dance studio, she was safe from any questions about her breakup with Francisco "Cisco" Valdez, one of the most eligible bachelors in town.

Certainly no one in their right mind would approach her at this decibel level.

She opened an eye a fraction to take a peek, then quickly shut it. "Lord, help me," she murmured.

The room was quickly filling. When word had leaked that she had enrolled in her aunt's salsa class, enrollment doubled. Julia had dragged juicy scandal, a real live soap opera, right to their front doorstep.

The youngest in the room by thirty years, Julia was surrogate daughter to the students streaming into the quaint room. They were more like an extended family of aunts and uncles. In their eyes, she had to answer to them.

Julia didn't have much hope for keeping them at bay for long. Her smile disintegrated at the realization.

As soon as the music stopped, they would demand details of her sorry love life, an added perk for their money. They expected explanations and the right to comfort her, swearing to help her find justice. All in the name of love, of course.

Elvira was ecstatic. Not for Julia's misery, but for the first time in years, a waiting list had formed. Julia was the best thing to happen to the studio since the Perez twins had actually met the actor, Andy Garcia, at Lindbergh Airport three years before.

Glad that business had skyrocketed for the studio yet again, Julia resigned herself to being the ultimate advertising campaign for her aunt. Elvira needed the break financially.

For the twentieth time, someone patted Julia's head.

Julia reluctantly opened her eyes. "Oh. Hello, Lorenza," she mouthed at the elderly woman who lived across the street, her aunt's eternal student and best friend.

The only one to brave the music, Lorenza leaned close to Julia's ear and shouted, "Did he dump you?"

Why had Julia thought a little loud music would deter anyone like Lorenza? Julia expected everyone in the room to lean forward for her answer. When no one else reacted, she pulled Lorenza's wrinkled hand off her head and held it. She shook her head, unwilling to shout back a response because with her luck, the music would stop smack in the middle of her feeble attempt at explaining.

The sympathetic look in Lorenza's dark eyes—highlighted with fluorescent blue eye shadow today—said it all. She didn't believe Julia.

She took Julia's face between her hands and kissed her forehead. "Poor baby." Her whisper seemed as loud as her shouting. "That scumbag! If he wants to be mayor, he better clean up his act. None of us will vote for him if he hurts you."

She yelled again, "I want to hear every detail!"

Julia nodded. Her time had run out.

Lorenza bade her good-bye and paraded before the row of occupied chairs, her short party dress swishing around full legs. She greeted everyone along the way with smiles and touches and hearty embraces. She found a seat at the end of the row and stuffed her white patent-leather handbag underneath it. Immediately, several older gentlemen surrounded her, nobly ignoring the loud music to attempt conversation.

Her reverie crumbled when she caught Elvira's dour look, aimed, she was sure, at her. Maybe Julia had cranked the music up a little louder than bearable. She glanced around and discarded that thought. She and Elvira were probably the only two in the room who didn't need hearing aids.

Julia blew her a kiss. Elvira wagged a finger at Julia and smiled.

Elvira's ever-elegant ballerina body glided across the scarred but gleaming wood floor to the CD player. She barely turned down the music. The buzz of countless conversations grew loud again. She opened a folder and leaned over the table, studying its contents.

At sixty, with her hair pulled back into a sleek chignon, she sometimes looked younger than Julia's mother. She certainly was more approachable and less likely to stay disappointed in Julia's fiascoes or shortcomings than her mother.

Not only had Julia broken off her engagement to Cisco—the charismatic front-runner for the upcoming mayoral race—she'd also left his father's prestigious public relations company. Many would call her a fool.

Julia glanced around and sank into her seat. If there was one place where she could melt into the woodwork, it was here in the studio, her home away from home. Her aunt's students would let her get her shaky self standing again. Then they'd smack her on the butt and tell her to get back to the task of living.

She looked up and her spirits instantly lifted. She couldn't help but smile and wave at the gentleman approaching.

Her grandpa returned the wave and walked toward her, his steps long and sure. His smile reached his eyes, twinkling behind the horn-rimmed glasses. His silver hair was slicked straight back from a high forehead.

Julia reached up and grabbed his hand. "Save me, Grandpa."

"Ah-ah-ah. You had to know it would be like this, *mi hija.*" He pulled around the chair she'd been saving for him so that he could face her.

She held his hand tightly and leaned forward until their foreheads almost touched. "I did the right thing, Grandpa, I know I did. Everyone thinks I'm a fool, giving up Francisco's name and fame, but it wasn't important. I wanted that all-consuming love. Passion, friendship, respect. Everything."

"Everyone thought you had that."

She sighed. "So did I. Francisco is a great guy, but there just wasn't that spark. Besides, I would never have been as important to him as his next campaign. I want to love somebody the way you loved Grandma, and have somebody love me back just as much."

His eyes misted. He slowly rocked back and forth, memory taking him far beyond Julia, even though it had been years since Grandma had passed away. "Ah, yes, *mi hija.* That once-in-a-lifetime love that makes you thank God daily and oftentimes, count the hours until you're in each other's presence again." He closed his eyes and rocked again. "Yes, yes. But that's a gift, Julia. Just wanting it will not make it so."

Julia wanted to kick herself for changing the mood so drastically. "I guess I'm not ready then. Setting up my company is taking most of my time these days."

He shook his head. "*Chiquita.* Timing has nothing to do with when you fall in love. It's not something to be negotiated or planned out."

"I know." Julia patted his hand. "I know, Grandpa. For now I just want to forget everything for four hours a week, right in this room. Promise you'll be my dance partner."

He chuckled, the sparkle returning to his eyes. "Your aunt wouldn't allow that. Nor would I. You're going to have to face them all sooner or later. You'll feel better when you help your aunt. Dance with everyone here. Switching partners is what makes this fun." He leaned forward in his seat and waved at a tiny woman in a flowered dress at the end of their row.

"I can see I'll get a lot of sympathy from you, Grandpa."

"Not in this room, with this music. But come on over for coffee and your uncle's *pan dulce* afterward, and I'll let you cry on my shoulder as long as you need." He patted her cheek. "If you feel you did the right thing, you did the right thing. Marrying the wrong man for the sake of a name would have taken years off your life. Now just dance."

He kissed her, rose and walked toward the woman in the flowered dress.

That's why Julia had resumed her lessons in the first place. Music was medicine. Dancing was just what the doctor ordered.

Elvira looked up from her paperwork, glanced across the large room at Julia and smiled. As she reached for the switch to turn down the music, the bright sunlight streaming into the room through the open side door disappeared.

Eclipse, Julia thought, until her eyes lit on ridiculously wide shoulders silhouetted in the doorway. She followed the long line of a man's body—a man's large, hard body—with mild appreciation. There was no mistaking the masculinity exuded in that simple stance. Masculine, manly, macho. All with a capital M.

The old men around the room collectively sucked in their guts, reminding her of a bunch of roosters with ruffled feathers. The women sat up straighter and tried to cross their legs. Slowly, silently, every head turned to watch the imposing figure step inside the room. Conversations dwindled to nothing.

Ignoring her proximity to the volume switch, Elvira cupped her hands around her mouth and apparently yelled something to the stranger.

Sauntering toward Elvira, he removed his white Stetson. From behind his back he whipped out the largest hand-held bouquet of red roses Julia had ever seen. Fascinated by the response to his presence, Julia rested her elbows on her knees and her chin on her folded hands to study the scene around her.

From the corner of her eye, Julia caught Lorenza waving frantically from her end of the row to get her attention. She jerked a thumb at the man, winked at Julia, then gave an A-OK signal.

Mortified, Julia pushed as far back into her seat as possible. Avoiding any eye contact with Lorenza would be crucial until the man left the premises.

He stopped in front of Elvira, bent slightly forward at the waist, and shook her slender hand. She accepted the flowers with a warm smile.

The man stood taller.

"Oh, brother," Julia muttered. She glanced at the dreamy-eyed women in their chairs, and felt terrible for the men.

From this distance, she couldn't deny the guy was a looker. If she were a bettin' woman, Julia would say he was clearly not from any San Diego suburb she'd ever visited. She'd kill for a model that made people react like they had to him, and wouldn't have minded placing him in an advertising campaign for anything. Beans. Bora Bora. BMWs.

His jeans hugged long muscular legs at just the right spots. Light skittered off a silver belt buckle that had to weigh ten pounds, which partially explained his exaggerated strut. He reeked ruggedness, but his alligator boots and white Stetson screamed exquisite taste. Maybe that helped tamp down the overbearing macho streak that emanated from him like a heat lamp on the verge of shorting out.

Elvira laughed at something the man said. *Maybe not.*

Julia sat up straight, the music no longer working its relaxing magic over her. So he had charm to go with that body. He put on his hat and pointed at the door. The look on Elvira's face fell. Her eyes narrowed. She rammed her fists onto her waist. For all his smooth and mesmerizing moves, the man had obviously crossed the line with her aunt.

Ah, thought Julia, lesson number one for the visiting cowboy—Rios women weren't afraid to stand up to a man, especially on their own turf. And this was definitely Elvira's turf.

Julia jumped up, her aunt's anger reeling her in. She looked only at Elvira, the worry in her eyes turning them a stormy gray. "Is there a problem, Auntie?"

"No problem, Julia. Señor Montalvo is a new businessman in the neighborhood. He introduced himself, thought we had business to do together, and since we don't, he was just leaving." She threw the roses on the table next to the blaring CD player.

"And who, darlin', might you be?" The drawl floated down to her, deep and sexy and unsettling. It reminded her of warm blankets and blazing fireplaces and endless hours. And it had no right to be here at a time like this.

"I'm not your *darlin'.*" She enunciated the word with as much venom as she could muster.

She turned slowly, and found herself nose-to-chest, checking out the silver tab buttons on his pressed denim shirt. She followed the line of buttons to the hollow of his neck, taking in the broad shoulders yet again. His eyes, even though they gleamed as rich and dark as the coffee beans Julia bought, shone bright with amusement.

"You upset my aunt."

"I didn't mean to. Honest, darlin'."

Yes, he could surely sell anything with the way his eyes looked through her. Julia found herself wanting to believe him—but luckily he spoke again.

"I offered your aunt a business proposition. A profitable one, I might add, and I tried to be neighborly about it. I'd like to buy her studio."

Buy her studio? "Trying to buy a business that isn't for sale isn't my definition of neighborly." Julia's hands turned cold and she clasped them to keep from throttling him. "I'm her niece. And her public relations and business manager." She wrapped an arm around Elvira's slight shoulders.

Her aunt looked at her doubtfully. "As of when, Julia?"

"As of right now." She stroked her aunt's arm. "Don't worry about a thing."

His raised eyebrows were maddening. "Ah, you're the one I'll be doing business with, then." He placed the hat back on his head. "I'm opening a sports bar and restaurant, complete with a dance floor to feature live entertainment, in the vacant lot next to this property."

He whipped out a silver case from his shirt pocket, slipped a card from within, and handed it to Julia. *Ricardo Montalvo.* "I'm open to any input you might have to make this a business deal that'll make all of us happy."

Julia crumbled the card in her hand. "The studio is not for sale, Señor Montalvo. Hence, no need for negotiations."

"Let's be civil about this and settle it like the neighbors we're going to be," he said, his quiet tone suddenly deadly. His placid expression was betrayed only by the twitch in his jaw.

Anger rose in Julia at what he was subjecting her aunt to. "Neighbors don't roll into a neighborhood and threaten change if they want to be part of a community. Why would you want the studio if you're opening a restaurant with a dance floor? Certainly you're not worried about competition. We wouldn't be in the same league."

He stroked his short beard with a ringless hand for what seemed an eternity. "Certainly not. I need the space."

"You have the prime section of the lot. You can't possibly . . ."

"I'm not talking about the restaurant. We need parking space."

Julia's mouth dropped open. Of all the insensitive things he could have said, this proved the most ruthless. She glanced at her aunt, who had shut her eyes and stood like a porcelain doll, motionless and fragile.

Julia hugged her until Elvira responded, clutching the back of the silk sheath Julia wore. "I'm sorry, Auntie. I'll take care of this. Start class before the natives get restless."

"I apologize, Doña Elvira. I was out of line."

She nodded curtly. Her shuddering breath echoed in Julia's ear. "Thank you, *mi hija.*" She leaned back from the embrace and patted down Julia's tuft of hair. "The show must go on, right? Señor Montalvo, if you'll excuse me."

Elvira turned off the music with the flick of a switch and clapped her hands. "In a circle, everyone. Boy, girl, boy, girl. Let's have some fun today!" She pasted on a smile and headed for the center of the room.

Julia seized the diversion. She grabbed Ricardo's arm firmly and turned him toward the door. "Get out."

He dug his heels in. *"Boy? Girl?"* He glanced around. "Does your aunt need glasses?"

Julia crossed her arms, restraining herself from throwing him out physically. Her anger would give her strength to toss him right to the middle of his damned lot. "Don't go there."

"Darlin', it's a joke." He held up his hands in surrender. "All right. A bad joke. I'd like to stay awhile and watch, though."

"Impossible."

"I might want to take some classes."

"They're full."

"A waiting list?"

"Long."

"I want to learn salsa, officially. I'm a quick study."

"You don't look like the salsa type."

"What type do I look like?"

Julia let out an exasperated breath. "You don't want to know. Is this your idea of a business tactic—trying to force your way into the studio any way you can?"

"Nope. Your aunt called for fun. I need an intro to the neighborhood and a diversion from work. You know, all work and no play makes Jack a dull boy."

"You terrorize people for a living. I don't think that qualifies as dull."

"I'll pay private lesson rates."

The mention of money fueled Julia's anger. "Go somewhere else. Your money's not wanted here. Please go."

He studied her for a long moment, the smile fading from his lips. "As you wish."

He walked past her toward Elvira in the middle of the dance floor, the swagger of his hips impossible to ignore. Julia's grandfather met him halfway to Elvira.

"I'm Carlos Rios. May I help you, son?"

"I just wanted to say my good-byes."

"My daughter and granddaughter seem upset. Don't you think you've said enough already?"

"Apparently I have." He stuck his hand out and waited until Carlos took it firmly in his own. "Ricardo Montalvo.

I apologize, sir, but I still have to speak to Doña Elvira. Excuse me."

He continued past Carlos, Julia close at his heels.

"Doña Elvira?" His voice boomed above her instruction and everyone stopped mid-step in their salsa lesson.

He took his hat off with a flourish and held it to his chest. "I apologize for interrupting your class and any grief I may have caused you. It certainly wasn't intended. I'll speak with your niece about the business proposition, but if you have any questions whatsoever, I'm at your service."

Elvira nodded. "Thank you."

He turned to the others. "Good day, folks. You're looking good out there. Maybe I could get a lesson sometime."

Lorenza stepped out of the crowd. She squeezed his biceps and patted his chest. "I'd give you lessons, son, but Julia is a much better teacher."

"I don't think Julia likes me much," he whispered conspiratorially.

"She doesn't like any man much right now." She tugged his arm until he leaned down. "As a matter of fact . . ."

Julia stepped between them. "As a matter of fact, you're losing dance time, and Señor Montalvo was just leaving."

She tugged his arm free from Lorenza's grasp and with a slight push, nudged him toward the open door.

He waved. Much to Julia's chagrin, everyone waved back in silence.

"You're not being very neighborly, Niece."

"And you are?"

"You can conduct business and still be a good neighbor."

"To you, this might be parking lot material, but to my aunt, this is her lifeline. Her heart and soul have made it what it is."

Outside, she clenched her fists, wanting to smack the smirk right off his face. "Look around you. This is their only recourse for socializing in this neighborhood. It's within walking distance from their homes. I hate to think what would happen if you took this from them."

Slowly he crossed his arms and glanced around. "I admire what you're trying to do, really I do, but there's no room for emotion in a business transaction."

"Do you know how utterly ridiculous you sound? Every business transaction involves people. There's plenty of emotion involved."

"You want emotion? Take off your blinders. How much longer will your aunt be able to do this? Don't you want to see her retire with a comfortable nest egg? I'm offering to buy the place. I'll pay handsomely." He tilted back the Stetson. "This studio is quaint, but people are screaming for my kind of place, where they can really kick up their heels to some salsa or two-step." He paced a few steps, then stared at her as if he didn't see her. "How about if I keep your aunt's building intact, but move it from this lot? That's an option."

"No. It's a historical landmark, for crying out loud." Fear rose in Julia. This wasn't just another business deal she was making. Her aunt's life was at stake.

"Darlin', I'll be straight with you. There are more loopholes in your aunt's ninety-nine year lease than you can imagine. My lawyer handed it back to me within half an hour, saying it was a joke. I could go that route, but I won't because I'm moving into the neighborhood and I'm basically a nice guy."

He pulled his hat down lower, shading his eyes. "On the business side of things, I've already covered my bases, dropped a ton of money into a can't-lose investment, and have political backing for the project. Let there be no doubt about it, Julia. I need my restaurant chain to continue to prosper, for reasons I will not divulge. Nothing's going to stand in the way of that. I will have that continued success right here in Old Town, with your help or without it."

He clamped his mouth shut, fuming, his chest rising and falling; Julia imagined it was his own control mechanism kicking in. Even though her knees knocked and she feared he would glance down and see them, she conjured up the most nonchalant look she could muster. She tilted up her chin. "Without."

His jaw twitched again. "Now, don't be hasty, darlin'," he said through clenched teeth. "I didn't mean to spout off, but I want you to know where I'm coming from. It would be better for your *aunt* if you cooperated."

Her stomach was doing flip-flops a hundred times a minute. "The businesses in this neighborhood have been here for years. No outsider is going to tell them what to do or change anything just because you wave a wad of bills beneath their noses. We don't need a disco here."

"You need it more than you think. I've already talked to some local politicians, and they're eager to get this underway. It'll help your economy. It'll help give this area a contemporary look. It'll help bridge old with new. Don't make this difficult for your aunt. I'm requesting your presence in my office Monday morning. Give me fifteen minutes and I'll change your lives—for the better. I promise, and I'm a man of my word."

In less than fifteen minutes, he had already changed their lives. Giving him forty-eight hours? Julia shuddered, thinking of what he might do if she didn't show. For her aunt's sake, she had to go. "On one condition."

He shoved his hat back on and raised an eyebrow. "Negotiations already? My type of woman. Shoot." His disarming smile didn't warm her one bit.

"I want our meeting recorded and in writing."

"Easy enough." He turned to go.

"I'm not done yet." She straightened herself as tall as

she could when he faced her. "Until we have a legal understanding of this business proposal, you stay the hell off of this property and don't come near my aunt again."

His eyes widened in surprise momentarily, but a slow, wicked grin tweaked his lips. He touched his finger to the tip of his hat. "Good day, darlin'. See you Monday."

Chapter Two

The dozen or so keys on the oversized key ring jangled in Ricardo's hand as he neared his office. "A live one, that Julia." He chuckled. "Just what the doctor didn't order."

A woman like that made his blood pressure soar. Literally. Business was business. He didn't cut businesswomen any slack. They usually proved to be more ruthless than men in the long run. He rose to the challenge like a salivating dog eyeing a twenty-ounce Omaha T-bone from across a crowded room.

"Excuse me. Did you say something?" An elderly gentleman leaned on his broom, just outside the bakery next door.

"I have this bad habit of talking to myself to think business through." Ricardo walked the few steps to him with an outstretched hand. "Ricardo Montalvo."

He shook his hand warmly. "Marco Rios. It's all right, son. I do the same thing." He stood taller and pointed at the shop with the big picture window touting specials of the day. "My wife and I own this bakery."

He patted his barrel stomach. "Thirty-five years of marital bliss, baking and eating. What a life."

They laughed.

Ricardo shifted the keys to his left hand. "So that's what's been driving me crazy. It smells great."

"We have the best bakery in Old Town. Probably in all of San Diego. We've even been featured in the newspaper." He beamed. If he'd had suspenders on, he'd have slipped his thumbs under the straps and snapped them.

"You must have a steady stream of clients, if your name and reputation precede you." Ricardo glanced across the street. Would those clients venture to his restaurant? He couldn't wait twenty years to make his mark on the community.

He stepped back near the curb to get a better view of the blue and white awning and the shop sign. *Panaderia* Rios. "Rios? Are you any relation to Elvira?"

"She's my sister." They both looked across the street, a new strain of upbeat music filling the air. "She sometimes gets carried away with the volume, but it lifts our spirits on the street. We could have a block party and she wouldn't even know she was providing the music for it." He chuckled and lifted the black-framed glasses higher on his nose.

"Quite a lady, Señora Rios. And Don Carlos?"

"He's my father. Good, fair man. Caring. Retired military. Navy, forty years."

Marco gestured toward the high-backed wooden bench sitting in front of his shop. "Let's sit for a minute."

Ricardo followed him, slid back into the seat and nearly sighed. It seemed to mold itself to his body, offering comfort and a place to momentarily relax his aching shoulders.

Years of wear were apparent in the high sheen on the gnarly wood. A bench this old had to offer medicinal cures to seep through its grooves and into his war wounds. It looked like Marco was having a grand old time watching him get settled.

Ricardo shifted until he was fully comfortable anyway. "So, Julia's your niece?"

"Yes. Her parents own the gift shop on the other side of your office. We were hoping when the flower shop closed down that Julia would start up her public relations business right in there. Make this corner of the block our contribution to the neighborhood. Bad timing, I guess. You beat her to the punch."

Ricardo didn't know quite how to read the old man. Was he bitter about it or just stating a fact? "It's a great office. A flowershop? Now that explains the huge back room and why it smells like roses and twenty other flowers I'll never know the names for. Other offices I've moved into are musty and smell like my old locker room. How'd I luck into this building?"

"Juanita died. No children to carry on. Sad thing, really, but it's good to see some young blood in the neighborhood."

"Thanks." Ricardo cleared his throat. "She didn't die in the office, did she?" Some superstitions he couldn't tamp down, no matter how far he moved from his mother and sisters.

"No, no, no. But Juanita was determined to leave a sign of her existence behind. I wouldn't try to get rid of the smell. I think she ground flowers into the floorboards and woodwork to haunt whoever took over the office. Like a reminder to deal with others sweetly."

Marco smiled, sending a chill down Ricardo's already-goose-bumped back. Did he know Julia was setting foot into his office come Monday? "Business transactions are rarely sweet." Only when they were complete, Ricardo thought, and in his favor.

"What kind of service are you providing the neighborhood?"

Service? Ricardo took off the Stetson and hung it from the toe of his boot. He stroked his chin, the beard prickly against his fingers. "I'm building a restaurant across the street, in the empty lot next to the dance studio."

Marco squared his shoulders to face him directly. "We have many restaurants in Old Town. How will yours be different?"

A clipped tone had eased itself into place and Marco's eyes were sharp and shrewd with the question. Ricardo couldn't forget that having a bakery withstand over twenty years of competition meant the owner was a competent businessman, even if he looked like an unsuspecting, clueless grandfather on the outside.

"It'll be a sports-themed restaurant, but with a dance floor adjacent to the main building." He left it vague, wanting to gauge his response to the older man's reaction.

"Sports restaurant? There's a Seau's just across the valley. It's pretty successful and has been here a few years. Junior's a local football hero and draws a crowd. You're not from around here, are you?"

Marco shook his head. Ricardo found himself shaking his own in unwanted unison.

"No, I'm not," Ricardo replied, rubbing the tight knot in the back of his neck. "But Seau's doesn't have a dance floor like this."

"Hmph." Marco pushed himself back against the seat, absentmindedly tapping the broom on the clean sidewalk. "I hope you're not only gearing it toward young people. I miss a night out with my wife. Something we can walk to. Coming to dance every week would be great. Lord knows we've had our share of lessons from Elvira and Julia."

Dancing for seniors? Ricardo wondered how in the hell he could manage that and try and keep an upbeat, contemporary look to the place at the same time. "I'll see what I can do. Speaking of which, I have to get back to work now. Office furniture should be arriving shortly."

He wasn't about to mention his upcoming meeting with Julia. He stood and looked down the street and back at Marco's unwavering, patient stare. He had a feeling Marco would know the entire gist of his encounter with the Rios women by the end of the day.

"Marco, it was indeed a pleasure talking with you. Don't be surprised to see me in your shop almost daily." *If he doesn't throw me out after Monday.*

"I look forward to it, son. You look like a strapping boy with a hefty appetite."

"You're right, and my weakness for sweets hasn't helped keep the weight off since I left football."

"You played professionally?" The wrinkles on Marco's face smoothed out in delighted surprise.

Nothing like humble pie. So much for banking on his name and image to promote the restaurant. "A few years. My time was up." He rotated his shoulder and rubbed it. "Matter of fact . . ."

A couple strolled past them and entered the bakery. Marco whipped his head back and forth between them and Ricardo. "Can I get a raincheck on your story? I love football."

"Sure, Marco. Anytime."

"Take care, son. Come and visit sometime."

He entered his shop and his voice boomed out, "Good day, folks! A beautiful day for a stroll and some delicious *conchas* to make the day even better. What else can I get for you?" Muted laughter wafted through the screen door.

Ricardo turned back toward his own office, unable to wipe the smile from his face. He jangled the keys in his hand, trying to put together a clearer picture of the Rios clan.

How could the hellion they called Julia be a part of this warm, old-fashioned family? She wouldn't be easy to charm if she was defensive about men, as the old woman had pointed out.

And talk about protective. She was too overprotective for her own, or her aunt's good. A perfectly good deal lay on the table, and she didn't see it staring her in the face.

That face, though. Man, oh, man. He could use her in advertising and promoting the restaurants. Build the restaurants, show that face and they'd come. Good concept, he thought, and smiled.

The lock turned and he entered the makeshift office, a home away from home. Strains of the salsa music drifted from the studio into his desolate office, even at that distance. He closed his eyes. His feet moved easily to the rhythm. Placing his right hand on his belly, he held up the left and started the hip sway. Quick, quick, slow. The step came back to him on the whiff of a memory.

"You've been spending way too much time alone, Ricardo," he mumbled. He stopped dancing and reluctantly shut the door. He'd splurged and bought his own CD player. Not just any CD player. A top-of-the-line stereo with a six-CD changer and speakers that cranked, making it the major investment for his office. Music would help fill the long nights that loomed ahead.

He crossed the room, tossing his hat onto a wooden crate in the corner. The system stood precariously perched on the rickety table against the back wall. It would have to stay there until his rental furniture arrived.

He sure as hell wasn't about to conduct business in this office without a little crooning from Shania Twain or Gloria Estefan to ease him into it. He flipped on the power switch and equalizer and turned up the volume. Gloria's smooth voice sang of destiny and lovers finding their way back to each other.

Destiny? thought Ricardo. The tune was great but the words made icy fingers rake against his neck. He tried to rub away the cold. Believing in destiny like that was a crock.

Julia came to mind, but he quickly shook his head. He wouldn't allow the thought of her or their meeting to interrupt his light agenda for the rest of the day. There was plenty of time to prepare for their Monday meeting.

All he wanted was the physical labor of setting up his

office as he envisioned it. And to forget about business for a while.

Running his hands over his face and through his hair, Ricardo realized three things. That he was working too hard, because haircuts and shaving had gone by the wayside. That it didn't matter because he had loved the luxury of longer hair and a sometimes-itchy beard. And that good music was medicine for the soul.

Someone pounded on the door. Ricardo glanced at his watch, then turned down the music. That would either be Chase or the furniture delivery. Good. One more minute brooding would drive him nuts. He needed a night out in a bad way and knowing Chase, he probably knew all the hot spots in San Diego, since retiring early from the game. He'd be ready at the drop of a hat. Ricardo swung open the heavy wood door.

Chase stood grinning like a seven-year-old who'd just left a frog on a teacher's chair. "Well, dude, it's about time you finally made it to the West Coast."

"Timing's everything." He heartily hugged Chase. "Dude."

"That Texas drawl with beach lingo?" Chase stepped back and leaned his elbow on the doorjamb. "We'll work on it. It'll drive the women wild. Speaking of wild women, I thought you were coming for a little rest and relaxation, before you got down to work."

"R and R? Me?"

Chase sighed deeply and shook his head. The long, sunbleached hair was a fitting testament to his new lifestyle at Pacific Beach, a community not far from where they stood. He still had an impressive build, looking as tough as he must have appeared as an offensive tackle. Thank goodness they'd been on the same team and that it had been Chase's job to defend the quarterback.

"All right, all right. R and R. Let's call it revenues and returns, for the sake of not scaring you off. But you're not sitting on your butt in your room this time. San Diego's a happening place at night. We get just as many beautiful women as Hollywood. Put them together and let the good times roll."

Ricardo didn't want to give in to Chase too quickly; otherwise, he'd be at the office doorstep every night, ready to party. "I've got a lot of work to do. You do, too, if you're going to run my restaurants when I head back home at the end of the year."

"All work and no play makes Jack a dull boy," Chase muttered, and leaned against the door frame.

Ricardo winced at the too-recent memory of using the same phrase with Julia. It had backfired. His tactics rarely backfired. "Jack doesn't know what he's talking about."

"Ah, man, I want you to let loose, Rick." Another blast of salsa music blared from across the street. Chase automatically started major shoulder motion. "Doesn't look like we'll have to go far for a good time."

Ricardo scowled. "It's just a dance studio. I've been banned from the premises. Come in and shut the door."

"What?" Chase's blue eyes opened wide. He stopped shaking his body to the beat long enough to shut the door and follow Ricardo into the room. "Ah, man, Rick. You get to leave San Diego eventually. Don't leave any messes for me to clean up." He sprawled heavily into the solitary chair in the room. "Geez. I don't even have an office yet."

"It's nothing we can't handle," Ricardo said, gesturing toward the studio.

"I don't like the tone of that."

"Elvira Rios and her niece give lessons in that little studio across the street. I offered to buy the place so I could have more parking space. They don't want to sell."

Chase pushed himself out of the chair. He stomped over to the front picture window and lifted the sheet that hung as temporary blinds. "Please tell me you didn't propose they sell with that smooth line about the parking lot."

Rick didn't answer him. Chase had long been his reality man. Except he hadn't been there to save him from making a mess of things with Julia and her aunt.

"Geez, Rick."

He released the sheet and turned to face Ricardo. The features on his face hardened into chiseled planes, his eyes narrowed. "You forget where you are. This isn't some ultra-sleek Manhattan strip where wheeling and dealing are part of the game. You're talking about people who've probably been here all their lives. Why do you wanna go and do something stupid?"

"It's business, Chase." He stood toe-to-toe with him, like old bulls pawing the ground. Any of his convincing arguments were lost on Chase, but he had to try to get his support before Julia showed up on Monday. "I promised to take care of the aunt, financially. She looks about my mom's age, and could be ready to retire. Maybe this will give her the opportunity to do that sooner."

"And look what you get out of it. Prime property at a bargain, beautifying Old Town with a little more asphalt." Chase didn't bother to hide the sarcasm.

"Is that so bad? Look how it'll lift the economy here."

"A parking lot. Yeah, you're right. It'll be a real economic boom to Old Town."

"Grow up." Ricardo turned away before he shoved Chase or did some other insane thing he'd be sorry for later. "This is business. Look at it that way."

"It'll disrupt lives. Some places just don't need change."

"Most places do." He ground his teeth until he thought he could spit his fillings into his hand.

They stared each other down. Gloria belted out a conga in the background and the scent of roses filled the air.

"I'll run your restaurants," Chase said quietly, "but I

won't be any part of displacing families." He took a deep breath, his lips a tight line of anger. "What if Elvira Rios were your mother, Rick? Would you want someone doing this to her?" He shook his head, staring at the ground. "When did the dollar get to mean so much to you?"

That did it. Ricardo whirled and shoved a surprised Chase back onto his heels. "You want to know when? When my dad lost his job, his retirement pay and ultimately the frigging house!" Rick turned away from Chase and clenched the edge of the table. "Sorry."

He reached a shaky hand over to turn down the volume, only to hear the haunting destiny song. If ever he felt trapped, this was it. "Man, Chase. I'm going to take care of my folks the best way I know how. I want them to have everything they ever dreamed of, everything they ever saved for. That's all. I can give it to them and to my sisters, to the man on the street corner just because I want to. It makes me happy, even though I know there are trade-offs. Always trade-offs. I can't help that."

"Rick, I didn't know."

Ricardo walked back to Chase, rubbing his hands over his entire face. "It's not important to know. Not one bit of that information will ever leave this room. Do you understand?"

Chase shoved his hands into his pants pockets and nodded. "Got it."

"Let's get back to the business at hand. I want you to know the players in this scenario." He rolled his shoulders, but the nagging feeling that his decision could have been wrong wouldn't roll off his back that easily.

"You mentioned a niece—as in lollipop-wielding?"

"Nope. As in raving lunatic with a mission, disguised in long legs and eyes that make you feel like you're drowning if you look too long. She moves to these salsa beats with . . ." He stopped, realizing he'd said more than he'd admitted to himself.

"Pretty elaborate description, considering you only noticed the potential of the building."

Ricardo glanced out the window. "She's hard to miss. She'll make her presence known here Monday, trust me. We'd better get to work."

"You used to be able to handle businesswomen with such charm."

"I learned my lesson. Remember Rebecca? Astute, sophisticated and deadly charming. It didn't hurt that she looked like Jennifer Lopez."

Chase whipped a battered baseball cap from his back pocket and placed it soulfully over his heart. "Your downfall."

"Nearly was. Until I came to my senses."

"Just in the nick of time." Chase shoved the cap back into his pocket.

"Women are worse than snakes. Strike, clamp, kill."

"Oh, no. Not by a long shot. You weren't some poor unsuspecting vermin. The signs were everywhere with Rebecca. You chose not to see them."

"The one mistake I've made in my life and you won't let me forget it."

"Damn straight."

"Chalk it up to experience, then. It won't happen again." Ricardo walked over to the window and stood next to Chase. From this angle, the dance studio complemented the other businesses on the street, circa 1950s architecture. The details pointed to design by renowned architect, Irving Gill.

Picturesque with its slightly aged white stucco and red clay roof tiles handmade in Mexico, the studio stood out more than the other shops. Ricardo felt it more than he could see it. He couldn't make out the patterns on the glossy white tiles that followed the clean lines of the front window, but bursts of vibrant color were apparent on each.

From the blue and white awning hung a simple sign announcing in elegant, understated calligraphy: ELVIRA'S DANCE STUDIO. A bronze plaque by the entrance heralded it as a HISTORICAL LANDMARK. A screen door made of intricate black ironrod allowed barely a glimpse inside. Much like sturdy castle walls, it could easily keep trespassers out.

"Cute little place," Chase said simply.

"Hmph." Character, Ricardo decided, is what made it stand out among the other tiny shops, seeming to seep from the decades-old walls. It was an inherent quality he worked desperately hard to instill in his own restaurants. Most of the time he pulled it off; sometimes he didn't.

Chase, his annoying conscience, walked back to the CD player. "Hard to imagine it not there."

Ricardo tried to imagine the place leveled, replaced by endless feet of blacktop. He couldn't. Man. He was getting soft in his old age. Or at least around Chase.

Football had been so much easier. Throw a pass. Caught or not determined the next move. Although he knew he had a Midas touch for business, life was much more simple back then.

He continued to look out the window, grateful that Chase read him so well and gave him space when he needed it. He was mesmerized by the handpainted sign that hung in the corner of Elvira's front window. A list of the types of dance lessons taught there included ballet and tap as well as salsa and merengue, waltzes and swing. Written with red marker and complete with curlicues and hearts for the dots over the I's, the elaborate cursive reminded him of his teenage sister's writing.

Blatantly missing were two-step and line dancing. He could fix that. He squinted to see whether Julia had erased them, by chance, after he'd left. No evidence of that. Besides, the sign looked as old as the studio.

Julia didn't seem shrewd, though it could be part of

her plan. He was a sucker when he butted heads with a woman like Julia. She had fire in her, a passion he himself had lost sight of a long time ago. If he touched her, could she breathe that passion back into his life, into his work?

He raked his fingers through his hair. Who was he trying to kid? Julia wasn't fighting for the studio. She was fighting for her aunt. He'd do the same thing for his folks. A sinking sensation in his stomach told him what a jerk he'd been to Julia.

Still, he could have a little fun. He wanted to see her passion in action. Passion simmering that close to the surface had to spill over into other areas of her life. He'd like to be there when it did.

"Earth to Rick!" Chase's sharp tone blasted through the room. "Geez, I've been talking to you for five minutes, dude."

"Sorry. Thinking strategy."

"What's she like?" Chase tilted back his chair, looking like the proverbial cat that swallowed the canary.

"Who?"

"The niece—Julia, was it?"

Ricardo couldn't run from Chase. He'd drive him crazy, following him around like a pest of a little brother asking "why" a thousand times, until he drove him to the brink of confessing anything rather than hear the question again. Better to face Chase head-on.

Chase brought his fingertips together and began tapping them, waiting in obvious delight. "Well?"

"She threw me off her property. What's that tell you about her?"

"Nothing. Unless she's related to Harry the Hunk and knows some of his wrestling moves. Your reaction to her intrigues me. Please, continue." He waved his hand like a therapist urging him on. "What's she really like?"

"She means business."

"Ah. Is that what you were thinking with that goofy look on your face?"

Chase would rake him over the coals if he knew what he'd been thinking.

Chase grinned. "I can hardly wait for Monday morning."

Relieved at the mention of work, Ricardo let out a deep breath, which relieved the pressure on his chest. "Good. Back to the business at hand. Let's go to my office."

"Smooth change of subject, Rick. Who else will be there, besides the niece?"

"Francisco Valdez, the mayoral candidate for this district."

"How'd you manage that?"

"I did my homework. I have political contacts in Texas who know San Diego. They put me in touch with him."

They walked through the second doorway, next to the rickety table. Chase whistled through his teeth. "Now this is an office—it's huge." His eyes darted to the front door and back to Ricardo. "You'd never guess this place was this big from the storefront."

"That's why I love it. It's my home away from home. Gotta do it right." Ricardo tossed his Stetson onto the cardboard box in the corner near the door. "By the time I'm done decorating this place, it'll be fit for the governor. Or you."

"Cool. What's in the back room?"

"Bathroom. No room for a Jacuzzi, but it has all the other amenities."

"I'm sure it does. Throw a mattress on that desk and you'd have a bed."

The desk stood in the middle of the room, its mahogany luster dark and rich against the plush burgundy carpeting. Ricardo walked over to it, leaving Chase in the doorway.

Running a hand over the edges and then over the

smooth, polished surface, he took a deep breath. "This used to be my dad's. He gave it to me when I graduated. When I left the team, I refinished it myself. I've shipped it to wherever I determined my next temporary headquarters would be. A little good-luck charm."

"Little?" Chase eased his large body onto one of the chairs facing the desk. "Only in Texas." He sniffed and looked around. "You do flowers in the same dimensions? Smells like a damn flower shop in here."

Ricardo grinned. "Man, you're good. This used to be a flower shop. Legend has it the former owner put a spell on the place with her flowers, hoping to teach whoever did business from here to keep it sweet."

He looked at the incredulity on Chase's face. "Or something silly like that," he added.

"You better hope it's silly. She didn't know you were taking over. The smell will be gone by Monday afternoon."

Ricardo threw him a nasty look. "You're walking a thin line, surfer boy. Let's get to work before the furniture comes. I intend to work you to the bone. You'll earn your keep around here."

Chase laughed. "No doubt."

Ricardo and Chase had finished moving furniture into place when a knock sounded at the front door. Pizza. Pain shot into Ricardo's shoulder when he reached into the desk drawer for his wallet. "Damn." He straightened and rubbed the tender spot.

Not exactly painting the town red tonight, but he was beat. "Come on in. Door's open." He finally retrieved the wallet.

He was starved and was waiting for Chase to finish his phone calls from the privacy of his office. Fast pizza delivery ranked right up there with a Hail Mary touchdown pass. Almost.

The heavy door dragged open against the carpet, releasing a fresh scent of roses. "Ricardo?"

Julia's voice wafted over him on the subtle scent. He liked the way his name sounded coming from her lips. He turned wordlessly, wallet in one hand, several bills oozing out of the other.

Julia stood just outside the doorway holding a wicker picnic basket. She looked at him and then at his hands. Her expression instantly darkened. "Do you sleep with your wallet under your pillow, too?"

Ricardo stuffed the bills back into his wallet. "I thought you were the pizza guy."

"Gee, thanks."

"Speaking of pizza, would you care to join us for some fine Italian cuisine?"

"Us?"

"My partner in crime. He'll be running the restaurants in San Diego when I return to Texas."

She took a half-step backward.

Ricardo cursed himself. "I'm sorry. This isn't a time for business. It's nice of you to come visit."

Doubt seemed to flicker in her eyes, then quickly disappeared. "It's not really a social visit, I'm afraid to say."

She licked her lips, the soft red tint staying put against all rational explanations. "My aunt made me come over with this." She held out the basket by the vine-like rope handle.

He started to walk toward her, but took one look at her face and sat right down. She looked like she'd rather be thrown into a bullring wearing red rather than step inside his office. "That's mighty neighborly of her. Are you learning anything?"

Julia tilted her head and studied him before speaking. "I think my neighborly manners are on an even keel with yours, don't you?"

"Touché."

She blew a puff of breath upward and her bangs fluttered. "My aunt thinks if we don't offer the traditional basket to the new kid on the block, it'll bring bad luck. For the sake of tradition then, and to avoid the superstitious bad luck from raining on our heads or on the studio, may I offer my aunt's homemade tortillas, hot off the griddle."

She set the basket on the floor just inside the door, and pushed it in as far as her arm would reach, but no more. Her toes were a good two inches from the door frame.

"Don't you think you're taking this a little too far?"

"I have my own superstitions."

"And I'm one of them?"

"I won't set foot in your office until I absolutely have to—on Monday, not a second before, not before I'm prepared, not before the sun has risen on that dismal day."

Ricardo stood and planted his feet far apart. The girl talked too much. "Is this part of your business tactic?"

"What?"

"Driving me crazy with your repetitive drivel?"

"My . . . my drivel?" Her voice rose an octave. "I knew I shouldn't have stayed a second longer than I needed to." She sighed dramatically, her patience obviously running thin. "It's an old advertising trick. Repeat the message at least three times in different ways to get the point across efficiently. Especially if you're dealing with people who aren't capable of understanding the first time around."

"I'm perfectly aware of that tactic." He walked across the room to her. The roses were lost in the more fragrant aroma coming from the door—a wonderful mix of Julia and the tortillas.

He picked up the basket and handed it to her. His finger brushed against hers. She flinched, but held her ground. As for his own finger, he should just as well have stuck it in an electric socket. "I really shouldn't accept this, under the circumstances."

She cleared her throat and tucked her hair behind her ear, revealing delicate silver loop earrings. The curve of her creamy neck screamed for someone to caress it, kiss it, taste it. Lord help him, thinking in threes, and thinking of her neck to boot.

She handed the basket back. "Please. For my aunt."

"Very well. Thank her for me." His voice boomed louder than he intended. He took the basket from her outstretched hand. "A smile would help make these go down better, prevent indigestion, brighten the atmosphere around here."

Chase entered the room and looked from Julia to Ricardo and back again. "Julia, I presume?"

She nodded. "You must be the partner in crime."

"Please. Call me Chase."

"Good to meet you, Chase."

"Are you contagious or something?"

"No."

"Then why are you standing out there while we're in here?"

"Long story that I'm sure Montalvo will explain later." She riveted her attention on Ricardo. "About the smile. Sorry. You have to get that from my aunt. I'm just the messenger, the reluctant middleman, the niece, dragging her heels to get this to you."

"I get the picture, Jule."

"It's Julia. I'll leave you to your dinner. Good night, gentlemen."

Ricardo set the basket on the desk and hurried to the door. He yelled after her retreating shadow, "Come back and visit for a spell when you're feeling better. G'night!"

What the hell had gotten into him? He shut the door softly, stalling, waiting for divine inspiration before facing Chase. "Looks like she's coming around already."

The raised eyebrow spoke a thousand words. "Were you in the same room, Rick?" Chase lifted the dishtowel from the basket and the wonderful aroma filled the room. "Sorry I interrupted, but it was quite a show. She's a looker and she's not afraid of you. Gives her points in my book. We'd better talk more strategy before Monday."

"Strategy's set," Ricardo growled, more angry at himself than at Chase. "Just be here on time."

The tortillas' rich aroma had filled Ricardo's own home growing up. He doubted the basket's contents could compare to his mother's. He sniffed them again, dipped his little finger into the side of butter and licked it off.

"Could be a trick," he said aloud, though he hadn't meant to. "Poison, if Julia had her druthers."

Chase laughed heartily. "It would take a lot more than that to keep you down, buddy."

"Damn straight."

Chase grabbed a hot tortilla and juggled it between his hands. "Even so, you first."

Ricardo picked up the plastic knife and smeared a tortilla with the sweet butter. It melted on contact. Taking one more whiff of the incredible aroma urged him on.

He bit into half the tortilla and closed his eyes. Heaven. He was home. "If this is poison, what a way to go."

Chapter Three

Reaching out a lazy arm, Julia pulled back the bedroom drapes a fraction to peer out at the picture-perfect dawn. Splashes of pink and orange crowned the softer shades of blues in the cloudless sky. "What a way to start a Monday," she murmured, and rolled onto her back.

She slid under her thick comforter and wriggled into her warm spot for one more blessed moment. Her king-size bed was a luxury, her big-time extravagant indulgence. Not a morning went by that she didn't thank the heavens for it.

It even made Mondays more bearable. Julia groaned. "Except today." Wasting a perfectly good Monday morning with Montalvo was not the best way to start the week.

She jumped out of bed, suddenly anxious to get moving. She pulled on her workout clothes. The antique clock on the bedside table told her to hurry and made her regret the extra couple of minutes she'd taken to pamper herself.

She and her aunt had reviewed the business proposal and were ready with counterattacks for all possible offers Montalvo might come up with. As prepared as she felt to take him on, there were two glaring facts she would not veer from: Montalvo was bullheaded. They did not intend to sell under any circumstances. End of story.

She walked out the door of her small home that overlooked San Diego's Old Town. The breathtaking view still never ceased to amaze her, and could change her mood for the better almost instantly. The Pacific Ocean to the west ushered in white-capped waves along deserted beaches this early in the morning. Rolling hills were the backdrop for the renovated, freshly painted historical sites—the Victorian houses that lined the narrow street. The Presidio stood on top of another hill, easily visible with its stuccoed bell tower and red-tiled roof. A par-three, nine-hole golf course lay just south of the mission. Julia played the course once a week, bets and all, with Grandpa.

She was running late. Grandpa would be pacing outside his own home a couple of blocks away, forming a groove alongside the little white picket fence. She ought to convince him to pick another day for their shared morning walk. Mondays were impossible.

As she started on her way to meet him, she sighed. Impossible perhaps, but she wouldn't trade her treasured time with Grandpa for anything.

Montalvo's words about taking care of her aunt nagged Julia the rest of the way. When she had left her public relations job with the prestigious Valdez & Cohen firm, she had left her benefits behind, too. The nest egg Montalvo referred to was practically nonexistent, especially while she tried to establish her own company. Several clients had come with her, but it would be awhile before she stopped holding her breath every time she waited for approval on a client's new advertising campaign.

She looked up too late. Despite the hour, Lorenza and her neighbor stood guard at the corner, scrutinizing each early morning walker while chewing on the latest morsel of gossip.

Julia jumped behind the nearest cypress in someone's unfenced yard and held on to the rough bark as if it would make her invisible. She suddenly sympathized with movie stars who had to endure paparazzi. Lorenza was bad enough.

"Oh, Julia." Lorenza actually raised her voice, probably in the hopes of waking the neighbors. "I can see your grandpa from here. He doesn't look too happy." Her ploys often worked, and drew the audiences she wanted. She was the next best thing to a talk show host like Geraldo.

Julia took a deep breath and stepped back onto the sidewalk before Lorenza could actually wake the neighborhood. "Good morning, Lorenza." Julia walked up the steep incline to the smiling woman and kissed her on the cheek, then greeted the other woman.

Lorenza held Julia's chin between her fingers. "You don't look too bad for the wear, even in the morning light." She patted her cheek. "Are you handling the breakup all right?"

"Yes, Lorenza. So is Cisco."

"It's a shame, really. It seemed you two were meant for each other."

"We were always good friends. We always will be. But that wasn't enough for a marriage."

"I would have made it enough. Mayor today, governor tomorrow. The White House in ten years. *Chiquita,* you may have made a big mistake."

"I don't think so." Julia peered over Lorenza's shoulder. Grandpa made a silly face and pointed to his watch.

She started walking backward toward Grandpa. "Gotta run. I'm late."

"What about the cowboy then?" Lorenza shouted. "He looks delicious."

"Not my type."

"Never say never, honey."

Julia jogged off. The women's giggles bounced off her back. Wait until they heard Ricardo's story. Julia was in for one long summer.

"Hey, Grandpa!"

"It's about time, Julia. The day's half over." His tone

held a serious note as he tapped his watch, but the laughter in his eyes made her wag a finger at him.

"Nice try, Grandpa." Julia glanced at her own watch, appalled at her five-minute tardiness. "Restaurants aren't even serving breakfast yet." She grabbed him in a bear hug and planted a loud kiss on his cheek. "I'm really sorry I'm late, but how about cutting me some slack? It's Monday and . . ."

"Shh." He stood toe to toe with her and studied her face. Placing his hand on her forehead, he said, "You don't look so well."

"I'm fine, Grandpa, just not looking forward to my confrontation with that bully of a man later this morning." She linked her arm with his.

"He seemed like a gentleman to me."

They headed east on the street, the slight incline already getting Julia's blood pumping. "That's because he didn't open his mouth near you."

He shrugged. "It seems that you've already made quite an impression on him."

"How'd I do that?"

"Heaven knows, but I saw it in his eyes. You'll have to be careful with that one."

A chill ran across her arms, and goose bumps formed instantly. "I can handle him, Grandpa. One way or another, I'm going to convince him he doesn't need the studio."

"Take his personality into consideration before you head over there today. I don't think Montalvo would have let you break an engagement even after a lovely, calm discussion like Cisco did. He'd be banging down the door to convince you to stay. And he'd probably succeed, charming you until you couldn't resist."

She shuddered. "What an awful thought."

"I just want you to be prepared. The biggest difference between the two is Cisco knows his limitations with our family; Montalvo doesn't. Hell, I changed Cisco's diapers.

He ate at our table more than at his own. If he ever hurt you, he'd still know my wrath."

She patted his arm. "He wouldn't hurt me. I think the timing on all this is good. His political campaign is flourishing and he can devote all his time to that now. He's the frontrunner."

"What?" Grandpa looked at her as if she spoke an alien tongue. "What has all that got to do with how you felt about each other?"

She shrugged. "Cisco and I have been friends and business partners too long and know each other too well. We had to face the fact that a solid friendship didn't guarantee falling in love."

Grandpa couldn't seem to stop shaking his head at her. Patting her hand, he said, "*Ay, Chiquita,* you don't get it. If you have to rationalize too much in the first place, it can't be love. Your generation never ceases to amaze me. Please tell me you weren't going to sign a prenuptial agreement."

Julia figured it better to remain silent rather than admit the papers had been drawn up and notarized a year into the engagement. But one look at her grandpa's grim face, and without a word, he knew. Waves of embarrassment, shame and longing roared through her. What was she missing? How could she have been so off the mark, thinking of love with so many stipulations?

Grandpa stopped walking and turned to face her. "Don't ever settle, Julia. Life's too short for that." He patted her cheek. "You did the right thing, not marrying this one, even though he's a good man. When it's right, you'll feel the most incredible joy and the most driven despair and the most chaos in your head, sometimes all at the same time."

He started to smile, but then his brows knitted together, pain evident in the creases between his eyes. Color drained from his face, turning it ashen.

"You'll . . ." His mouth moved, but the words didn't come out. He clutched at his chest.

"Grandpa?"

He squeezed Julia's hand unmercifully hard.

Julia threw her other arm around him to hold him up. "Grandpa!"

He pulled out of her grasp and waved her away. "I'm fine!" he gasped.

Julia flinched at his tone, and hardened her own. "No. You're not." She reached for him again.

He slapped her hand away. "Yes. I am." He gulped a couple of breaths before he could slow down the movement of his chest.

Julia stepped back to give him space. Shocked at his reaction to her attempt to help him, she rubbed the sting from her hand for lack of something to do. He had never reacted that way to her and it scared her. She blinked hard and fast until she was certain she could keep her tears at bay.

He patted the middle of his chest with the palm of his hand for a few more seconds. "It's that damn indigestion, that's all." Color had returned to his cheeks. His posture was stiff, as if he were struggling to keep himself upright.

Julia waited until he turned to her and looked into her eyes. "When's your next doctor appointment?"

"This afternoon."

"I'll take you."

He shook his head. "Only if you get your aunt's situation with Montalvo under control first. I need to make sure she's taken care of."

"And I need to make sure you're taken care of." She tried to keep the quaver she wasn't used to in the pit of her stomach and well away from reaching her voice. "I'm calling the doctor first. If she says you can wait, I'll finish with Ricardo and be at your doorstep before you know it. If you can't wait, Ricardo will have to."

"I don't want you worrying about me right now. We need to worry about your aunt. We need to worry about Montalvo. You need to devise an alternative he'll be happy with. I know you can do it. I can wait until this afternoon, and then you can worry about me all you want."

"It'll take me awhile, but I'll come up with a solution. I promise."

"Good girl. So, do you have time to cook me some breakfast?" he asked hopefully.

She linked her arm with his, painfully aware of how fragile his bones felt. "Of course I do. How about oatmeal?" Her voice was steady, casual even, though her heart was tight with fear.

"Anything but oatmeal."

"Why's that?"

"Only old people eat that mush on a daily basis."

"It's settled then. We'll each have a bowl." Julia slowed their pace and turned up the block.

She held her Grandpa close. If Ricardo didn't already know it, he would soon—her family came first. That knowledge was all the ammunition she needed and she wasn't afraid anymore.

Sunlight streamed into Julia's office, hot and bright. Any remnants of the cool morning air dissipated with her growing apprehension at meeting with Ricardo. The newly made file folder with her questions and counterattacks sat atop her sleek desktop.

She was as ready as she was ever going to be. She took extra care with her makeup, and chose scarlet liner and lipstick. A flimsy armor, to be sure, but a necessary one. She grabbed the files, threw them in her briefcase and locked it shut.

Ricardo's office looked deserted. Tapping on the door brought no response, and Julia shifted her briefcase to her left hand. She adjusted her blazer and the short skirt of her red suit. Not only was it her power suit, it lifted her spirits and confidence in one fell swoop.

She rapped harder on the heavy wood door, scraping her knuckles and she cursed under her breath. "Tactics," she muttered. She'd wait ten minutes and then leave. She banged one last time. "Montalvo!"

The door swung open. Ricardo stood shirtless. Drops of water dripped from the ends of his long hair onto his chest, giving it a light sheen. "Julia."

He crossed his arms in a seeming attempt to cover his chest, but it only accentuated his muscles. Julia swallowed hard. Unusual tactic, she thought, and totally unfair.

"You're early." He seemed genuinely uncomfortable, color rising in his cheeks. "I thought you were Chase. Come on in. I'm running a few minutes late, but there's coffee and *pan dulce* on the table. Please help yourself."

He stepped back to give her a glimpse of the pink bakery box she recognized instantly from her uncle's bakery. The coffeepot sat on the narrow table against the far wall from where they stood. "Are you looking for an in by using my uncle now?"

"Ow." He put his fist against his washboard stomach and yanked outward, as if she had stabbed him with a nasty old lance and he had to pull it out or perish. "Do you ever give people the benefit of the doubt? I love this stuff and simply offered to be his guinea pig for a new concoction he was trying out. He, in turn, gave me half a dozen pastries."

"There has to be a catch somewhere."

"You tell me. What he whipped up was one of the richest delights I've ever tasted. I'd love to get it on my restaurant menu. On the other hand,"—he lifted and lowered each hand as if he were weighing apples—"I should never offer my tasting services to a baker. If there's more than a cup of sugar in anything, I'm more than content."

He was being way too nice. Julia narrowed her eyes to get a better glimpse of him beyond that body.

He backed up toward a doorway on the other end of the room. "Can you give me a few minutes?"

"You said ten o'clock," she managed, glancing at the spare office, the healthy fern in the corner, the coffee-pot, the NFL clock—anything and everything but his chest. "I'll give you five."

He stopped in mid-track, a raised eyebrow and maddening smirk adding more character to his face than the thousand-watt smile. "That's generous of you."

His sarcasm grated on her nerves. "Very. I charge a hundred dollars an hour for consultations alone."

"Is that all? From what I hear, darlin', you're worth much more."

"I'm afraid my family is biased."

He threw his head back and laughed, surprising her. It seemed like the hearty, rich sound was no stranger to his life or lips. It reverberated through her, making it difficult to rein in the smile that tugged at her own lips. She couldn't remember the last time she made someone laugh like that. Come to think of it, it had been awhile since she'd heard her own laughter fill a room.

"Darlin', that was a nice surprise." He roped the towel around his neck, the muscles in his forearms and chest terribly distracting with each subtle move. "Five minutes it is."

As soon as Ricardo walked through the door toward what she assumed was his office, Julia set down her briefcase near one of the unopened cardboard boxes. She wiped sweaty palms along the sides of her skirt. Heading for the coffee with a surer step than she felt, Julia repeated her calming mantra.

She lifted the lid of the box and the aroma of the freshly baked pastries drifted through the air. She nearly sighed. How much did Montalvo know about her? Did he know that with her discernible sweet tooth she could be blindfolded at midnight and still find a box of pastries that was purposely hidden on the opposite end of the house, on the second floor?

"Unfair tactics," she muttered. She poured herself a cup of coffee and glanced at the sterling silver ice bucket to the right of the pot. It was filled with a variety of exotic flavored creamers.

She poured Amaretto-flavored creamer into her coffee, grabbed a *concha* from the pastry box and made herself comfortable in the only chair in the office. She hoped Montalvo would take ten minutes.

The front door crept open. "Rick?"

Chase stuck his head in and when he spotted Julia, smiled warmly. "Ah. A face I'd much rather see. How are you this morning, Julia?" He let himself in and walked directly to the food.

"Apprehensive, wary, prepared." She popped the last of her pastry into her mouth, and refrained from grabbing her compact to check for stray crumbs. She licked her lips instead.

"Rightly so." He grabbed two pastries and filled a cup with steaming coffee, no creamer. "Come on. Let's wait for Rick in his office."

She followed him, but stopped in the doorway. "Wow."

"Impressive, huh?"

Julia inhaled deeply, the rich and powerful fragrance of a dozen competing flowers somehow working together for an exotic blend of heaven. She half expected to see the old woman working in the corner of the room, preparing countless arrangements with deft, efficient hands. "It smells incredible."

"Rick didn't know what to do about that at first, but he's gotten used to it." Chase pulled out a chair near the massive dark wood desk in the middle of the room and plopped his pastries onto its gleaming surface. She walked around the mahogany desk, mesmerized by the workmanship. She ran her hand along the smooth edges. "Great taste," she murmured, recognizing the attention to detail in the intricate lines.

"Thank you, darlin'." Ricardo's drawl wafted across the room. Fully clothed now, he looked striking in a deep navy blue suit. The soft light in the dark room glinted off his Gucci shoes. He looked just as comfortable in a suit as he had in his jeans at the studio. The double-breasted jacket accentuated his chest, that mighty diversion an unfair tactic.

Chase glanced at Julia, then at Ricardo and back again. "Hmm. Mr. Power Suit, meet Ms. Power Suit." He chuckled and bit into his pastry, sending crumbs flying onto his jeans and onto the floor near his Nike-clad feet.

"You'll have to forgive Chase, Julia. He's brain-dead, but still attempts humorous interjections from time to time." Ricardo tapped his forehead with his index finger. "One too many tackles."

Ricardo laughed his wonderful laugh again and walked across the room to his desk. He rapped a stack of papers on his desktop, straightening them. "Time to get to work," he said, unrolling what looked like blueprints onto the uncluttered desk.

Julia opened her briefcase. "As I said the other day, we're not for sale."

"Why don't you cut to the chase, Julia?" The smile threatened to reappear on his full, tempting lips, but disappeared when she didn't respond. "If you'll step around here, I'd like to give you an overview of my plans. The vision I have for myself and for each community I build in goes beyond structures. I don't pilfer and pillage just for the sake of the game. I'm not a pirate. I don't need to be."

She studied him, appreciating his candor as much as the squareness of his jaw, which gave him a rugged, chiseled look. She tried to ignore the smell of that damn Stetson cologne. He didn't sound threatening at all.

"All right." She grudgingly got out of her seat. "Show me."

"I do try and bring something positive to the communities we build in." Ricardo gestured at Chase. "Once the three restaurants are built in San Diego, Chase will take over as general manager and run them while I move up the coast to L.A., San Francisco, then on to Portland and Seattle."

Chase studied the plans. "The restaurants will be my responsibility. The other two have been set up with no problems, since they are being built in vacant areas. I promise to take good care of them, and the communities they'll serve. You have my word, Julia."

"What exactly does that mean in our case, Chase? That after you level my aunt's studio and put in a parking lot, you'll clean up the neighborhood?" She inched closer to Ricardo to get a better look at the plans spread out on the desk. "Look at this plan. How are you going to keep the quaint air of Old Town here with a monstrosity like that?"

Chase scratched his head and took a sip of his black coffee. "It'll be built like the surrounding buildings, of stucco and red tile roof, old wood doors. We do intend on blending in and preserving as much of the ambiance as we can. That's how Rick's set up his other locations."

The unflappable Ricardo pulled out another rolled-up, oversized paper. "Let me give you a better idea." He spread it out over the blueprints, and Julia saw that it was a map of the area.

The artist had created a beautiful rendition of a Spanish-style building—a big, oversized building. It looked like a mama bear surrounded by many little bears of the same look and caliber.

It wasn't half bad, thought Julia. "I see in this picture my aunt's studio is still standing."

"That's before I worked out dimensions for the surrounding area. Look, we can move your aunt's studio right up the street to this other lot."

"Is 'no' a hard word for you to understand, Montalvo? This is the family corner, except for your office. Hers is a historical landmark right where it's at. You don't just move historical landmarks to more convenient places."

"Julia, it's up the street for crying out loud, not on the other side of town."

Why couldn't he see how important this was to her and her aunt? To her family? "What would your mother say about putting an old woman out on the street, Montalvo?"

He narrowed his eyes and the fury in them made her want to take a step back. "Señorita, I am *not* the monster you think I am. I take responsibility for my actions. I gave you my word that I would take care of your aunt. Money is only part of it. If you'd work with me on this, you'd see this is in her best interest as well." He rapped the desktop with clenched fists.

Julia had no doubt his fists would have sailed through the heavy wood if she had finished her thought. He could have squeezed the air right out of any old football he happened across. Score one for Ricardo on self-control.

Chase cleared his throat. "We have a visitor."

Francisco Valdez stood in the office doorway. A look of mild surprise appeared on his face as his gaze swept across the three of them and landed on Julia.

Julia straightened and faced Ricardo. "Montalvo, what's the meaning of this? What's Cisco doing here?"

Ricardo looked back and forth between Julia and Francisco. "Cisco? Sounds like you two are on friendly terms."

She crossed her arms, her anger rising. "I've known Cisco all my life, but my personal life has nothing to do with the matter at hand. You made it perfectly clear that emotion has no place in this room. Now answer my question."

"Señor Valdez is giving me the political backing I need on this project. He's agreed to help me promote the restaurant as an asset to the community."

She whirled to face Francisco. "You *what?*"

"Julia." His voice was soft and understated, showing its own version of self-control, compared to Ricardo's simmering fury. It only added to the tension. He crossed the room to her.

She allowed him to take her hands in his and kiss each cheek as she returned the gesture. "What are you doing, Cisco?" she hissed.

"This is my district. Señor Montalvo sent a proposal to me months ago about the project." Francisco proceeded to shake the hands of Ricardo and Chase. He turned back to Julia.

A brief thought of conspiracy raced through Julia's panicked mind. "Months ago?" The realization made her stomach roll. They'd been together 'months ago.' "Months ago, and you didn't tell me, didn't warn me then?"

"I didn't take him seriously until now, now that he's moved into town. He's going to build this restaurant whether we back him or not. I think it would be better for all of us if we support his project."

"This is my family you're talking about. It's amazing that your acceptance of the project happens to coincide with our breakup."

"It's not what it looks like, Julia. Please, have a seat. Let's discuss this rationally." Francisco sat in the leather-upholstered armchair next to Julia. His movements were as smooth as the creaseless pants of his Italian designer suit.

"I'll give you rational, Cisco. You've become the politician you swore you would never be."

Something flashed in his eyes, but his voice remained entirely calm. "That's not true, Julia, but I've had time to think about this, and I have to move on it."

Julia glanced at Ricardo, wanting answers to calm the chaos swirling inside her. For some insane reason, she knew he would be straight with her. "Why my family?"

Ricardo caught and held her gaze. "I didn't know Valdez had a personal stake in this, not that it matters. Personally, I would have told you months ago, whether I thought it was a viable project or not. I'm sorry you weren't informed earlier."

Heaven help her, she believed him. But she had also once believed in Francisco. The walls felt like they were fast closing in on her.

He glared at Ricardo. "Yes, well, I made a horrible mistake in not telling you, Julia. I truly apologize for that and will apologize to your aunt, as well." His soulful eyes pleaded with her, and he shifted uneasily in his seat. "Now that Señor Montalvo has refined his business proposal, it's the best I've heard to rejuvenate this area. I think you should sell him your aunt's studio."

Chapter Four

Julia stood between Ricardo and Francisco, fuming. "Sell the studio?" If Cisco wanted to get back at her for breaking the engagement, he picked a bad day to do it.

Pitted as she was against the two powerful men, they might think they controlled her aunt's future, but she wasn't about to give in yet. Not without a fight.

She rose with a deliberate, calculated slowness, giving herself an extra minute to think things through. She glanced at her watch, fully aware that she didn't have time to waste when her grandfather was home waiting for her. "Francisco, what's in this for you?" She leaned on the edge of the polished desktop.

Francisco cleared his throat. "I'm not selling out, if that's what you're thinking."

"Of course you're selling out, Cisco. My family practically raised you, yet you're willing to play a traitor as vicious as Judas?"

Francisco fiddled with the tight knot of his multicolored Pierre Cardin tie. "Development of this area is on my platform. You knew that when you worked by my side. You believed in me. You promoted me. You know my agenda. Don't lump me in with the practices we both despise."

"No, no." She couldn't stop shaking her head. "I don't know what Montalvo has offered you, but you've changed. I know you too well, and I can feel it."

Tired and frustrated at sounding like a broken record,

she pushed a stray wisp of hair off her forehead. "The people here deserve more consideration. They're individuals, most of them elderly, many of them friends, and all of them live and intend to die in this community."

Francisco stood, his hands clenched. "Get off your high horse, Julia. You think I don't know that?" He struggled to control his voice. "Your grandfather, your aunt, and you are part of my family. This is my community. I think what Señor Montalvo has proposed will benefit all of us. Of course I thought of Elvira when I decided to endorse his restaurant. With the money he's offering, she can travel, paint, and do the hundred and one other things she's always wanted to do with her life."

Julia slapped her hand on the desktop. "Why do you two think you know what's best for my aunt? The studio's her life. If she had wanted anything else, she would have closed up shop years ago."

"Why do you think *you* know what's best for your aunt?" Francisco countered. "Have you even asked her, or have you just taken charge without a clue as to what she really wants?"

Ricardo clapped in an exaggerated movement. "Bravo. Bravo."

He pushed back his chair and placed his feet on top of the desk. "Great opening statements on both sides. It gives me a clearer picture of how to adapt my proposal to fit your needs. Now, it's my turn."

His voice commanded attention. Years of business still hadn't prepared Julia for anyone like Ricardo. The heat and energy sizzling from his body merely reflected the way his mind figured, calculated, and focused. That one-track mind could help him pounce on any unsuspecting victims. She would not be one of them.

She inched away from him and made her way back to the seat between Francisco and Chase. Instantly, she was sorry she did.

It put Ricardo in the spotlight and he shone brilliantly. He stood before them like a great lecturer, ready to expound on the latest theory of a newly discovered solar system. They sat, clumped together like awestruck students.

Ricardo pushed back his chair with a gentle shove from his well-developed leg. "In a nutshell, Señor Valdez agrees with my way of thinking. He's a visionary. Julia prefers things remain the same. Safety in the recognizable, the comfortable. That isn't to say that's bad. There must be a middle ground somewhere."

He seemed to have forgotten they were all in the room. His gaze fell on Julia and a spark returned to his eyes and voice. "Julia, I've gone about this the wrong way. I want to apologize right off the bat."

The scent of roses seemed to filter through the air vent. Caught off guard, Julia backed against her seat and opened her eyes wide. When did Ricardo use sweetness in his business dealings? Was he simply setting her up for the sting?

It didn't help that his drawl curled around her like a refreshing summer breeze, or that he looked at her in such a way that the other two men in the room disappeared like the last strains of a soft waltz.

He paced the length of his desk. "I'll take a few minutes to explain my business plan, how each of you ties into the plan, and how I hope we can work together. There's room for your suggestions, of course. My goal is to come to a satisfying middle ground."

"Satisfying for who?" The words slipped from her mouth before she could stop them.

"For me, primarily. We're talking financial gain and development of my restaurants. But I'd like for all of us to be happy in this proposal. Contrary to your initial opinion of me, I'm not always hardheaded."

"Only ninety-nine percent of the time," Chase muttered.

Ricardo slipped his hands into his pants pockets. The bottom of his jacket bunched up around his wrists. "You're not helping the cause, Chase."

He tried to scowl, but as soon as he looked Chase in the eye, the grooves between his drawn eyebrows disappeared. Almost hidden beneath the short beard, a smile touched the corners of his lips. "Chase has always been a great 'yes' man."

Chase snickered.

Julia glanced at her watch again. She wasn't going to miss Grandpa's doctor appointment.

Ricardo looked at her questioningly, and cleared his throat. "Julia, when I did my initial investigation of San Diego, this looked like the most promising area. I've not had a restaurant in an Old Town setting, nor in a basic tourist area. This had the best of both worlds. Chase did some groundwork, the lot was available, and he gave me Señor Valdez's name.

"Valdez saw the value of such an opening. It could draw a younger crowd, help the economy, even teach something of our heritage to those who visited.

"The only drawback was a lack of parking space. That's when I spotted your aunt's studio. When I checked into her background, I must admit all I saw was her age, and that maybe, just maybe, she might be ready to retire. I was ready to offer a comfortable alternative."

Julia fought to stay rational, taking it all in. He'd left no stone unturned. She studied his face, the beauty of his dark skin and thick hair, and wondered how much compassion lay beneath the hardened face and harder body. If the sparkle in his eyes and the simmering sense of humor were any indication, there was hope.

"There's more than meets the eye, Señor Montalvo."

She rose from her seat and walked around the desk to stand before Ricardo, carrying her portfolio. The desk pressed hard against the back of her thighs. "Please,

Señor Montalvo," she whispered, "have a seat." She pointed, indicating the chair behind him.

Ricardo nodded curtly and did as she asked. Unbuttoning his jacket, he slid into his oversized chair, thick with tweedlike cushioning and rosewood armrests. He tilted back his chair and waited.

Given space from his overpowering presence, her head cleared. "I'd like three months."

His chair dropped to its front legs. "Three months? For what?"

"That's how much time I need to come up with either an alternative for you, or a retirement plan for my aunt."

She glanced at Cisco. "Or, to fight all of you to the death."

Ricardo laughed without genuine mirth. "The dramatic suits you." The smirk returned to its maddening tilt. "If I give you three months, what's in it for me?"

Finally the idea jelled. "I'll give you ten hours a week of my time to develop your advertising campaign."

"I don't think so." He tilted the chair back again, stroked his beard and finally shook his head. "I need quality work. Saavy, contemporary, fast-paced. You, darlin', seem to be stuck in Old World ways of thinking."

Appealing to his finer sense of judgment floundered. "I'm not stuck. Family values are important. My family's always been there for me; now it's my turn to come through for them. I can do it with advertising or business matters. Advertising is advertising and I'm damn good at any campaign I undertake. You have my word I'd give you quality work."

She opened her portfolio on top of the blueprints and drawings. "These are examples of some of the campaigns I've produced."

"You're giving your word? That didn't work when I said it. Why should it work now?" He stretched out his leg and it brushed against her ankle as he leaned forward in his seat.

She stopped herself from flinching at the touch. "Stop making this difficult. I'm asking for three months, during which time I'll work a set amount of hours for you, and you, in turn, will leave my aunt alone and let her conduct business as usual."

He leafed through the portfolio. "I still don't see what's in it for me."

"If after those three months I can convince you of the necessity for her to stay in this spot, you adjust your plans and leave her studio intact. If I can't come up with an alternative to the parking problem, then you can call in your wild card and I will personally help you move in with a smile on my face."

He tapped his fingertips together, calculating the risk, she was sure. "I can work with three months. That's as much time as it'll take to get all the permits squared away and the construction off the ground. I'll give you those three months. If you convince me of a profitable alternative, I'll throw in a bonus for you and the studio."

He stood and leaned on the desk. "There is one stipulation."

The warning bells went off again. She stood straighter and tilted up her chin. "And what, Señor Montalvo, is that?"

"Dance lessons. Private and group during this entire three-month grace period."

"I'll see what my aunt can provide."

"She doesn't have to provide anything except the studio. I want you to teach me, darlin', personally."

She swallowed hard. "I don't think that's a good idea."

"Weigh it, Julia. Dance lessons for your three months of prep time that could knock me on my butt, though I doubt it. I think it's a damn fine proposition. What do you think, gentlemen?"

"Damn good deal," Chase said, between a mouthful of his second pastry.

Francisco stepped toward Julia, uncertainty shadowing his eyes. "You don't have to agree to anything, Julia." He slipped his familiar hand over hers.

"You're wrong, Cisco. I'm backed against a wall. I definitely have to agree to this, whether I want to or not." She yanked her hand away.

He nodded, straightened his tie and rolled his shoulders. "I never meant to . . . I'm sorry. I'll see you Saturday."

She looked at him, her mind a blank.

"I promised your aunt I'd be your partner to demonstrate a new twist on the salsa."

"Ah, and we can't have you breaking promises to my aunt, now, can we?" She was shocked at her sharp, abrasive tone, and at the hurt that showed on his face.

They hadn't seen anything yet. "Fine. For my aunt, anything. Cisco?" She waited until he faced her. "I'm rounding up the neighborhood to attend the town council meeting. We'll protest further development of the area."

"So be it." He turned stiffly away from her before she could say anything more. "Gentlemen, good day."

Despite his stiff posture, he glided from the room. He had had the same easy elegance on her aunt's dance floor.

"I want my lessons to start Saturday." The scowl had returned to Ricardo's face as he watched Francisco leave the room.

"I have plans, as you've already heard." He was grating on her nerves, telling her what to do when she liked to control her schedule to the T. She would grind her teeth down to nubs if she hung around him more than necessary. She jammed her notepad into her briefcase.

"I'll be there before your group lessons start."

"Do I have a choice in this?"

He stroked his dark beard. The silence in the room was thicker than in a courtroom drama. "No, you don't."

"I want this in writing."

"I promised you that already. We don't have to repeat our gentlemen's agreements. For the record, you have three months to sufficiently prove why I shouldn't proceed with my already established plans on leveling your aunt's studio. If you cannot convince me, you will agree to accept my offer to buy the studio, since the lease is nearly up anyway. In the meantime, you will work ten hours a week on my advertising campaign. And you will give me two hours of dance lessons a week."

"Fine." Her ears were ringing and she was sure smoke would start wisping out of her ears.

"We'll have the papers drawn up immediately. I can drop them off to you tomorrow, or you can pick them up here when you check in to work."

"Tomorrow? I have other clients, you know."

"I know, and now I'm one of them. I think, darlin', it would be best if you came in two hours a day to start. There's a lot of homework to do initially, and I don't want you overwhelmed. I wouldn't want you burning out before you get a chance to complete my campaign."

"How soon are you breaking ground?"

"Within the week."

She took a deep breath as she smoothed out her skirt. Business, she could handle; it was Ricardo she wasn't so sure of. "May I take the floor plans and blueprints with me today?" She glanced at her watch, wanting plenty of time to get to her grandfather before he could balk at her offer to take him to the doctor.

"Another appointment?" He placed the floor plans on top of the blueprints and rolled them up together, taking extreme care in curling them up just so.

"Yes. My grandfather needs . . ." She shut her mouth.

She wouldn't let him see her vulnerable spots. "Yes, I have another appointment."

"Thank you, Julia, for coming in. I know it wasn't easy."

She waited for the sarcasm that never came, and swallowed the lump in her throat. "Thank you for accepting my offer. You won't be sorry." She picked up the blueprints, nodded to Chase and walked out the door.

Chapter Five

The next day back at Ricardo's office, Julia studied the floorplans and Ricardo studied her. Her hair looked shiny and soft and the color of chestnuts at Christmastime. His fingers itched to touch it, to tuck it back behind her ear so that a better glimpse of her long, creamy neck could be had. Strands fell softly across her cheek, blocking his view of her dark eyes.

That was more than okay. She looked at him with venom these days, even though her voice managed to stay sweet and sultry.

"So is it salvageable?" He wanted to hear rebuttals and see how her mind worked. He wanted a simple conversation to get them off on the right foot as colleagues. Hell, all he wanted was a second chance to prove his decency.

She glanced up as if she'd forgotten he was there. "Don't patronize me, Montalvo. You know perfectly well all you need is a local angle, something that'll make these three restaurants unique to San Diego. I intend to give you that angle."

"I'm sure you'll do a fine job of it. I'm not worried."

She clicked her pen over and over, a faraway look coming into her eyes. "Based on what I've seen, you have a great product." She popped the pen into the breast pocket of her jacket, a royal blue that made her hair come alive. "Under different circumstances, I'd be thrilled for you."

"You gave me your word you'd give me a hundred percent of your effort." He couldn't take his eyes off her lips, the soft plum color inviting.

"I will." She shrugged. "You realize I'm not doing this for you."

"I know that," he said quietly. "I'm relying on you to make it viable anyway. The faster we get this off the ground and flyin', the faster I'll be out of your hair, one way or another."

She walked over to the window and leaned her forehead against it. He tried to see the studio from her eyes. It looked small and vulnerable when compared to the huge concrete trucks just beyond, the construction company working overtime on pouring the foundation for his restaurant.

He stood behind Julia and wanted to wrap his arms around her slim body and tell her everything would work out fine. He knew from past experience that the churning in his gut signaled otherwise. He struggled to find the right thing to say. "For what it's worth, I wish the circumstances were different, too."

She turned away from the window and looked at him for a long time, with hardly a blink. He wanted to drown in her gaze, but realized he probably didn't have a choice. The dark brown eyes bored deep into him.

Second by second, Julia seemed to peel back layers until he felt she'd gone too far. He shifted his weight, uncomfortable under her scrutiny, afraid of the compassion in her eyes as they searched his face for answers.

He couldn't give her the explanations he knew she wanted to hear. She moved away, breaking their eye contact. "Yes, well, wishes are overrated aren't they? You know the old children's rhyme—if wishes were fishes we'd have a fish fry?"

He nodded, not knowing what the hell she was talking about, but not wanting her to go.

"Since you came into my aunt's studio, I've never

wished or prayed for anything so hard as I have for you to go away and leave us alone. There wouldn't be any fish left in the sea." She sighed. "Under different circumstances . . ." She pulled open the door. "Don't be late for your dance lesson."

He let out a deep breath when she closed the door behind her. There was no way he'd let her get to him again. He wasn't a sucker—never had been, never would be—but she had already given him a glimpse of wishful thinking.

There was no room for emotion in business.

He glanced out the window and watched Julia walk across the street with a confident gait. No room for emotion, he repeated.

He laughed out loud, a nervous reaction to his sudden insights.

Julia *was* emotion. She'd dragged something out of him already, something that didn't belong on the negotiating table. If he wasn't careful, his motto would shatter beyond repair.

He'd worked too long and too hard to get to this position in his life. A little thing like Julia wasn't going to change a damn thing just by throwing some emotion into the already simmering pot.

Julia had almost let her guard down with Montalvo earlier. It wouldn't happen again.

On the dance floor, Ricardo was terrific. The superhero body and duckbilled boots should have skidded on the dance floor or tripped over her toes. Instead he moved silkily, hips and legs in great synchronization. She appreciated every simple movement under her instruction and scrutiny.

There was one small problem.

He held her like there was no escaping tomorrow. His

palm rested against the small of her back—rather, heated the small of her back. Julia glanced over at the rest of the group in the studio and fought the urge to run to them. There was safety in numbers.

"A dollar for your thoughts." Ricardo pulled back to look at her.

She stopped dancing. "What happened to the infamous penny?"

"They still make them?"

"They're the bartering tool of choice in this neighborhood."

"Your poor pauper—martyr attitude is getting old, Julia. Don't try to be something you're not just to get under my skin." He lifted her chin. "Besides, there are better, more inventive ways of doing that."

She slapped his hand away, shocked at the sensation that rippled through her under his callused fingers. "Ricardo, we have to work on your lack of self-esteem problem."

"Not before we work on your manners."

"My, my . . ." She shoved him away.

He grabbed her before she could take another step. "Control, darlin'," he said through clenched teeth, but managed to smile at her anyway. "We made a deal. Now adhere to your end of it. Dancing lessons are buying time for the studio. This lesson isn't done for the day, now is it?"

He yanked her closer, crushing her body against his.

The breath whipped out of her. She closed her eyes and inhaled slowly, the scent of his Stetson cologne seeping through the cotton of his black polo shirt. She vaguely remembered working on the Stetson account years before, but it had never smelled like this on any of the models she'd used.

She slipped her hand out of his and wedged it between them, placing it firmly on his chest. She pushed back the sense of panic that was coursing through her. "It will be over if you don't let me breathe." She felt the slightest give from his hold on her.

"Sorry," he mumbled.

"Proper distance, proper stance." She placed a shaky right hand on his shoulder and took another half-step backward until her arm was nearly taut. Safe, she thought, her heart rate finally slowing. Lifting her left hand, she waited.

He said nothing for a long moment, studying her face. She jutted out her chin a little more, and held his gaze, ignoring the way her legs were turning to jiggly *flan* under his scrutiny.

"You play tough, Jule," he finally said, and gently slipped his hand around hers. "I'd like my lessons to be an enjoyable experience."

"Normally they would be. But this is business. And there's no room for emotion in business deals. Isn't that your motto?"

"Good memory. Yes, ma'am, that is my motto. That doesn't erase the fact that you feel great under my hand here."

He pressed his hand into the small of her back again, an unbearable heat seeping through her whisper of a dress. "Or that your hair smells like rainwater or that your laugh, the little I've heard of it, sounds like a song. Having you this close makes it enjoyable already, but Lord help me if you ever decide to be civil."

Julia's mouth fell open. She stepped on his toes, bringing their dance lesson to a permanent end. Heat climbed to her face, shame at her behavior, tore at her loyalty for her aunt. Her aunt, her grandfather, even her parents, would have treated this man more civilly, despite the circumstances.

She glanced at Elvira, a true picture of class and dignity evident in her straight posture, in the way she treated every one of her students and friends. She smiled warmly at her and Ricardo.

Lorenza waved to Julia and gave her the A-OK signal again. Julia looked away quickly. Lorenza, ever the romantic, was so far off base, it wasn't even funny anymore.

Julia was only trying to protect Elvira, to save her business, and conserve a haven for the seniors who lived around her.

Julia looked down at her toes, unsure of what to say to Ricardo. Finally she mustered her courage and met his gaze. "I'm afraid my attitude won't change anytime soon. But you're a quick study. I'd like to think it's due to my tutelage, but I give credit where credit's due. You have the basics down pat, Ricardo. You can join the rest of the class. Perhaps you'll find the conversational stimulation you need there."

She pulled out of his arms, and the coolness against her skin was unwelcome despite the warm afternoon temperatures outside. "Now, if you'll excuse me, I need some fresh air." Walking around the chairs scattered between her and the side door seemed like an obstacle course with no end in sight.

"Señor Montalvo, please join us." Her aunt's voice drifted out to Julia. How could she do that so effortlessly? Julia wondered. She glanced back at Ricardo.

The group was waving him over. He looked at them, then at Julia.

He shrugged and ambled to the waiting men and women.

Ricardo watched her go, the lump in the pit of his stomach churning like some alien being had taken over his body. Lord knew it had already sucked every semblance of common sense from his brain.

A blur of fingers waved in front of his face and the murmur of voices behind him became clearer. "Hello?"

He looked down at the short woman standing before him, moving her hand in an up-and-down motion until he came to. "Are you deaf, boy?" asked the woman he already knew as Lorenza.

Before he could answer, she turned to see where he was looking. A glimpse of Julia's leg flashed as she stepped from the room to the brightness of the outdoors.

"Nope. Not deaf," Lorenza said. "Just blind."

"Excuse me, Señora?"

He shifted his gaze to her. She smiled, the gold lining the edge of one front tooth distracting him. He was in for a lecture, he could see it in her eyes, but there was humor there, along with compassion. "You two are the most stubborn young people I've seen in a long time." She clucked her tongue. "What a waste. Don't let business dictate the desires of your heart."

"My heart has nothing to do with this, Señora," he said, even though it pumped louder and harder when Julia reentered the room. He held his arm out to Lorenza. "Would you do me the honor of being my partner on the next round?"

"Of course, Ricardo. I'm no fool—like some people I know."

Elvira clapped her hands. "All right, class, let's get ready." The group formed two circles, the inner one made up of women, with the men standing in a circle directly behind them. "Basic step for this song, and we'll switch partners every few minutes."

Julia slipped into her place, as far across the circle from him as possible. She was an incredible sight, lighting the room with her smile. He especially appreciated the purple velvety dress she wore. It was very short, and flattered her legs.

He glanced at the group of elderly people surrounding

him, laughing, humming, and swaying. His own family reunions had had the same air about them until his grandmother died two years ago. No one seemed able to get up enough "oomph" to continue organizing the events for the nearly fifty family members. Not even he had taken the initiative. His grandmother would have loved this group, and would have loved for him to keep their own family outings going.

Unable to deal with her death and the financial straits his parents had been subjected to, he had run instead. He'd let them down when he was released from the Cowboys, and he intended to make up for it somehow.

He still cringed at the memory. Before his career as a quarterback had a chance to soar, he'd allowed a little injury to cause his own demise in the pros. Sacked one too many times until his rotator cuff had had enough, he'd tried to make up for that embarrassment by starting the restaurant chain. It wasn't the same, but he had jumped at the chance, while his name was still recognizable. He hoped people still remembered who he was, who he'd been, if even for a short while.

"If you don't pay attention, son, we're going to leave you in the dust." Julia's grandfather stood to his right. A dapper old gent, Ricardo had liked him from the moment Julia first introduced them. Wizened eyes, like Lorenza's—hell, like all of them in the room—cut him to the quick. There would be no smooth-talking around these guys. They'd already been around the horn more times than they could remember.

"Don Carlos, it's good to see you again."

"Are you getting the hang of this yet, or do you miss that old two-step of yours?"

"Nothing quite like a good, fast two-step."

"Except maybe a woman that can keep up with it." Mischievous eyes met Ricardo's. He waved at the woman in front of them.

Ricardo laughed.

"Julia will give you a run for your money, son."

Ricardo stopped laughing. "Julia," he said, weighing his words carefully, "is one tough cookie. I doubt I could keep up with her."

"So you have noticed her when you two aren't arguing."

"She's hard to miss," he replied before he could stop himself.

The sparkle left the older man's eyes. "We wish you'd leave the studio be, but I understand it's business." He rubbed the center of his chest with gnarled fingers. "We know you'll do what's right in the end."

As if on cue, Elvira quit demonstrating the step and switched on the music. A lively beat filled the air. She clapped in rhythm to it and then shouted, "Positions. Aaaannnd . . . Go!"

She grabbed Ricardo. Mortified, he fixed his eyes on their feet, trying to count out the rhythm, hoping against hope her toes would be spared. Forward, quick, quick, slow. Glide back. Quick, quick, slow.

Julia had graciously forgiven his clumsy attempts. But if he physically hurt Elvira by stepping on her feet, an attack from the masses would be inevitable. He concentrated so hard sweat broke out on his brow.

"Relax, Ricardo." Elvira's voice was commanding but soft. "Let your feet listen to, then follow the music. Trust yourself." She tapped his shoulder. "Look up, into the eyes. How else will you make that special woman swoon as you sweep her off her feet?"

Elvira twirled out of his arms, leaving him standing alone, with arms outstretched. He slowly brought them to his sides.

"Change partners!" she commanded.

The men in their circle shifted to the right to be standing before a new woman. Julia faced Ricardo.

"Darlin', so we meet again." His heart picked up the

fast rhythm, but it didn't have anything to do with the beat. The low-cut V-neck dress might have had something to do with the increased thumping against his ribs.

Julia rolled her eyes. He wanted to yank her chain, get some kind of feisty reaction from her, but he wasn't sure he'd like the kind of reaction she'd give. "Dollar for your thoughts."

"Is this déjà vu?" She stretched her arms out taut so her body would be as far from his as possible. "I hope this is a fast set."

He tugged her in closer to avert his eyes from the gentle curve of her full breasts. They were driving him crazy. "I don't bite, darlin'." He smiled. "Yet."

"You're wrong. You've already sunk your teeth into us and left a gaping wound."

She could just as well have slapped him. His smile evaporated at the venom in her words. "Julia, I've laid a business proposition on the table. Nothing more, nothing less. You're acting like a spoiled child on the verge of a tantrum, not like the professional woman I know you are."

"I'd forgotten how much you know, Ricardo. Puts the rest of us to shame when we let a little emotion trickle into our business dealings."

"That's it." He yanked her against his body, even though the music had stopped. He'd had about enough of her insolence; he'd quietly taken her disrespect because he thought he deserved it. But he didn't.

His blood pressure screamed for mercy around her. "I've tried to come around and give you some leeway. You continually spit that back in my face. You're working for me right now and I demand some kind of mutual respect."

From the corner of his eye he saw Elvira hurriedly slip another CD into the player to fill the heavy silence filling the room. Stunned faces with wide-eyed interest glued their gazes on Julia and him, now at center stage.

"Will you answer me?" he hissed, trying to lower his voice.

Julia crossed her arms. Ignoring him, she looked over his shoulder, and a smile lit her face. She pushed past him. "Excuse me."

A collective gasp went up around Ricardo. He was left standing alone in the middle of the large, unmoving circle.

"Ricardo!" Lorenza's voice woke him from his stupor. She jerked her head in the direction of Julia's dramatic exit. She started talking animatedly to a group of nearby women. The show had begun.

The music suddenly filled the room, but did nothing to change the mood. Everyone looked like cardboard cutouts. Everyone but Julia seemed afraid to move. The music picked up its beat as she reached a clueless Francisco standing at the door.

Francisco looked at her and smiled but immediately took in the surroundings and the somber atmosphere. *"Hola, amigos."* He hesitantly raised his hand in greeting. Only a sprinkling of hands returned the gesture.

"Montalvo?" he asked, nodding his head, a puzzled expression waiting for someone to explain the punchline that never came.

Julia glanced back at Montalvo and then slipped into Francisco's arms. Another gasp came from the rapt audience.

Elvira called out, "Julia, lessons, my love." Her worried voice rose above the music.

Julia blew her a kiss and started moving to the beat. Francisco had no choice but to follow.

Ricardo crossed the room in several huge strides, each one making Francisco's eyes grow wider. He tapped Julia's shoulder.

Francisco stepped forward. "She's busy, Señor Montalvo."

"Stay out of this, Valdez," Ricardo growled. He turned to Julia, his fury swirling like an uncontrollable wildfire. "Unacceptable, Julia. We need to talk. Now."

She glanced at the roomful of friends and students. She smoothed her dress, her chest heaving. "Auntie! I'll be back in a few minutes." She shook back her hair and walked out as if it had been her idea in the first place.

Ricardo turned to face the speechless crowd. He lifted his hat off his head and bowed slightly from the waist. "If you'll excuse us." He shoved the hat back onto his head, and stormed out of the studio after Julia.

Chapter Six

They made it to Ricardo's office with no further incident, but the damage had already been done. He closed the door and leaned against it. She rested a hip against the edge of her desk and crossed her arms defiantly.

"You're working for me, Julia." Ricardo fixed a stare at her upturned chin, at the red lips that would have been quivering if they knew the depth of his anger. "When we're in public, you'll act like you like it."

She stood stock-still, her face calm, her gaze maddening.

"Will you say something?" He pounded his fist on the desktop. "Damn it, Julia. Stop fighting me on this. You of all people should know that image is everything in this business. You *will* paint a pretty picture of me and my restaurants around your aunt's clientele. If you continue to sabotage my work, I'll renege on my half of the deal. Your three months' grace period will end right this minute if you don't promise me full cooperation."

"You'll have my full cooperation." She picked up her briefcase and headed for the door. She turned to face him. "Will that be all—*Boss?*"

He raked his fingers through his hair, ready to yank it out by the handfuls. "No." He stalked over to her. "It doesn't have to be like this, Julia. Work with me, please. Be nice, for chrissakes."

He was trying dammit. Didn't she see that?

"I can't," she said quietly.

"You can, darlin'." He stood before her and pulled her to her feet.

She shook her head slowly. "You bring out the beast in me."

He gently pried her fingers from the briefcase handle and set it on the floor. "I'd like to think I bring out that protective streak in you. Mama lion protecting her baby cubs, so to speak. Your aunt is lucky she has you."

She studied his face. He let her. The silence grew heavy, but not uncomfortable. "You scare me sometimes," she said finally, but without a hint of fear.

"I don't mean to. Honest." He bent and touched his lips to hers. His arms automatically encircled her, wanting to protect her for a change.

Her eyes grew wide, wider than he'd seen. He didn't release her. Wouldn't release her. Didn't want to release her.

Her lips were incredibly soft. His mouth tingled like some four-alarm chile had taken root there. He wanted his mouth to veer from those lips, to travel the length of her neck, to her earlobe, her cheek, but his common sense kicked in. If his lips left hers, she'd make a run for it. He wasn't ready to let her go.

For a second he thought it his imagination, then he was sure of it. Her lips parted slightly as if taking a shallow breath, softened even more, and she closed her eyes. He deepened the kiss, wanting to savor that mouth and drown out the arguments that had reduced him to monster status.

Her grip on his shirt loosened. She lay one hand on the back of his neck and pulled him closer. Her other hand stroked his cheek and singed his beard, the tender touch of her fingers as violent as any explosive.

A moan soared up between them. He let his hand fall from her hair and make its way down her back, each inch of her body burning his hand like flickering flames.

She rose to her tiptoes, and her full breasts rubbed against his chest. If she hadn't had a suit jacket on, he'd have been a goner.

He held her close, but was unable to get close enough to this woman who'd turned his world upside down and dragged her family in to watch. He didn't give a damn.

Right now, he'd stand on his head for them, promise them shares in the restaurant chain, throw a fiesta like they'd never seen. Just as long as Julia stayed in his arms and kept her mouth on his for a few minutes, the horrendous monster she'd made him out to be might disappear.

The room grew stifling hot. At worst, her clothes might stick to the curves of her body and he'd have to help pry them off her. At best, their arguments would melt on their tongues like chips of ice on a wicked summer day in south Texas.

His fingers trailed along her torso, feeling the edge of her full breasts and she sucked in her breath, breaking their kiss. She looked at him with desire in her eyes—there was no mistaking that, no way to hide the reactions of their traitorous bodies. He brought a hand up to her cheek and brushed back the strand of hair clinging there. She covered his hand with hers.

"Julia, darlin'," he whispered, his voice no more than a croak. "Why do you fight me so?" He twined his fingers with her delicate soft ones.

Tears welled up in her eyes. "You know why. You put me between a rock and a hard place, Montalvo."

"I don't know what to say." Not when her skin felt like this, not when her body molded itself to his, not when her lips looked swollen, not when she was this close to crying.

She managed to smile. "That must be a first."

He placed his finger on her lips. "Darlin', we have to work on your idea of sweet nothings."

"You bring them out of me, Montalvo."

"Let me spark you some other way." He leaned down and touched his lips to hers. Man . . . Heaven.

A bell jingled somewhere in the back of his mind. A warm gust of wind swirled around them, shaking loose some flowery scent. "Do you smell that?" he whispered in her ear, afraid only he could smell it.

"Mmm-hmm. Lilies."

"Good," he said, relieved. "I like your perfume even better than that." He nuzzled her ear, her neck, her jaw.

"I'm not wearing any." Her voice sounded far away.

"All you?" He was truly fascinated. "If I could bottle that up, we'd make a killing." He kissed her again. "No. I'd rather die a poor man—I wouldn't want to share it with anyone."

"Spoken like a true entrepreneur." She stood on her tiptoes and kissed him. She definitely had an unfair advantage.

A knock sounded on the closed door that separated the two offices. They jumped out of each other's arms. Ricardo didn't remember closing the door earlier.

It swung open. Chase and Francisco stood in the doorway.

Chase had the silliest-looking grin on his face Ricardo had ever seen. Francisco, on the other hand, looked as if his face would crumble into thousands of pieces, like a boulder falling from a mountain top to shatter on the earth below.

Ricardo focused on Chase, couldn't bring himself to look at Julia, and didn't want to spoil the euphoria by confronting Francisco. "What's up, Chase?"

"We're all waiting, dude."

Julia picked up her briefcase. "All?"

Ricardo turned to look at her and immediately regretted it. Julia definitely had that Helen of Troy magic about her. She could launch a war with that face. He could perish. He wiped the back of his hand against his throbbing mouth.

Chase took a sip of whatever was in the Styrofoam cup he held. It looked mighty refreshing to Ricardo's parched throat.

"Your family, neighbors. Everybody's outside. They came directly from their dance lessons."

Color drained from Julia's face. "The town council meeting." She glanced at her watch. "Why are you so early?"

"Rick's open house."

"Open house? What for?"

A veil covered her eyes. The Julia he'd had the opportunity to see was gone. His stomach sank.

"No bribes, darlin'. They came of their own accord. No one gave me a welcome party to the neighborhood, so I thought I'd throw an open house, let people come and not be afraid to ask me questions. Did I forget to mention this to you?"

She shoved him, but it did little more than send a ripple of electricity down his chest. "I think you *conveniently* forgot to tell me." Her mouth set into that grim line again as she walked past him.

Ricardo touched her arm. "I think you should freshen up before you go out there," he whispered in her ear. "You can use my bathroom."

She started to say something, but shut her mouth. She ran her hand through her hair. "Thank you."

When she shut the door behind her, Chase laid into him. "Working on intensive advertising strategies for the restaurant?" He walked over to the desk and started tossing the paperweight between his hands.

Francisco leaned on the doorjamb like a model posing for a *GQ* shot. "You know, Señor Montalvo, you're already walking a thin line in this neighborhood. I wouldn't do anything to make you tip to the other side."

"Excuse me?"

"Julia is family here. You're an outsider. I'd be careful how you treat her and her family if you want any kind of support from me or the community with your project. You already have enough of a formidable foe, and that's Julia herself."

"Then she's *your* formidable foe, as well, isn't that right, Señor Valdez? Or have you forgotten how much I've sunk into your campaign with the agreement of your unquestionable support?"

Francisco straightened his tie and shrugged his shoulders. "Don't play games with me, Señor Montalvo. I can make you or break you in this neighborhood."

"By the same token, I can say the same for you." Ricardo cracked his knuckles, an easy way to divert his negative energies.

Even though they stood well enough away from each other, Chase planted his body between them. "It's not about the two of you. The faster you see that, the faster you'll get the community support you both want. I doubt either of you will get Julia's support at this rate."

Ricardo glanced at the closed bathroom door. How badly did he want that restaurant? Julia in his arms was worth more than an infinite number of restaurants. The realization frightened Ricardo.

Julia stepped through the doorway and stared at each of them, starting and ending with Ricardo. "I missed something important, didn't I?"

"Ask me anything, Julia," Ricardo said, "and I'll give you an answer."

"Good. I'll hold you to that." She walked past all of them, and straight into the front office.

"Julia!" Her name echoed a hundred times over.

Ricardo could see even from where he stood that she hunched her shoulders as if she were being pelted by snowballs. She set down her briefcase and waved. "Hey everybody."

Ricardo was impressed. Nothing like being thrust into a surprise situation and turning it in your favor.

She ducked back into Ricardo's office. "My entire family's out there," she hissed. "The entire neighborhood, everybody. The room's jammed."

"Is there anyone I haven't met?"

"Don't patronize me, Montalvo." She turned to Chase. "How long have you all been out there?"

"Twenty minutes?"

"Oh, no." Julia covered her face with her hands. "I've been consorting with the enemy. They're going to know instantly."

"Know what, Julia?" Chase asked innocently.

Julia ignored him, and began fiddling with the lapel of her suit.

Her slender fingers mesmerized Ricardo. Could something that delicate be so lethal, weakening him with a touch?

Francisco looked at Ricardo with disgust, even though he responded to Julia's comment. "Yes. You're in enemy territory with no real backup."

"You're a part of this too, Cisco."

She stopped fiddling, planted her hands on her hips, and turned to Ricardo. "I know you're trying to buy the business, but can you stop trying to befriend them? Are you using them to get to me?"

She paced. "Don't drag them into this more than you already have, especially if you're going to hurt them in the process and then just leave them in your dust. You won't be here to see the effects after the dust settles. By then you'll be long gone."

He wondered who exactly she was talking about, wondered if she lumped herself in there with the rest of the clan. He wouldn't go there. "You think I'm using them to get to you? That's rich, darlin'. You don't have an ego problem either, do you?" He smiled.

"It's not my ego I'm worried about, Ricardo. I can take anything you dish out, but my family shouldn't be subjected to any of your high-handedness just to have the rug pulled out from beneath them when the timing's right."

"Geez, darlin', I thought we'd worked through all that. Don't you trust me yet?"

"I have no reason to trust you. You didn't even mention something as simple, yet monumental as this activity to me."

"Julia, there's a sign in the window, for cryin' out loud. Give me a break."

"There is?" She stalked past them and they followed. The crowd parted to let them through.

She walked out the front door and turned to face the building. The crowd waited silently. She walked back in. "There's a sign, all right. Sorry. I sometimes jump to conclusions."

"Sometimes?" His sarcasm was lost on her. Or she conveniently sought to ignore him. She waved over a good-looking couple. "Mom, Dad, come here a minute. There's someone I want you to meet."

Julia grabbed Ricardo's forearm and pulled him close to her side. "Mom and Dad, this is Ricardo Montalvo, owner and founder of Ricky's restaurant, and one of my clients, temporarily."

"Oh, *mi hija,* we've already met." A big man himself, her father shook Ricardo's hand in earnest. "Matter of fact, he helped me unload the newest shipment of knick-knacks and whipped up some margaritas afterward that were the best I'd had in a long time. Reminded me of the ones I used to make."

"Secret Texas ingredient that gives them that extra punch." Ricardo rocked back on his heels just like her father. They mumbled some incoherent things to each other and chuckled.

The smug smile vanished from Julia's face. "You've already met?" She glared at Ricardo. Why did it feel like she was slipping into quicksand around him?

Her mother smiled, the radiance rising to her hazel eyes. She shook Ricardo's outstretched hand, the contrast of his dark skin beautiful against hers, so fair. "He brought over some coffee and *pan dulce* the other morning and we visited for a while," her mother said.

"Of course he did."

"Are you all right, *mi hija?* You don't look well." She felt Julia's forehead with cool fingers.

"Let me see, Doña Maria." Ricardo slipped his hand onto her forehead, then let it slide down her cheek. "She does seem a little warm to me, too."

"Stop talking about me in the third person." She smiled sweetly. "I'm just fine, Mom. Señor Montalvo makes my blood boil, that's all. Not very good for my health, I'm afraid."

"Everyone makes your blood boil, *mi hija.*" Her mother patted her cheek. "You have to ease up." She waved to Aunt Elvira on the other side of the room. "Try to enjoy the party, Julia." She kissed Julia and hurried off. Her father gave Julia's shoulder a squeeze and slapped Ricardo on the back before ambling off behind her.

Julia leaned over so that only Ricardo could hear her. "Stop inching your way into our lives. You're not welcome." He frightened her. What he made her feel frightened her even more. It had nothing to do with open houses or business tactics.

"I'd tend to disagree, darlin'. I feel right at home here and I'll do everything in my power to try to belong and make everyone happy in the process. It's what I do best."

She fixed her gaze on him. "Don't even go there, Montalvo. What you do best is uproot families and try to squeeze in before blindsiding them and taking over their businesses and communities. End of story."

What he did best was kiss her so remarkably, he made her lose her footing. He made the war she waged seem futile, made her question what they were fighting about in the first place. She couldn't lose sight of what she had to do because one little kiss had melted the icy facade she tried so hard to hide behind.

She clapped her hands. "Everyone, thank you for coming. Let's offer Señor Montalvo a great big welcome." Everyone followed her lead and clapped and whistled a greeting. "Thank you, Señor Montalvo, for opening your office to us tonight and offering us all these wonderful foods and the promise of a good time."

Another round of applause filled the room. Every imaginable space was filled with platters of appetizers: homemade nachos and slices of *jicama* and carrots to accompany the salsa and dips; enchiladas and tacos, rice and beans, *sangria* and margaritas and virgin drinks at the far wall.

"Make sure you introduce yourselves to him so that he can put real live faces to the businesses here in Old Town, so that he can see there's more to our businesses than our storefronts. Now eat and enjoy. The town council meeting's in one hour."

She turned to Elvira. "Auntie, could you do what you do best?"

Elvira waved to her, then flipped on the switch of Ricardo's CD player as if she'd been using it for years. Francisco eased into position next to Julia's parents.

Ricardo started toward him, ready to wipe the smug look from his face. A hand clamped over his forearm.

"You don't want to do that, son. Francisco's been in the family since he was in diapers."

"He's dangerous," Ricardo growled.

"Not really," said Don Carlos. "But he's mighty protective, and like Julia, quite emotional about what matters. It clouds their vision sometimes."

"Is he still in love with Julia?" Ricardo saw the way Francisco had looked at Julia earlier and it had thrown him off.

"Wouldn't doubt it."

"Is Julia still in love with him?" Suddenly, that's what mattered more.

"No. Not in the way you're thinking, but you should ask her directly." Don Carlos rubbed his chest, a faraway smile lighting his eyes. "There could be worse things."

"Like what?"

"Letting opportunities slip through your fingers like silky strands of hair. Or seeing with your eyes instead of your heart. Or not understanding that business is only a small part of life."

"Tell me, Don Carlos. Is she always good at pushing people away who want to help her?"

"I'm afraid so. She wants to be the one to help, the one with all the answers, the one to protect us older folks." He patted Ricardo's shoulder. "But she has to learn that giving in a little is not giving up."

"I'm afraid it is where I'm concerned."

"Then change her mind." Don Carlos walked away, shaking his head. "And it wouldn't hurt to impress her at the town council meeting."

Ricardo took a swig of his drink. That would be easier said than done.

The air in the small meeting room at the town hall grew stifling. Ricardo and Julia stood at the front near the councilmen, a hot breath away from the neighbors jammed into the first row of seats.

Francisco rapped the gavel and ordered the meeting to come to order. The bright lights of the cameras from the television news crew focused on him. "Thank you all for coming to this impromptu meeting." He straightened and gripped the sides of the podium. "I'm always very happy to see so much support and involvement from this community. As always, I'm honored to represent you."

The crowd clapped. Relief swept over Julia. She and Francisco had lived here all their lives. This clan, so much like family, wasn't going to allow Ricardo Montalvo to squeeze into the neighborhood and flatten her aunt's studio.

"We have only one item on the agenda. We are, simply, officially welcoming a new businessman to the area, who many of you have already had the opportunity to meet." He adjusted his burgundy tie, a splash of color against the crisp white shirt and navy suit he wore. "I'd like to hand the mike over to Señor Ricardo Montalvo so that he can tell us a little about himself and his plans."

Smooth move, thought Julia. Francisco stepped back to let Ricardo take the heat. After Ricardo explained his intentions, Francisco would gauge the audience reaction. That would determine how to tell them he was supporting Ricardo's project.

She had to think they wouldn't get to that point. She could see the crowd now, up in arms, angry at Ricardo's assumptions and invasion. They would run him out of town to come to Elvira's rescue.

Ricardo stood at the podium and took the microphone from its perch. "This feels like home."

Julia rolled her eyes. There was no room for another politician in the neighborhood. He was at ease with the mike in hand. Julia suddenly hoped he wasn't also into karaoke.

"I'm opening a sports theme restaurant and dance club, right between Elvira's studio and the shop that specializes in hand-painted signs." He stepped around the podium and walked down the cramped center aisle.

A soft wave of murmurs washed through the room.

He held up one hand. "Not to be alarmed, folks. The lovely Señorita Julia Rios has graciously offered to help me with an ad campaign. The restaurant will be a positive addition to the neighborhood, and we'll keep you updated on the project. You are more than welcome to visit me on the worksite or in my office across the street from Elvira's with any questions you may have."

He made eye contact with as many people in as many rows as he could. If he were anyone else, Julia would have been impressed with the way he worked the crowd.

"I do want to make it clear that change in the neighborhood may be inevitable, but we'll wait for three months to see if we can implement Julia's suggestions at that time." He tipped his hat at Julia. "If her suggestions are viable, we'll leave the rest of the block untouched by the project."

He made his way back to the podium. "In the meantime, I look forward to working closely with Julia"—he winked at her—"and getting to know each of you over the summer. Old Town seems like the best place to live and work, and I can hardly wait to get started."

The crowd started a tentative clap, but when Francisco joined in, they didn't hold back, the clapping becoming thunderous. Ricardo replaced the microphone, waved and took his place near Julia again.

Julia fumed at both men. She'd been set up.

"Thank you, Señor Montalvo." Francisco spoke boldly into the microphone. "I'm sure you'll find this the best place in San Diego for your restaurant. Please call on me or any of us if we can be of service. Thank you everyone for coming today."

Lorenza threaded her way to Ricardo and Julia. "It will be a great pleasure to have you in the neighborhood. We always like news—I mean, new neighbors, of course. Will you be taking any more dance lessons?" She glanced at Julia, trying to appear innocent, but failing miserably.

"As a matter of fact, I will." He put his arm around Julia like they were buddies. "Julia's offered to teach me salsa over the summer."

Julia shrugged off his arm. "I made a deal with the devil," she muttered.

Ricardo leaned down and whispered, his breath warm and soft in her ear, "You better get to work. The neighborhood's depending on you." He reached into his pants pocket and pulled out a silver key on the end of an "I Love Texas" key chain. "My office is your office. It'll be my pleasure to see you there every day."

She stared him square in the eye. "It's going to be a hell of a long summer."

He laughed that rich, wonderful laugh and sauntered off, his jeans just right on his long legs and tight butt. He shook countless hands along the way to the door. The women watched him appreciatively, the men slapped him on the back and laughed at his jokes.

And Julia swallowed hard. Correction. It was going to be one hell of a long hot, hot, summer.

Chapter Seven

The music, as it had in the past weeks, lured Ricardo to the studio. He hadn't been as productive as his agenda had called for, but the trade-offs had been worth it.

Julia stood in position with one very embarrassed young man. Every other seat was filled with fidgeting boys and girls he figured to be about twelve years old, and their taunting of the poor victim was relentless.

"Music," called Julia. Once the music started, the class quieted down and watched them with great interest. As the boy's feet fell into an easy beat, he looked up at Julia with a beaming face.

Ricardo clapped at the end of the song. The surprise on Julia's face pleased him. He sauntered into the room. "What's with the half pints?"

"Half pints?" The words echoed through the room, the energy bristling. "Our pro bono. They're on year-round school schedules and it gets a little boring. So we teach classes to sixth-graders twice a week, rotating to different schools in the area."

"Sixth grade?"

"It's a pivotal age. Beside, they're the future for our music. We want them to appreciate it, love it, make it a part of their lives as they grow up." She wiped her hands together as if she were ridding them of sticky crumbs. "We're lucky. There's a new wave of a dance craze aimed at kids right now."

Ricardo took a good look at the group, stroking his beard. They stared back at him in stony silence, wary and typical sixth-graders. "Why sixth grade?" he asked, loud enough that they could hear every word. "I know from experience that sixth-graders are disrespectful and difficult to teach. Can they dance yet or are they just here to get out of class?"

"Hey!" A murmur went up from the crowd.

Julia quieted them down. "Ricardo, they were perfectly fine until you came stirring things up again. You seem to do that well, leaving devastation in your wake like some wayward tornado."

He ignored her and turned to the class. "Is she a good teacher?" He jerked his thumb at Julia.

An enthusiastic nod came from the crowd, then quickly turned to a more subdued one. They all leaned forward in their seats.

He leaned in conspiratorially. "Señorita Rios is my teacher, too."

Hoots of disbelief filled the air. "Señorita Rios—woo, woo."

Heat rose to her face. "Thanks, Ricardo. Trying to start a mutiny?"

He held his hands up. "Who me?"

She stepped forward and patted the young boy's shoulder, indicating that he could go. "Because Señor Montalvo is my advanced student and Doña Elvira couldn't be here today; he's going to help out the last half hour." She grabbed his hand.

More catcalls sounded.

"Wait a minute." Ricardo had been blindsided.

"Everyone come up and form a circle around us. We'll go through the basic step again. Hurry now; time's wasting."

"You can't be serious, darlin'." Ricardo tried to pull away, but she held firmly. "You don't know who you're dealing with, honey. Two can play your game."

She called for music and stood in position before him. He reluctantly took her in his arms, the kids' taunting growing louder. He dropped his hands and commanded, "Everyone get a partner. If I have to do this, so do you."

Julia looked at him, amused. "Now, now, patience with the children."

He looked down, took a deep breath, then took her in his arms. Now this felt right. "Patience is my middle name, darlin'."

"Mmm-hmm." She turned to the kids watching the goofy looks on their faces. "Everyone have a partner? Okay, watch me and Señor Montalvo first."

The music started and Ricardo stepped on her foot. The kids howled with laughter. Ricardo was not enjoying the spotlight.

Julia obviously was. She laughed along with them.

He glanced around. "Kids. They'll eat you alive."

Julia cocked her head, studying him. "So, there is a way to intimidate you." She started the silky movement again. "Look in my eyes, Ricardo. Trust yourself."

"Yes, teacher." Ricardo decided to give her a taste of her own medicine. He looked deep into her eyes. They grew wider when he didn't look away. Her mouth parted slightly, but remained blessedly silent. And then she tripped on his toe.

The kids howled again, and a soft red blush crept up Julia's neck.

"Ruthless, aren't they?" To run his mouth up that neck and follow the trail of her blush, to her earlobe, up to her temple, across her cheek, to her inviting lips, he'd endure the kids as long as it took, then send them across the street for some *pan dulce* to keep them occupied for a while.

"Revenge suits you, Ricardo." She lifted her chin in that maddening way of hers and turned to face the kids.

"Ah, honey, revenge wasn't what I had in mind." He

didn't release her hand. "Let's ditch the kids, Julia," he whispered in her ear, his words slurring after drinking her in like exquisite champagne.

"Better get used to the kids." She firmly pulled her hand out of his. "I'm hiring a couple to help me in your office."

"You can't do that."

"Sure I can."

To have twelve-year-olds underfoot, warily criticizing him, defiant in their own right. He already had enough of that from Julia. What he didn't want was another obstacle coming between him and her. He just wanted to get to know her better. "What about that image we talked about?"

"They'll improve it. They need business exposure. You need exposure to manners and patience. I need help with my deadline, fast approaching. You're going to love my work and end up leaving my aunt alone."

She patted his chest. If he peeked inside his shirt, he would surely see her palm print branded there.

"Besides," she said, "you need to be intimidated once in a while. It's good for you."

She turned to the group and pulled over a couple to stand next her. "Señor Montalvo will now dance with Patricia while I dance with Javier."

Ricardo's mouth dropped open. Wait until he got her on his turf. Business reigned there, not kids, and certainly not Julia. Here he felt like the wicked witch of the west, melting, melting.

He glanced at her curvacious body, and swallowed hard. He'd have to admit, he wasn't putting up much resistance to her heat and the threat of melting these days. Sweet Jesus, but she brought on sleepless nights with bouts of passionate, free-falling fantasy.

He wanted to seduce her without distractions. He wanted to run warm hands over her body like an artist, working it. Appreciating every curve, every smooth length of skin, every rise and fall of shuddering breath; with his hands, his lips, his heat, her body would eventually loosen under his touch until it molded perfectly against his. He stretched out the collar of his polo shirt.

He forced himself to listen to Julia's instructions. She had the kids' rapt attention. He was impressed. Maybe sixth-graders weren't as intimidating as they were made out to be. Then again, they looked as smitten with her as he was. No wonder they were listening. He rocked back, quite enjoying the show.

Julia dismissed the group in to couples again. The little girl next to him tugged on his sleeve.

Ricardo tipped his hat to the girl and offered his arm to her. "May I have this dance?"

She giggled and held on to his forearm. They all danced until the bus came to pick them up.

Their laughter and high-fives put Ricardo on cloud nine. "That felt good," he said as he folded up the chairs and stacked them against the wall. "They weren't the terrors I feared they would be."

"Nor were you. You're human after all."

"Don't be so sure, darlin'. You just caught me with my pants—my guard down."

She sashayed her way over to him. He stopped working just because he enjoyed watching her move.

"You're nice when you're not ruthless, Ricardo. You should try it more often."

"I'm not ruthless, darlin', I'm just a damn good businessman. If you took off those blinders of yours, you'd see me for what I am, maybe even appreciate what you saw."

"I see you shift back and forth like Jekyll and Hyde and wonder who the real Ricardo is."

"It's all me, Julia. The good and the bad, like anybody else."

She sighed and smiled. "Thanks for helping me today.

You were a good sport. I'm sure the kids will be talking about it for days and you'll be famous for a while."

He grabbed her hand and twirled her around, then pulled her close to him. He kissed her on the cheek. "Thank you. I actually had a good time after they stopped laughing at me."

She laughed. "They do tend to humble you. You did great with them, though, and with your dancing. It's a matter of trusting yourself, Ricardo, and giving yourself over to the beat."

She pulled away from their embrace. "I'll see you tomorrow. It's time to put my nose to the grindstone. I only have a few weeks until the advertising campaign is due." She reached the side door and lifted her hand with a hesitant wave. "Lock up on your way out."

Ricardo raised his hand to his face and inhaled Julia. He wiped it across his chest, knowing her scent and feel would surface in those fitful dreams.

Her words rang in his ears as he shut the door behind him. He didn't trust himself at all around her anymore, and didn't like that feeling one bit. He'd given himself over, all right, and it wasn't to the beat that came from any CD player.

Julia held her breath as Ricardo looked over the preliminary advertising presentations she'd prepared. Why on God's green earth did she worry about his opinion? But she knew the answer before the question had fully formed. She saw herself in every line she'd drawn, in every word she'd tweaked to get the advertising message across the best way possible.

Her work was an extension of herself; her creativity flowed and she poured a little of her heart and soul into every client's work she believed in. That included Montalvo's project.

Which was a startling revelation for her. Montalvo had a wonderful product. If he'd been attempting to develop it anywhere else in San Diego, she would have supported him wholeheartedly.

"These are some of the best I've seen, darlin'." He spread the half-dozen posterboards out on his desk and set aside the detailed step-by-step, timed agenda for the advertising campaign. "Where have you been all my life?" he asked without looking up.

She brought her hand to her throat, uncertainty washing over her like the heavenly scent of roses, lilies, and old-fashioned carnations tingling the air around them. Fool, she thought, when she came to her senses. Thinking that even for a second his comment could have meant anything more than referring to her as a professional colleague was ludicrous.

"Well, Montalvo, a wise man once said what matters is the here and now. I take it you're happy with my proposals?"

"I'm ecstatic, darlin'."

"Wow. Don't hold back." She came around the desk to peer over his shoulder for a better view. She took a deep breath. "The ad campaign has been easy to work with. You have a great product. If you like this, I hope you'll be open to the alternatives I've been working on that would keep the studio intact."

She leaned over him and pointed to one posterboard, her breasts pressing dangerously against his arm. "The alternatives are a spin-off of this." Pulling away, her breasts scraped against his warm and sturdy body, making heat whip through her like a flame come to life.

He cleared his throat. "I look forward to seeing them if they're anything like these samples of your work."

He turned his head and stared at her. Their faces were only inches apart. A breath away from heaven. She could smell his minty toothpaste, could see the swirls of short hair in his beard, could easily have leaned in another inch and kissed his mouth, a mouth that had invoked sweet dreams into the last few restless nights.

She turned and moved several steps away from him, afraid he could read her mind and see in her eyes the desire that had flamed there since the first time they'd kissed. "I'm sorry. I didn't mean to touch you like that. It was just a . . . a . . ." She stopped digging herself deeper into the hole she'd dug and planted her hands on her hips. "You're enjoying this, aren't you?"

"Very much." He straightened and sauntered over to her, took her by the hand and pulled her close to him.

"This really isn't a good idea, Ricardo." Then why, pray tell, were her feet not listening to her words and running out the door?

"What are you afraid of, Julia?"

A strangled noise came from her throat. "Nothing," she managed, and backed up a little.

"Suit yourself. I'll respond to your earlier comment, then."

"Which was?"

"Don't hold back." He whirled around and flipped on the CD player. Raising the volume to deafening levels allowed Gloria to belt out her latest dance music.

"Are you crazy?"

"Just for you." He smiled wide and chucked her on the chin. "Your work, darlin', your work. We've got a winner!"

He let out a raucous yell and threw his Stetson into the air. He grabbed Julia and lifted her off the ground, dancing his way around the room, carrying her with ease, as if she were lighter than a football.

She squirmed for no more than a few seconds before giving in. She wrapped her arms around his neck and leaned her head far back, filling it with exhilaration.

"We're on our way, baby! You, darlin', are the most talented advertising exec I've ever seen. You're an angel in disguise." He placed her on the floor. "Damn good disguise, I might add." He looked at her appreciatively.

"Flattery will get you nowhere, Montalvo—not with me." Strong words for her weak-kneed response anytime Ricardo happened to be within arm's distance lately.

"All right, then, darlin'. Let's celebrate instead." He wanted to do something special, take her away from the safety of his office.

She laughed, a beautiful, welcoming sound he didn't hear often enough. He wanted to think she was getting comfortable enough around him to be herself and stop being so defensive. He stared at the creamy skin, at the lips he knew were softer and more tender than should be legally allowed, and touched her cheek.

"Montalvo?" She sobered and snapped her fingers in front of his face. "Snap out of it."

"Am I a slave driver? You've been working too hard."

"I love my work. You're not a slave driver; you just want the job done the right way. The bottom line, though, is that saving my aunt's studio is my ultimate goal. That keeps me focused." She locked her briefcase. "As much as I've come to enjoy working for you, I don't ever forget it. I will always defend my aunt, my parents, and my family."

"Julia, I . . ." How could he tell her he'd been wrong, at least wrong in the way he'd pushed her against the wall and panicked her family? "I've learned something from you, too, believe it or not."

"Hard to swallow?" She dropped her hand from his cheek and the warmth went with it.

He picked up her hand and rubbed his thumb over the back of it, not wanting to give up the warmth just yet. "I'd go to any lengths to protect my family, too."

She hesitated for only a second, a look of doubt coming into the dark brown eyes that lured him into uncharted territory. "I know you would, Ricardo," she said quietly.

All he could do was nod. "Then we understand each other." He refrained from touching her hair, enjoying the way a thick strand was perfectly cut to frame the oval shape of her face. "Let me take you to the restaurant that sparked the idea for my chain. Maybe it'll give you better insight for the advertising campaign. Food's good, too."

"Will you tell me your life story on the way?"

"Nah. I really want you awake—it's the only way to appreciate the sights, the details, the magic of the place. Can you be ready in an hour?"

"Of course."

"I'll pick you up then. Dress comfortably and bring a change of clothes. It's a bumpy ride 'til we get there. I'll make it a night you won't forget."

"I wouldn't expect anything less from you." She shook her head and headed for the door. With her hand on the doorknob, she turned. "You know, there's no need . . . never mind. I'll be ready."

Ricardo let out a big breath, grateful they'd avoided another confrontation. He sat down at the front desk and began dialing. He'd promised her something special and he was damn sure going to deliver.

Chapter Eight

Ricardo shifted into fourth with gusto. With the top of his black Jeep off, the incredible summer day and Julia sitting beside him in that tiny dress, memories of Texas couldn't compare with the here and now.

They drove north along Harbor Drive near downtown San Diego, the warm wind whipping against their faces, enjoying the sights like a couple of tourists. They had just passed the Coronado Bridge, its twinkling lights barely coming to life. Two Navy aircraft carriers were docked on the island, from what Ricardo could see. What he couldn't see but knew existed was an upscale, quaint, low-key community that merely tolerated the Naval invasion of Coronado. It looked peaceful from this distance.

Tethered sailboats of all sizes bobbed in the marina, their own tribute to the music provided by the soft waves. Their bare masts looked stark against the glowing sunset. There was more than a sprinkling of intriguing yachts and speedboats, and their glossy finishes reflected the sun's light. People jogged and skated along the *embarcadero,* alone or in couples, with dogs and without, looking perfectly content.

Julia turned and smiled at him. He was tempted to reach over and pull off her dark Ray-Bans. He rather liked the look in her eyes these days.

She leaned in close to him and shouted, "Is it much farther?"

He looked ahead, Lindbergh Field coming into view,

and changed lanes. Restaurant after restaurant lined the coastline, all the way up to Point Loma, he'd learned. He could see why she would think they were headed for one of them.

He shook his head and followed the off ramp to a service and delivery route for the airport. It led them to an empty hangar. He pulled up to a reserved parking space and cut the engine.

"Should I wait here?" Julia lifted her glasses, and a look of uncertainty filled her eyes.

"No, darlin'. This is the end of the line." He lifted her overnight bag and his own dufflebag from the back of the Jeep. He opened her door and offered his hand to help her down.

She took his hand and squeezed it. "Montalvo, what are you doing?" she asked warily. "There's only a cafeteria inside this place. Please don't tell me that was your inspiration."

"Give me more credit than that, darlin'." He set the bags down and rubbed his shoulder without letting go of her hand.

"Are you okay? I can carry my own bag."

"Now you're really starting to hurt my feelings. It's just an old war wound, remember? From days on the football battlefield. Acts up every once in a while."

"And you, Montalvo, are sappy when you talk about the good old days. Can I take a rain check on this outing?" She looked around as if she were looking for the quickest escape route.

He tucked her hand into the crook of his arm and picked up the bags. "Sorry. You have a one-way ticket and a promise that I won't bring up those old war stories tonight."

She pulled back like a kid being dragged to the dentist against her will. "Whoa. One-way ticket? I don't think so. I don't trust you."

"Smart woman." He laughed, holding her gaze. "How about just having a good time tonight and working on the trust issue later? I pegged you for having a sense of adventure."

She straightened abruptly, and the burnished-orange silky material of her dress eased around her body like flickering sparks and flames. "Sounds like a challenge to me, and you know I don't back away from a challenge. Lead on, Montalvo."

He took a good, long hard look at her and she stared right back. He could easily change his mind and take her to the safe parameters of her home and to the lonely ones of his. *She'll burn you, Montalvo.*

He shrugged. She'd pushed him to the point of no return with her comment about a challenge. He wasn't afraid of a little heat. "My kind of woman."

They walked hand-in-hand, through the hangar to the runway. Julia stopped in her tracks again. "Montalvo."

He didn't like that tone of voice. "Darlin'?"

"You can't be serious." She dropped his hand and walked slowly to the steps braced against his Longhorn Lear jet.

A man dressed as a pilot took the bags from Ricardo's hand. "Fifteen minutes, sir. Or when you're ready."

Ricardo touched her cheek, and made her look at him. "Julia, honey. It's just a plane. It was gathering dust and the only way to get to the restaurant without taking a week off from work is taking this."

"This is yours?" Her voice cracked.

"One of them." His patience was wearing thin. He scraped his fingers through his hair. He only had the restaurant for the night. He could commiserate with Cinderella's midnight curfew. The details for the rest of the night depended on getting Julia's pretty behind onboard within the next five minutes.

"We have to get a move on. Jerry said we're ready to

take off in fifteen minutes." He led her up the stairs. "Trust me, it looks better on the inside."

She seemed to come out of her trance. "I don't believe you." She managed a small, nervous laugh. "Do you always do things in such a big way?"

They stopped just outside the cockpit. "I don't think about big or small, darlin'. I think about what's right for the situation and then roll with that."

"Do you always roll into every town and roll over everything?"

"No." His jaw twitched. He had given her no reason to believe otherwise, but she wasn't going to lure him into that sticky area when all he wanted was to lure her far away from it, at least for tonight. He tilted back his hat so that she could see the truth in his eyes. "Do you always have to analyze people and judge their actions without knowing their intentions?"

A shocked look came over her face, and then she looked down at her feet. "No," she whispered.

"Then give me a break, at least tonight, darlin'. I have no hidden agenda. Just let me show you the restaurant and a good time. It's the least I can do. You've been working your pretty butt off for me, when I know you'd rather have been anywhere else than in my office. I appreciate your graciousness more than you know."

She stared at him a moment more, seemed to struggle with a decision deep inside her. "Thank you for the invitation. I'm honored to be here." She turned and walked into the seating area.

Ricardo raised his eyes and mouthed a silent "Thank you" before falling in behind her.

Pretty butt? Graciousness? What's right for the situation? Julia would rather have been anywhere else than in the plush seat next to Ricardo, waiting for the next shocking words to come from his mouth. She was definitely out of her element around him and in the elegant jet, and he wasn't helping matters any by making her flustered.

"Buckle up, darlin'. We'll pour the champagne when we get the okay from Jerry."

She buckled up. She tried desperately to stay rigidly seated, but her body sank into the plush cushion until she wanted to curl her feet beneath her and ask for the champagne and a good book to go with it. She sighed.

Ricardo grinned. "That's more like it, darlin'."

The short parade of planes waiting for liftoff was a sight in itself from her vantage point. Ricardo had a flair for surprising her until she stood shell-shocked.

She glanced over at Ricardo, who seemed a thousand miles away already. He'd given her glimpses of himself with his generosity. Her heart saw his spirit, but her mind still saw the driven tycoon with no room for emotion in a business deal. She had crossed that line where he was concerned.

She looked back out the window, convinced that if she followed the rays of the setting sun, she'd be sure to find an answer to calm her turbulent heart. She was awed by the incredible splash of oranges and pinks in the sunset, perfection made even more so with Ricardo sitting next to her. That revelation scared her more than the thought of flying, even in a jet like this. Business only, she repeated to herself, and tried to make herself believe it.

Julia drank only one glass of champagne but still divulged more information about herself than was safe. When Ricardo answered a call on his cell phone, his deep voice lulled her to a dreamless sleep.

He shook her shoulder. "Hey, sleepyhead. We're here."

"Already?" She allowed herself a luxurious stretch until she saw Ricardo watching her with mischief in his eyes. She jerked her arms down. "Enjoying the show?"

"Enjoying you, darlin'."

"Is that so?" She allowed her gaze to slowly appreciate his body from head to boot. Instead of the nonchalant air she'd hoped for, a desire burned right through her, throwing her off balance. "Well. You shouldn't. That's not polite."

His bold laugh cut the tension. "So you feel it, too? I'm not blind, darlin'. I appreciate the finer things in life, and you are, by far, one of those finer things. And I will treat you as such. Excuse me."

She watched him in stunned silence. Too bold and breathtaking for his own good. Or hers. She didn't trust herself to speak.

He rose and pulled their bags out from behind their seats. "Hope you got enough rest. That's all you get until tomorrow." He looked at her with feigned innocence. "Would you like to freshen up?"

She peered out the small porthole. "Where are we?"

"New York City."

"New York? You've got to be kidding!" She hopped on her seat and peered out the window again, the darkness and twinkling lights revealing nothing. "This is unbelievable. I've actually been kidnapped."

"I prefer to think of it as whisking you away." He put down the bags and walked over to her. Taking her hand, he said, "I just want to do something nice for you. You work hard, you're worried about your grandfather and aunt, and the smile that should grace your face isn't there enough. I thought a change of pace would do us both good. I hope you can let loose and enjoy yourself."

She took a deep breath to steady her pounding heart. When was the last time someone had given a damn about her happiness? When had she? "I'd really like that," she said, and meant it.

"Then get a move on. You missed the best sights when we were flying in. Now you'll have to see them from the car."

"Give me five then." Adrenaline rushed through her. Was it because of the unknown surprises still up Ricardo's sleeve, or the prospect of spending a night alone with him, away from work and family? She wouldn't dwell on it. She was determined to have a good time.

Refreshed, she walked out of the luxurious bathroom. Decorated in teakwood and brass, the accessories were top of the line, just like the other wonderful perks she'd seen throughout the plane. She glanced at the door at the back of the plane, wondering what could possibly be behind it.

He hustled her out of the plane and into a limo, as if he were racing against the clock. "Does the New York pace automatically do this to you or are you late for something?"

"Don't ask." He laughed and sank back into his seat, draping an arm casually across her shoulders.

They drove around Manhattan for nearly two hours, Ricardo pointing out the sights like a tour guide with his own twist on everything from the United Nations world sculpture in front of the building, to the eighty-seventh floor at the Empire State Building.

"This has to be Times Square!" Julia forgot about being careful, her joy at being near Broadway with its rows of theaters too much for her to sustain any kind of cool facade. "Ricardo. Thank you. I've always dreamed of seeing Broadway. Now I know I'll come back."

"I'd love to bring you back if you'd let me. No business, then, I promise."

Her heart sank. She didn't want to think about business. She didn't want Ricardo to be the adversary anymore. She didn't want to fight for property Ricardo should have known could never be for sale.

"Look, darlin'." Ricardo lowered his voice and waited until she looked at him. "I hate bringing it up, but that's why we came in the first place. If you see the restaurant, maybe you'll see more clearly where I'm coming from. I want to lay it all out on the table for you, sort of strip myself down to the bare bones, if you will, and answer any questions you have, but I don't want to talk business all night long."

Her mouth went unexpectedly dry. Talk about double entendre. Their business proposals were not what she saw lying naked on the table. Perhaps it would be safer to keep it on a business level as long as possible. "Business talk is fine. I need to get my work for you done so that I can move on and you can back off. It's going to take a lot more than some special restaurant to convince me that what you're doing to my family is the only solution to your parking problem. I'm trying to leave the emotional part out of this, as per your instructions, but I don't even see your logic."

He took his hat off and slapped it on his knee. "Give me a break, Julia. Leave the emotion out of it? You did the exact opposite." He pulled his arm off her shoulders and clasped his hands between his legs. "Damn it—you make me feel everything I shouldn't in a business deal. Does that make you feel any better?"

She shrugged. "A little." A lot, she thought. *This is a step in the right direction.* She let out a breath of relief.

"I think we're both strung out on this one." He banged on the sliding window between them and the driver. "Texas, please."

The limo pulled up to the corner of Broadway and Forty-Eighth. Ricardo put his hat back on. He held the car door open for her and offered his arm as they strolled silently up the street. She was amazed at his chameleon ability. He looked just as much at ease here as he had in San Diego, as he did in the plane, with his boots on or with a thousand-dollar suit defining his muscular body. She turned away before she could think any other thoughts about his body.

Julia took a deep breath, taking in the lights and marquees, huge neon billboards and unique advertising displays. From her readings, she knew thousands and thousands of storefronts, restaurants and hotels were crammed into one square mile along this area. Electricity charged the air as people bustled about with an energy that swept them along at an incredible pace.

One of the most powerful and influential places in the world, Manhattan had to be an advertising executive's dream come true. Still, she imagined the cutthroat competitiveness could take its toll in a hurry. She liked the idea that some of her clients were based in New York and were perfectly content with her work. She was perfectly content working out of San Diego, a sleepy little town compared to New York. It was nice for a visit, though, she conceded.

She ventured a glance at Ricardo's profile and sucked in her breath. His rugged good looks and confident air charged her with an undeniably electric response to him. It unnerved her, knowing how many times in the past few months she'd had to will her heart to steady itself when he walked into the studio or stood next to her, looking over her work.

Knowing he did that to her in a safe environment, she suddenly realized it may have been a big mistake coming here.

Here, alone with him and no work to keep her hands busy, she could picture her hands wandering the broad ridges of his chest in slow, easy movements, appreciating the strength and hardness there. In his arms on the dance floor back home, he'd held her as if she were more precious than a handful of gems. That feeling overwhelmed her at times.

She wanted those arms to enfold her and let them forget the nasty business lying between them like some God-forsaken chasm. She wanted to find answers to the questions that plagued them more each day.

They reached the restaurant just in the nick of time. "Texas, Texas Restaurant and Saloon" the sign read. Next to it was another sign. "Closed. Private Party."

He reached for the doorknob.

"Did you read that?"

"Who do you think they're referring to?" He pulled the door open and then clicked it locked behind them.

"You rented out an entire restaurant on a Friday night in Manhattan?" She enunciated each word with disbelief.

"Just until midnight." He tucked her hand in the crook of his arm, practically dragging her along. "Come on. We don't have much time and I want you to see everything. I love this place."

The place was incredible. The decorations were an eclectic mix of contemporary and traditional, each object colorfully telling its own version of Texas history and where the great state stood now.

"Take a look around, darlin'. Do you see where the idea for a themed restaurant of this magnitude came to me?"

"I'd say." Over the longest bar Julia had ever seen hung the stereotypical longhorns. Rows of bottles, at least ten deep, were interrupted by a small sign that boldly stated: Lone Star Beer, Best in Texas. Sitting right in the middle of the bar was an angry-looking, stuffed armadillo. Glasses shaped like boots were crammed into a corner of the bartender's work area.

A huge chandelier hung from an incredibly high ceiling, its soft lights casting confetti shadows onto the floor and walls. There was one red-brick wall with a fireplace in the corner. Prints by different artists of the battle of the Alamo decorated the walls, along with maps of Texas in varying sizes.

Two oversized bronze fans whirled lazily, keeping step to the soulful, vintage wails belted out by Dolly Parton,

Merle Haggard, and Wille Nelson that had filled the air since they walked into the restaurant.

Ricardo, on the other hand, was hearing his own beat, Julia thought. His excitement was contagious as he jumped from place to place, showing her everything like a kid with a favorite football card collection to share.

"Your offer to work for me was the best thing that could ever have happened to me, darlin'." He raised her hands to his lips and kissed them. "You've brought back an excitement with your work that I haven't felt since the first time I walked in here and saw all the possibilities. I wish the circumstances surrounding the project were different."

"Ricardo, I hope someday you'll tell me why you need to go this route. There are always alternatives. By the same token, I know you have the resources and you could have shut us down in a blink. You've been a gentleman about this by sticking to your word and giving me time. That means a lot to me. I will convince you to seek an alternative, something we all can live with, and you won't be sorry."

"Keep talking, darlin'. At this very moment, there's nothing I want more than an alternative."

He had a way of surprising her right out of the blue. She seemed to always be on the defensive around him, ready to put up her dukes and punch him back across any line he dared cross before she was ready, but his surprises were a welcome relief.

"How about a boot drink to forget about work for a little while?"

"Sounds dangerous."

"Not really."

He led her to a table with a white tablecloth, candlelight and sparkling silverware. The other tables were casual, miniature picnic tables. A placard on the table showed a glass shaped like a boot. The list of ingredients in the various boot drinks seemed endless.

"May I recommend the San Antonio Rose for you? It has tequila, rum, and a few fruit juices and liqueurs thrown in for good measure. Very appropriate. A rose for a rose."

"You expect me to drink that and walk out of here?"

A wicked gleam lit his eyes. "I can always carry you out. It would be my pleasure."

"I'm sure it would."

He partially stood to reach in the seat behind him, and pulled out a beautiful, perfect yellow rose. "Speaking of roses—this one's for you, darlin'."

Her heart fluttered in that way she was getting used to around him. "When you're nice, you're too nice, Ricardo." She reached across the table and covered his hand with her own. "Stop being so nice."

The surprise that flashed across his face eased back into a calm facade. "Never."

His thumb brushed against the top of her hand, like thousands of tiny feathers hypnotically stroking the tension from her mind and body. Replacing it was a slow, warming heat fanning through her at an alarming rate. She bit her bottom lip and waited.

Ricardo cleared his throat. "Dance with me. I'll show you a slow two-step."

She started to pull her hand away. "I don't know how."

"Let me show you. You'll catch on quickly." He rose and bowed, holding his hand out to her. Linda Ronstadt crooned a haunting rendition of "Desperado."

Julia took Ricardo's outstretched hand. "This music is so slow and heartwrenching. How can you dance to it?"

He pulled her tight against him, the movement of his hips slow and deliberate, unbearably sexy, and Julia's body responded. "There's something to be said for slow." He dipped downward. She gasped at the feel of his leg between hers, a flaming desire instantly filling her.

His voice turned husky. "This music isn't heartwrenching if you're with the right person, Julia. Listen."

Ricardo sang low, never missing a beat. He pulled their clasped hands to the now-familiar position against his chest. She turned their hands so that he could also feel her heartbeat.

Julia closed her eyes and leaned into him, surrendered herself to him, their feet gliding smoothly. She smelled him, a musky mix of Stetson cologne and the incomparable scent of Ricardo himself. She felt his rough palm against hers, the pressure of his large hand on the small of her back sending shivers skittering over her arms, and heard him singing for her, and her alone.

They moved slowly, creating their own small dance floor, not needing much space for their barely-moving bodies. His song floated over her, whispers and promises cradling hopes and desires. Her fears slowly dissipated with the ending strains of the sad guitar.

"You better let somebody love you, before it's too late." Ricardo ended the song in perfect harmony to Linda's haunting voice. He pulled away from Julia for a moment, looking into her eyes with desire she knew only mirrored her own. Their feet stopped moving.

With no musical accompaniment, he sang the line again, nuzzling his lips against her hair. "You better let somebody love you, before it's too late."

Her tears came from nowhere. She slipped her hand from his shoulder and wrapped it around his neck, holding on for dear life. She pressed her body against his, wanting him more than seemed sane.

He'd torn into her family. He'd threatened everything she stood for and believed in. He'd shaken her to her very core. Against every rational thought, she'd gone and fallen in love with him.

"Shh. I didn't think my singing was that bad, darlin'."

His voice cracked. "We were supposed to be celebrating, remember?"

"This wasn't supposed to happen, Ricardo." Sobs shook her body until his arms enveloped her. He let her cry, let her cling to him, let her dream. When she had quieted, he brushed back her hair from her face and kissed her tenderly.

"Some teacher I am. Do you want to try and follow my lead again?" His hands slipped from her waist and he ran them slowly down her backside.

She shook her head. "Why don't you follow mine?" She rose on her toes and cupped his face in her hands. She kissed him long and slow, and the breath that had quieted refused to stay quiet any longer.

He reached in his pocket and threw a large wad of bills onto the table. He lifted her into his arms easily. Carrying her to the door, he broke their kiss only long enough to whisper, "Let's go home."

Julia held Ricardo's hand easily, as if they'd been doing this all their lives. She looked out the jet's window, amazed at the smooth ride, the quiet engines, and that she was there at all.

She couldn't still the throbbing of her lips. Their kisses in the limo to the airport had grown more passionate with every passing minute.

The voice in her head told her repeatedly that she was making a big mistake. She didn't want to listen to it. "Can I get up yet?"

"Sure," Ricardo said. "It's safe now."

She paced up and down the aisle, each time coming closer to the closed door at the end. She turned to head back again and jumped.

Ricardo blocked her way. "What's going on? You're acting like a firecracker in a barrel."

She tried to get around him. "Just my second wind kicking in, I guess. I didn't hear you."

"You wouldn't hear fireworks if they went off beside you." He pulled her close. "I can think of a better way to diffuse that energy or light up those fireworks—whichever you prefer."

"You are *so* subtle. Would you start like this?" She ran her wayward hands up his incredible chest, over his shoulders and around his back, sliding down to his backside and lingering there.

He moaned and that undid her.

All her doubts about the two of them disappeared. Surprised at her boldness, she waited, her breath coming out in shallow spurts, his heat seeping through her pores.

"Darlin', I, I . . . ay, ay, ay."

"You? Speechless?" She caressed his backside, enjoying the circular motion of her hands and the look on his face.

"There are other ways to say things." He opened the door behind her and shut it behind them.

Her eyes grew wide. "A bed?"

"We'll get there. Don't rush it."

"That's not what I meant."

"Then what did you mean?"

He didn't let her answer, covering her mouth with his. He backed her against the door, pressing his body against hers.

He hiked up her dress a bit, and slowly ran his warm hands up and down her bare thighs, coming perilously close to her panties each time. He pulled his hands away.

Julia moaned. "No fair. Absolutely no fair."

"You started it." He held her by the waist, let his hands travel her torso, his thumbs brushing the sides of her breasts, driving her crazy.

She took his hand to stop its wandering and placed it gently on top of her breast.

"My, my, *Señorita* Julia. You are *so* subtle."

"There's a time and a place for everything. Subtlety included." Her fingertips grazed his hand and followed down the muscled forearm and back up to his shoulder. She pressed against him, trapping his hand until it had nowhere else to go. "And don't you know when to take a hint?" she whispered.

"You bet, darlin'." His hand firmly squeezed her breast, his thumb brushing her nipple. He pushed her back gently until they were up against the door. He leaned down and took her breast in his mouth, the silky material a poor, ragged armor against the exquisite torture.

His mouth traveled up her neck, touched her earlobe and found her lips. "Let me make you happy, Julia."

Her response was lost in their kiss. Their lips parted, allowing them to deepen their kiss, finding a rhythm to match their swaying hips.

He pressed his hardness against her. Her hips rocked slowly, making their own hypnotic music. His hands roamed harder, more deliberately, not missing an inch of her body. He finally slipped them under her dress, under that last protective shield, and jerked her toward him. His fingers found her, slipped into her, released her.

"Oh, Ricardo!" She wrapped her arms around him. Her breathing quickened. One magical stroke and she sucked in her breath. His knowing fingers—relentless, tireless, fearless—brought her to the brink until her body tightened, tightened, tightened around them. She closed her eyes and tried to still her shaking limbs. Her release came slow and complete, making her body warm and ready.

She tilted back her head, and covered her eyes with her hand. "Oh, honey. I've never, ever . . ." Her mind went blank.

"Julia speechless? My, my." Ricardo chuckled. "Darlin' let me try something else to keep you quiet a little longer."

"It won't work." She punched his chest, tried to squirm out of his embrace.

"That's a challenge if I ever heard one." He ran his hand down her body, from her neck to her stomach and stopped. She didn't want him to stop.

Her resolve didn't last long. Ricardo kissed her neck, his lips hot and moist, instantly flaming her desire.

Her hands hurriedly unbuttoned his shirt, and she restrained herself from ripping it off him. She struggled with his belt buckle and gave up. She stroked his hardness, dying to touch him, to feel him inside her. "Damn it, Ricardo, is that your own version of a chastity belt? You have too many clothes on. Help me."

He laughed and pressed against her. "Your wish is my command." He tore off his shirt and threw it at their feet.

Pressing herself against the door, she watched him in awe. In less than a minute, his glorious body was naked and ready for her. He hoisted her up, his hands firmly holding her backside, kissing her, crooning to her, loving her like she'd never known.

She wrapped her legs and arms around his body, more than ready for him.

He carried her to the bed and set her down there gently. "Now *you* have too many clothes on." He lifted the dress over her head, pulled off her underwear, and let his gaze roam, drinking her in, inch by inch.

She swallowed hard. He ran his finger down her cheek and across her throbbing lips. He kissed her tenderly, then rested his forehead against hers. "Heaven help me, Julia."

She pulled away, needing to see him. Despair looked out from his eyes, echoing her own. She reached for his hands. The magic in their touch had made her forget everything except the here and now.

And that he'd taken her body and heart in one fell swoop.

What if they only had tonight? She lay back and pulled him next to her. Their longing seeped through their fingertips until their bodies heated to unbearable proportions.

She was ready for him, would always be ready for him. Breathlessly she whispered, "Do you have protection, Ricardo?"

He stopped his wandering hands, and looked at her, an amused glint lighting his eyes. "I was hoping you'd ask."

A warning tone escaped her lips. "Ricardo."

He couldn't be as innocent as he tried to look. He hopped up from the bed and walked over to a small closet. He pulled down a cardboard box that looked like it could carry a bowling ball, and carried it to her on the palm of his hand. He set it in front of her.

She looked at him warily, then pulled back the two flaps. She couldn't help but laugh. "A case? Thinking big again, Ricardo?"

He shoved the box off the bed and slid in next to her, planting a big kiss on her open mouth. "No, darlin', just *hoping* big, where you were concerned."

He reached down and picked up one of the condoms that had fallen out of the box. They didn't touch ground again until the jet landed back home.

Chapter Nine

Ricardo kicked the metal trash can across the front office. It hit the wall with a resounding thud, its contents scattering to the floor like confetti. He stomped over to it, ready to send it flying again. Instead he stood over it, breathing heavily. His eyes lit on Julia's discarded work. He picked up one crumbled paper and saw the drawing of his restaurant, surrounded not by asphalt, but by grass. A bridge joined it to her aunt's studio.

Damn it. He crumpled it up again and dropped it near his feet.

She hadn't answered her phone, hadn't opened her door to his incessant pounding in the two days since they'd returned from New York. She had shown up at dance lessons but with new students in tow—a young couple and their three children. She'd given him nothing more than a cursory nod and pawned him off on Elvira. He tried to follow her out of the studio after the lessons, but was surrounded by the clan, talking to him excitedly about Family Night. By the time he'd made it outside, she was long gone.

He leaned against the wall of his office and slid down until his butt hit the floor. He never let emotions get in the way of business. But then he had never intended to fall in love with Julia.

The realization flowed over him. He thought that having concrete poured over him inch by inch, crushing his chest until he couldn't breathe, would give him the same feeling.

Bad timing. Bad situation. Bad business. He banged his head against the wall and his Stetson popped off and flew forward, landing at his feet. The woman had put some spell on him. Here he was repeating everything three times, as if that could help clarify his position, or make sense out of anything that involved Julia.

It was a matter of principle. He didn't need another restaurant to make sure his family was taken care of beyond any doubt. Logic screamed that he'd taken every precaution so that his family was now set up for life, and he, himself, wouldn't be in his father's shoes and lose his entire life savings, job, home, and everything that mattered in one fell swoop.

All that mattered was Julia. His chances for convincing her to give him a chance beyond the boardroom were slim to none if she kept avoiding him. He spread out the drawing between his feet and tried to smooth out the wrinkles. Squinting against the waning light didn't affect his opinion of her work. It was beautiful, unique, and most certainly plausible.

A knock sounded on the door. "Go away!" He wasn't in the mood for any company.

"Rick, it's Chase!"

"Then you'd really better go away. I won't be held responsible for any physical damage."

Chase poked his head through the doorway. "I'm a big boy. And I can easily handle you, even on my worst day." He flipped on the light switch next to the door before letting himself in.

Ricardo glared at him, only too aware of what he had to see: Ricardo on the floor, the trash can lying on its side, the strewn papers around him. Entrepreneurship at its best.

Chase set down a huge Oscar's bag stuffed with smaller bags of what had to be breadsticks, the best in town. The heavy aroma of garlic wafted through the air and Rick's stomach growled. Chase walked past him, into his office, and came out carrying the oversized ice chest filled with sodas. "Do you want to talk about it?"

He put the ice chest down near Ricardo's feet and sat on it. It creaked in protest, like the stirrings of an avalanche.

Ricardo shook his head. "No." He squeezed his clasped hands tighter.

"Is it Julia?"

Just the mention of her name made his blood boil again. He couldn't control the way he turned to mush when she was near him. "What makes you think that?" He grabbed a handful of papers from the floor and stuffed them into the trash can.

"Lucky guess?" Chase shrugged when Ricardo didn't return his smile. He picked up the paper between Ricardo's feet. "Julia's work. It's quite good. A great alternative if you decide to keep the studio intact."

"There are no alternatives. I want that parking lot."

"You're right. You're the boss. Everything's set in stone." Chase slapped his hands on his thighs and stood. "We had better get a move on."

Ricardo stared at the twitching muscle in Chase's jawline, at the grim line of his lips, at the rigid posture. Definitely an avalanche ready to take everything with it. "Where are we going?" he growled.

"Family Night at the dance studio."

"Can't do it."

"Oh, yes you can, and you will. We already told them we'd be there. Short of killing you on the spot, there's no excuse for not going. You need to get off your high horse long enough to walk across the street and be a man." He stuck his hand in front of Ricardo's face.

Ricardo grabbed it and Chase pulled him to his feet. "Give me a couple of minutes."

"Sure. Can I wear your hat tonight?"

"Not that one." He looked at what used to be a pristine white Stetson, now graying. Upon close inspection, he saw that the rim was frayed and fingerprints indented the front, where he always touched and tipped it. "There's an extra one in the closet."

He shut the bathroom door behind him and and filled a large plastic tumbler with running water. He leaned over the deep sink and emptied the cup over his head. It was a poor substitute, but it would have to do. He needed an ice cold lake to jump into, to shake his head clear of unwanted thoughts of Julia and tame his body back into submission.

He let the water drip off the tips of his hair and onto his face. He stared at the sorry image in the mirror, then yanked the towel off the rack and rubbed it hard over his face. He'd steer clear of Julia tonight, but that brought another unnerving thought to mind. Lorenza would nab him and badger him for details. Maybe Chase would feel it his duty to jump in front of that speeding train to save him. Or maybe he'd be delighted to throw Ricardo to the wolves, after the way he'd been acting lately.

Rolling up the sleeves of his denim shirt, he walked out to join Chase. "Thanks for the kick in the butt. I needed it."

"Yeah, you did. You're welcome. Ready to go?"

"In a minute." He walked over to the front desk and studied Julia's drawing as objectively as he could. "How feasible would it be to use something like this versus what we have?"

Chase studied the drawing. "It really beats putting in the parking lot, Rick. The changes Julia shows here wouldn't even affect the structure. They'd be more in line with the flow of Old Town, enhancing it as a historic landmark. She certainly knows the area, the potential here, and she has a keen eye for working *with* the design, not against it."

Ricardo strummed his fingers on the desktop. It looked

too promising, just like she herself had a few nights ago. "I don't know. I need the parking lot. It's a guarantee to draw in clientele because you know prime parking spots are scarce in Old Town."

Chase smoothed a hand over the paper, ignoring him, it seemed. "Cobblestone walkways are a nice touch, bringing people from any point in Old Town right to the restaurant's front door. If you implement valet parking, this is the answer that can satisfy everyone."

Ricardo could easily offer primo valet service, and haul those cars a couple of miles if he had to. That wasn't the real issue. There were alternatives. It wouldn't be like he was giving in or showing emotion as a sign of weakness in any way if he accepted Julia's ideas.

As a matter of fact, in ideal times, his dance club could work in conjunction with the studio and offer those who'd taken lessons half-price for a cover charge. He could sponsor dance contests or send potential students to Elvira. He could sweep Julia off her feet like he had once before.

A look of concern crossed Chase's face. "Julia invested too much emotion into this project, and you're not investing enough. There has to be a middle ground between the two of you."

The middle ground was quicksand, as far as Rick was concerned. Hell, anything around the general vicinity where Julia stood would suck him under. He was far from ready for anything of that magnitude.

"This *is* the middle ground." She saw their night together as a mistake. The one time he'd opened up to her had backfired. She had weakened him. No more.

He set his jaw. "I'm not budging, Chase. A parking lot is something tangible I can count on, and I know it will enhance my business. Anything else is a crapshoot."

That included his chances with Julia. He'd made a mistake assuming anything, and it wouldn't happen again.

He swept Julia's plans onto the floor. "We'll proceed with the original plans and then I'll head on back to Texas."

Chase calmly picked the plans off the floor and put them back on the desk. "Back to Texas? You can't run away from Julia."

"I'm not running—from her or anyone. I've spent far too much time and effort in San Diego. It's time to plan the next set of restaurants."

That would keep him more than occupied. San Diego would fade into one of its glorious sunsets and he could pick himself up by the bootstraps and kick some more butt, far away from here.

"What about the restaurant? And my job?"

"All yours. The restaurant stays, I go."

"What about Julia?"

"She'll be fine." He couldn't say the same about himself.

"It's not always that black and white. Why don't you think . . ."

A rap sounded on the front door. "Ricardo? Chase?"

Old Spice aftershave announced Don Carlos's presence even before he stepped into the room. "Boys, I was getting worried about you. Everyone's waiting."

"Sorry, Don Carlos. I was waylaid."

"Ah, what did Julia do now?" He wagged a bony finger at them and smiled. "The neighbors told me you two came in awfully late the other night. You're going to start those tongues wagging again."

He shook his head. "Never mind. Tell me when we have an hour to kill. Lorenza's already lined up dances with both of you. Too bad we're not raising money for some worthy cause and charging for each dance."

Ricardo looked at Chase and he knew he was thinking the same thought. "Not on Family Night, Don Carlos, but that's a great idea. We'll do the fundraiser some other night—pull out all the bells and whistles and advertise heavily, really draw in the crowds."

"Until then, we better get a move on." Don Carlos reached down to take one handle of the ice chest. He abruptly brought his palm to the middle of his chest, and staggered away from them.

"Don Carlos!" Ricardo raced over to him, threw his arm around his waist, and lifted the weak old man into the nearby chair.

"Leave me, boy! I'm fine," Don Carlos wheezed. He snapped, "You and Julia are the same. It's just my indigestion flaring up, damn it, and you treat me like I'm an invalid."

"I didn't mean any disrespect, Don Carlos." He knelt by the old man who had become his friend and recognized in him the same stubbornness of his own father.

A fierce sense of protectiveness filled him. It did nothing to get rid of the acrid taste of foreboding in his mouth. It had to be worse for Don Carlos. "Chase, get some water. Don Carlos, just sit tight for a few minutes. Then we'll go."

"We're already late." He struggled to sit up straighter. His eyes watered with the effort.

"Then we'll make a grand entrance." He took the glass of water from Chase and raised it to Don Carlos's trembling lips.

He took a small sip and sat back. His hand finally dropped from his chest into his lap.

"Feeling better?" Ricardo wanted a resounding yes for an answer, but Don Carlos looked paler than his fair skin should be.

"I'm fine, son. Just don't treat me . . ."

"I know, I know. Like an invalid. You are one stubborn old man."

"It takes one to know one."

Ricardo chuckled. "Hey, what did I ever do to you?"

He gently took off Don Carlos's glasses and laid them on the floor next to him. Thankfully, he didn't resist. Ricardo dipped his fingers in the unused water, shook them off and ran them over Don Carlos's flushed cheeks. From the corner of his eye he saw Chase looking mighty uncomfortable.

"Not to me, son." Don Carlos closed his eyes. "It's you and Julia. You remind me of me and my wife. Julia gets that feistiness from her." He smiled. Color came back into his cheeks.

He sat up straight and opened his eyes. The worst had passed. His face softened into countless creases. He patted Ricardo's shoulder. "You're a good boy and you'll do what is right. But don't lose sight of what's important. You don't want to be alone and have no one to share all your success. What good is that? Help me up."

He slid to the edge of his seat and grasped Ricardo's arm. "We've kept the women waiting for us and that's not right." He pulled Ricardo's shoulder down so he could whisper in his ear. "I even brought in a friend of Julia's for Chase. That boy will have fun tonight."

Ricardo was relieved to find Don Carlos's grip as strong and sure as his words. "Don Carlos, later tonight Chase and I want to announce a new new plan that will leave the studio intact. It should set everyone's minds at ease."

His bright blue eyes bore into Ricardo. "Thank you, son. Now I can rest easy." He pointed to his glasses and Ricardo bent to pick them up.

Don Carlos started walking, his step slow, followed by Ricardo and Chase. Ricardo offered his arm and was surprised when he took it. He wished he could hoist Don Carlos up and carry him across the street. He didn't want to see him struggle.

Ricardo glanced at the upper level of Elvira's dance studio, her living quarters. His throat constricted.

Julia stood on the tiny balcony. An incredible sunset

slashed across the sky in muted oranges, pinks and soft blues around her. The colors crowned her, seemed to stem from her, competed with her own vibrancy.

She leaned on the flower boxes, the bright pink and purple flowers and wispy overhanging vines picking up the regal, deep purple of her sleeveless dress. Ricardo wanted to kneel before her, like some knight from long-ago times to pledge his allegiance to her and her family.

Ricardo tripped, bringing Don Carlos to a complete stop. He clasped his other hand over Don Carlos's hand, to keep the grip firm.

"What is it now, boy?" he asked impatiently.

Like a fool, Ricardo couldn't answer. He caught Julia's gaze and held it.

She smiled at him and waved. "Ricardo! Grandpa! Chase!"

Don Carlos slowly looked up.

She looked back and forth between Ricardo and her grandfather, and her smile faltered. Without another word, she turned and ran from the balcony.

Julia dashed down the stairs. The buzz of activity already filled the festively decorated studio. She pulled away from arms that tried to stop her, from the voices that called her name.

She made it to the front door just as Ricardo, Grandpa, and Chase reached it. "Ricardo?"

"He said it was indigestion."

"And you believed him?"

"No, darlin', I didn't."

There was an unflinching look in his eyes, a quiet sort of desperation she knew connected them. She nodded, took her Grandpa's hand and slipped it into the crook of her arm.

"*Mi hija,* you talk about me as if I'm not even here," he

said, his voice not angry, just tired. He pulled his hand free. "I love you." He kissed her cheek and turned to face Ricardo. "And even you, son, but I'm feeling better now, and my dance card is full. You two can follow my lead."

He strutted off, the spring back in his step. He was clearly in his element. Approaching a cluster of women, he bowed and said something Julia couldn't hear, making them giggle like schoolgirls.

"Stubborn old man," she said, shaking her head.

"I told him as much." Ricardo shoved his hands into his pants pockets.

Ricardo smelled divine and looked even better. "You told him?" she asked. "How'd he react?"

"He said it takes one to know one."

Julia laughed. "Sounds like something he would say." She glanced over at Grandpa in the midst of the admiring women. "I'll have to watch him carefully tonight."

"We can take shifts." Ricardo's gaze was on him, too, and Julia's breath caught at the serious look on his face. There was no mistaking the concern in the drawn eyebrows or the set line of his lips.

"Thank you," she croaked. She licked her own lips, achingly aware that his mouth had kissed her for hours, so many hours that she'd risen light-headed, and had all but swooned on their flight back to San Diego. His lips had roamed every inch of her traitorous body, making her feel heaven on earth, but his kisses had lifted her far away from this world. She touched her fingertips to her lips, still able to feel him there, taste him, desire him as she'd never desired anyone.

"You've been ignoring me." Ricardo shifted his gaze to her, and it slowly traveled the length of her body.

She crossed her arms over her chest, her nipples responding to his long, lazy look. They tingled against the soft velvet of her dress. She ached for him to touch her again, to make her breasts and every part of her body respond to the most exquisite, excruciating joy she'd ever known. "I don't want to. I have to."

He held her gaze steady. "Why, darlin'?"

"Because I'm not dragging my heart into the middle of this mess. You were right. There can't be any emotion in a business transaction." Staying away from him since New York had been pure agony.

"What kind of a guy do you think I am?" His eyes blazed. "I've been wracking my brain to find that alternative we were talking about because I want this business over with, nothing between us, a clean slate. I want you, Julia, but you're fighting me every step of the way."

The chill that invaded her body made her wish for a sweater, knowing full well it wasn't a sweater she needed, much less wanted. He looked at her through undeniably long lashes and the penetrating gaze that would make her feel naked even if she were decked out in full-fledged diving gear.

"Ricardo, you scare the hell out of me professionally, but even more so, personally. And I don't know what to do about it."

Lorenza stood with her circle of friends on the opposite side of the room, blatantly pointing toward Julia and Ricardo. Where was a rock to hide under when you needed one? Julia thought.

"Let's talk later. We have an audience." She looked down at Oscar's bag at his feet. "Let me take that for you. The food's over there." She pointed to the far wall near the CD player.

"Not so fast." He held her arm, his fingers branding her with magical heat. "I found your drawings. Chase and I can come up with a solution."

She refused to let her hope surface, afraid his plan would only backfire. "Business later, okay? Let's have some fun. This is my aunt's night."

Ricardo glanced at Elvira and nodded. "You're right."

He picked up the bag and placed his hand at the small of her back, leading her to the table. "I'll walk you over."

He was too quiet. She cast a sidewise glance at him, appreciating the rugged good looks every bit as much as the older women in the studio. They stepped out of their way, whispering to each other. It looked like she and Cisco were old news.

Julia zeroed in on Chase, standing in the corner next to the food table. Aunt Elvira faced him, her arm around a woman with long, blue-black hair.

Chase caught Julia staring and his eyes opened wide, a plea for help if she ever saw one. "Excuse me, Ricardo," she said.

"No way, darlin'. I don't want to miss this." He set the bag at the edge of the table and with a huge grin on his face, sauntered over to Chase. He tipped his hat. "Doña Elvira." He turned to the young woman. "Ma'am. Excuse me."

He turned to Chase. "Julia and I were leaving for a while to go over the new plans. Think you can hold down the fort?"

A look of utter fear crossed Chase's face. "I have the plans in my car. I'll come too."

"No need, buddy. We'll just talk. We don't need the plans." Ricardo smiled, thoroughly enjoying himself. "You look busy already. We're sorry to have intruded. Doña Elvira, do you have his dance card filled already?"

She beamed. "I'm working on it."

"Good. Don't give him too much free time or he'll eat all the food."

Julia elbowed Ricardo. "Chase," she said, louder than she'd intended. "Don't listen to him. There's no business talk tonight. This is a party. We're not going anywhere."

Chase let out a breath of relief. "Julia." He stepped around the two women and planted a kiss on her cheek. "Good to see you again. Really."

"Likewise." She wedged herself between Chase and the two women. "Why don't you help Ricardo unload the bag he brought?"

"My pleasure. Ladies." He bowed slightly. "Rick, let's do what the lady asked," he said icily, and back-pedaled out of there as fast as his feet would take him.

Chase was giving Ricardo a few choice words, she was sure. His mouth moved silently, a hundred miles a minute. A look of pure amusement lit Ricardo's face. A group of the sixth-grade students swooped down on the two men, and a lot of joking and shoving ensued as they tried to get to the breadsticks first.

Men. They started early. Julia turned her attention back to the two women. "Auntie, what's up?"

"Oh, nothing, *mi hija.* If Chase stays, he needs to dance. I'm just introducing him to some of my younger students."

"Just introducing . . . and then you're letting him make his own choices? Right?"

Her aunt let out a deep, martyr-like sigh. She glanced back at Chase and Ricardo, who had inched their way to the table and already held small paper plates filled with food. "Of course."

"Good." Julia turned to the young, perky woman. "He'll probably dance with you when he's not backed against the wall."

"I hope so," she said. She smiled and walked off to join a group of women near the front entrance.

Aunt Elvira clapped her hands to get everyone's attention. "Better get started before those two boys eat the food for the entire party," she muttered.

When only a few people stopped their conversations, Julia brought two fingers to her lips and let out a piercing whistle. Then she stepped behind Ricardo to keep from being so conspicuous.

He set down his food, stepped aside and wrapped an

arm around her. "I'm impressed. A not-so-subtle way of getting someone's attention."

"There's a time and a place for everything. Subtle doesn't work tonight."

He leaned down and whispered in her ear, "What would work tonight, darlin'?"

Ah, so he was feeling better now. In the crowded room, he apparently had no qualms about flirting and she liked that. "Use your imagination, 'darlin'."

He popped his tongue in his cheek, trying, it seemed, to surpress a smile. It didn't work long. When he slid his hand slowly down her back to the curve of her backside, a flash of pleasure shot through her. His luscious lips curved into a slow smile. She wanted to taste him. He innocently stared straight ahead.

Aunt Elvira's voice drifted around Julia, but she didn't hear a word. How could she concentrate on anything other than the warmth of his big hand? Or the warmth filling her? Two could play his game.

She turned to face him and laid a hand on his chest, pressing hard to feel his heartbeat. It raced as quickly as her own. His smile disappeared, replaced by a look she couldn't read, but it was a look that curled her toes. Everything around them became one big blur.

He placed his hand over hers. "Feel what you do to me, darlin'?"

She swallowed hard. "Then we're even."

"That's good to know." His fingers curled around hers.

Her aunt's voice drifted through her muddled thoughts. "And so, my niece Julia and her dance partner, Ricardo, will lead off the party with the first dance. Let's give them a hand."

Yanked from her reverie, Julia's stomach sank. Clapping and catcalls filled the room, making it grow smaller by the minute.

"I wish I had a camera." Chase pushed Ricardo forward. "What goes around, comes around. Ha. Think twice before torturing me next time."

Ricardo dropped his hand from Julia's back. "Is she serious?" His voice nearly cracked.

"Very. We're standing together, we're dancing together. No argument. No turning back. No choice."

He shrugged. "I could think of worse things, darlin'."

"Don't push your luck." She took his hand, leading him on to the dance floor. She shuddered. "I hate center stage."

She let out a deep breath. "Showtime."

She turned on the charm, smiled and waved at everyone when all she wanted was to escape to the balcony with Ricardo. *Where did that come from?* No, she was glad for the chaos around them, she tried to convince herself, better until the business plan was complete.

Flashbulbs went off, and she rolled her eyes. "Next time stand on the opposite side of the room, and keep your hands to yourself, would you? This is probably her attempt at punishing me."

"As I recall, your hands did a little wandering of their own, ma'am. You're as much at fault as I am."

Thankfully, the lights dimmed in the nick of time. Heat rushed to her face. He took a step back from her and raised her hand to his lips.

The fire raged on. It hadn't been a figment of her imagination. Her heart refused to stop its unruly hammering. She was speechless.

"Look, Julia, we might as well make the best out of a bad situation." He glanced around. Singles, couples and happy, loud children lined the perimeter of the floor, waiting. He saw Don Carlos and waved. He waved back.

"Will she start off with something slow?" he asked hopefully.

"Get real, Ricardo. This is a party. We're going to kick it until people need to catch their breath."

She slipped into his arms. "Just follow my lead, *querido.*"

"You're leading?"

The mortified look on his face made her laugh. "Don't worry. They won't catch on."

The music blared forth. Her hips automatically started swaying, her dress swishing around her thighs. Her hands felt small in his, and they were warmed instantly. The feeling permeated to the bone. "Got the beat, Ricardo?"

He nodded, but kept his eyes glued on her feet. She slipped her hand from his grasp. She tilted his chin. "Look at me like you mean it. Trust yourself. Close your eyes if you must. But trust yourself, and trust me."

Trust me, she thought.

He groaned. "You got it, darlin'. Let's go."

"One, two, three and go."

He stepped on her toe right off the bat. "Sorry," he mumbled, and started to look down again.

"Ah, ah, ah, Ricardo." She rubbed her hand along his shoulder and laid it to rest on his neck. It was the only natural thing to do. "I've had hundreds of students over the years. You're better than many."

"You're just being nice."

"A rarity around you, I know."

"It's delightful. You're delightful."

She laughed. His body instantly relaxed. His powerful legs pushed against hers and the "quick, quick, slow" glide took on a life of its own.

Elvira clapped. "Everyone dance! Thank you, Julia and Ricardo!"

Julia smiled. "Thank goodness she didn't drag that out."

"That wasn't too painful," Ricardo said. His confidence growing, he finally glanced at Julia and sent her into a dramatic twirl. "How am I doing, teacher?"

"Better. Ricardo, trust yourself. Look at me like you mean . . ." How many times had she said that phrase to students over the years? She had never wanted it to be truer than at this moment.

He looked at her with eyes that saw through her. A shiver ran through her body. Enemy–opponent–adversary! Her mind screamed out the three logical descriptions befitting Ricardo, the businessman.

Her heart didn't listen one bit.

Not when he pulled her closer than the instruction book warranted. Not when his slow drawl pulled her even closer. "I do mean it, darlin'."

And definitely not when he stopped dancing and touched his lips to hers. "Promise me the last dance, too, Julia?"

She wanted to promise more than a dance, but fear at the thought choked her into silence. She nodded and looked down at her unmoving feet. The couples around them spun and whipped, laughed and winked. She wanted a joy like theirs. She wanted it with Ricardo.

The music changed to a soft, slow jazzy tune.

"I thought slow stuff didn't happen 'til later."

"I don't think my aunt had anything to do with this." Julia jerked her head in the direction of the CD player. Chase stood next to it, shuffling a handful of CDs with a big smile on his face.

Julia laughed. Life at this moment was good.

They swayed for minutes in silence, the murmur of voices in the studio playing a steady harmony to the music. She rested her head on Ricardo's chest. His quickened heartbeat was the sweetest music of all.

Then a crash splintered the silence.

A piercing scream chilled Julia to the bone. She jerked out of Ricardo's arms, looking around frantically. "Oh, my God. Grandpa!"

Chapter Ten

Ricardo and Julia ran toward the small group huddled by the bathroom door.

"Help me!" Lorenza was banging on the door with all her might. *"Ay, Dios mio,* help me! It's Carlos!"

The house lights flipped on. "Step back everyone, step back!" Ricardo pushed his way through the crowd. "Give me room. Dammit, give me room."

Lorenza's pounding grew weaker. She looked up at Ricardo, her makeup running in rivulents down her weathered cheeks. "Help me, Ricardo. I can't open the door." Her voice cracked, and fresh tears fell.

He took her raw and bloody fists in his hands. "You did good, Lorenza." He gently kissed her hands and moved her out of the way. Julia wrapped an arm around Lorenza's heaving shoulders.

Chase led Lorenza away. Elvira clung to Julia, frozen a few feet behind Ricardo.

Ricardo jiggled the doorknob. It was heavy brass, the door, panels of solid oak. "Don Carlos, if you can hear me, if you can move, move away from the door."

He heaved back and rammed his shoulder into the door. He tried again. It barely budged.

To get better leverage and more power, he knew he had to use his left shoulder. He sucked in his breath and threw himself against the door. Pain shot through his shoulder like scorching fire.

He took a deep breath and rammed against it again. His bones felt like shattering shards of piercing glass.

He gritted his teeth against the pain. Nausea rose and his vision swam. He staggered back a few steps.

Focus. Focus. He let out a raucous yell and with every ounce of his weight ran into the door.

It gave. He punched through the indentation, pulled away some splintering wood and stuck his hand through the small opening. He unlocked the door from the inside and controlled himself, slowly pushing it open.

It opened less than a foot. Ricardo peered in. Don Carlos lay on the floor blocking the way. "No, no, no," Ricardo whispered.

He squeezed in, the door pushing against Don Carlos. Ricardo had already wasted too much time. He fell to his knees next to the unmoving body.

Julia tried to squeeze into the tiny room.

"Get out, Julia! Get some help! Nine-one-one!"

"They're on their way. Let me in, damn it!"

He gently moved Don Carlos's body toward him, knowing he couldn't keep her out. He started CPR. "Help me count, Julia."

She shoved the door open all the way. The fresh air cleared his head. "Elvira! Get them away from the doorway!"

Elvira yelled for them to move.

Julia knelt across from Ricardo. Bringing her hand to her mouth, she shook her head. "Help me or get out, Julia."

"I'm sorry." She carefully lifted her grandpa's glasses from his pale face, and began counting.

Ricardo pressed on Don Carlos's chest to Julia's ryhthmic counting. He ignored the screaming pain shooting through his shoulder and arm. "Come on, old man. Come on. You're not getting out of this that easily. We have an announcement to make. You're going to be there."

Julia looked at him as if he had sprouted another head. She took her grandpa's limp hand in hers. "Come on, Grandpa. Don't leave me now."

A buzz started in the silent studio. Paramedics raced into the building and jogged into the room. "We'll take over. You did good."

Not good enough, Ricardo thought, looking at the blue tinge around Don Carlos's lips. Damn it, not good enough. He rose and backed out of the room, pulling Julia by the hand.

They stood just outside the doorway, watching IVs and syringes and monitors. The paramedics ripped open Don Carlos's shirt to attach monitors and lifted him onto a gurney.

One paramedic spoke into a radio while the other continued prodding Don Carlos. "Heart attack. He's breathing. Pressure's dropping. Losing color."

They spit out questions left and right. Julia shouted back answers. The medication Don Carlos was on. Other attacks. History.

"We're on our way," the paramedic shouted one last time into the radio.

"We'll be right behind you. Take care of him!" Julia screamed.

The weight on Ricardo's chest threatened to crush him. Breathing became more difficult every second he looked at Don Carlos's falling blood pressure on the gauge.

They stood on the crowded sidewalk, watching them load Don Carlos into the ambulance. Glancing at Julia's pale face and trembling lips, Ricardo prayed like he had never prayed before.

Tears brimming, Julia's gaze settled on him. The utter despair on her face slashed his heart into shreds.

He wanted to tell her everything would be all right, but didn't want to give false hope. He wanted to gather her to him, but feared hurting her further. He wanted to promise her no more pain.

"I'm so sorry, Julia."

She raised her shaking hand, and with the gentlest touch Ricardo had ever known, wiped the dampness from his cheek.

They had whisked Don Carlos to intensive care before Ricardo and Julia had even arrived at Sharp Memorial. Ricardo staggered into the emergency room and clutched his shoulder.

Julia's eyes opened wide. She grabbed him around the waist. "Ay, Montalvo. Why didn't you say anything, *mi corazón?*"

He tried to shrug, but his shoulder refused to cooperate. "Was busy." The words slurred. He licked his lips, wanting to say her name, but the word stuck to the inside of his mouth like balls of cotton.

She'd called him *corazón.* He closed his eyes and let her soft voice rain over him.

She helped him through the emergency doors and sat him in the first empty seat she could find. She hurried to the front desk and gestured wildly, her voice fading in and out like the tide at Mission Beach.

He loved her. He blinked hard, trying to keep her in focus.

She walked back with an intern and a wheelchair. "Listen, love, we're going to get you fixed up right now."

"Carlos?" he managed. Panic coursed through him as he tried to sit up straighter. It seemed like hours since he'd been brought to the emergency room.

The palm of her hand rested on his forehead, then brushed back his hair. "They're taking care of him." Her voice quavered. "By the time they're done with you, we'll know more."

Julia and the intern helped him into the wheelchair. Beads of perspiration trickled down his temples. Julia wiped his face. "Thank you, Ricardo," she whispered, and kissed his forehead. "I'm going to run up and see Grandpa, and I'll be back as fast as I can. Sammy will take care of you, okay?"

Don't go, he wanted to shout at her retreating body, but it was all he could do to swallow. *I love you,* he thought, before the pain seared his body one last time and darkness slowly engulfed him.

Family and friends lined the hospital corridor outside intensive care. The vision took Ricardo back to his grandmother's death. His parents had kissed him and his sisters often in those last days spent in the hospital, grim reality striking hard. They had been there for him when their own world had crashed down around them. He had vowed never to take someone's love for granted again. But then he had turned and left, too scared and angry to look back. And today, he'd taken for granted the love of another friend.

He didn't intend to make that same mistake again with Julia.

Julia paced at the end of the hallway. Someone had wrapped her in an oversized Chargers' football jacket. The bottom of her party dress showed beneath it. She wore running shoes. Her hair was twisted into a knot at the back of her neck, held there by a yellow pencil. Silky strands fell loosely around her face.

She was the most beautiful vision Ricardo had ever seen.

He walked the gauntlet, clumsily pushing the cart he'd wrangled from the cafeteria. It was filled with cups of black coffee, boxed juices and cans of Pepsi. He stopped every few feet, offering the tired visitors a drink. It was the least he could do.

Arms reached out to him and touched him. Voices he didn't recognize murmured his name over and over. The faces he'd seen a hundred times in the studio or in the neighborhood blurred as he focused on Julia. He mumbled incoherent words, unable to look at anyone else. He left the cart in the middle of the hallway.

He continued toward her, wanting to rip off the sling that held his left arm tight against his chest. The coarse material dug into his neck, immobilized his arm and slowed his coordination.

Julia turned and looked at him. For a moment, a light in her eyes flickered. With a blink, it disappeared. Her beseeching gaze searched his face and settled on his shoulder.

She took a few steps toward him. "Ricardo, I'm sorry. They told me you'd be downstairs in a couple more hours. I was going back in a while to check on you."

"Once I could sit up and found my hat, I was out of there." His fledgling attempt at humor bombed. She looked at him with vacant eyes, her smile stuck somewhere deep inside her.

With his good arm he drew her close. "You have more important things to worry about."

She rested her head against his chest. He stroked the back of her head, jarring the pencil loose and it clattered to the floor. Slowly, Julia wrapped her arms around Ricardo's waist, and let out a shuddering breath.

"How's he doing?" He wasn't sure he wanted to know.

She lifted her head to look Ricardo in the eyes. "Better, actually. Critical, but stable." She slipped her hand into his. "Come see him."

"I don't think I should. He needs his rest." Ricardo

wanted to remember Don Carlos drinking down a cold beer or on the dance floor surrounded by admiring women.

"You saved his life, Montalvo."

"He's not out of the woods yet, Julia."

"The more reason for you to see him now." Her voice remained calm, though her eyes screamed a silent plea.

One look in her eyes and he swallowed down his panic. He squeezed her hand. "Let's do it then, darlin'."

She led him into the darkened room. Ricardo stopped at the doorway, his feet unwilling to step in farther. Don Carlos looked tiny and frail in the hospital bed. His eyes were closed. His chest rose and fell faster than it should have.

"I don't belong here, Julia," he whispered. He glanced at the IVs hooked up to Don Carlos. His veins stood out on the backs of his hands, folded neatly, as in prayer, on his stomach.

Julia's mother and father had drawn their chairs close to the side of the bed. Her uncle and his wife stood on the opposite side. Elvira stood near the window, staring through the blinds to the street below.

Ricardo stepped back.

"You're his friend," Julia said quietly.

"I don't think that's quite the term your family would impose on me."

Julia squeezed his hand tighter. "Oh, yes, they would." She bit her trembling lips.

He didn't want to face any of them. "I probably caused the heart attack. Some friend."

He'd taken Don Carlos's family and run over them like a bulldozer, all for the sake of a building. In the end, he had been the ruthless monster Julia had believed him to be. Instead of responding in kind, her family had opened their arms and doors to him. They had invited him to be a part of their lives, knowing full well his agenda.

One by one they had opened his heart and eyes to a world beyond business, had made him yearn for the family he only now realized he missed and could not do without. He wanted more than business. He wanted Julia more than anything he could ever remember wanting.

He swallowed the lump in his throat. Hand in hand, they walked to the foot of the bed.

Don Carlos deserved more than respect. Ricardo would do everything in his power to see that he received the best medical attention money could buy. As soon as he was up and around again, Ricardo would tell him his plans for the studio.

He would clean up the mess he'd made. He'd ask Julia's forgiveness, then leave town. The more space he put between the Rios family and himself, the easier it would be for them to pick up the pieces of their lives again—the pieces he had ripped out from under them.

The thought of leaving Julia pierced him, the pain deeper than any he felt from his shoulder injury.

Her mother rose from the chair, took his face in her hands and kissed him. "Thank you, Ricardo." Tears streamed down her face. Julia's father squeezed his shoulder. "She needs a break. Please, take our seats. Take care of Julia."

Don Marco and his wife followed them with pink pastry boxes stuffed beneath their arms. Ricardo hoped the coffee was still hot for them. Don Marco patted Ricardo on the back. "He asked for you, son."

Ricardo wanted to bolt. Family, family, family. He'd abandoned one, nearly wrecked another, and yet he knew they'd help him if he needed them.

Ricardo pulled the chair out for Julia. He eased his hand out of her grasp and leaned down to kiss her cheek, the pain shooting through his shoulder again.

The painkillers were fading fast. "I'll be right back, darlin'."

She nodded and scooted her chair closer to the bed. She lay her hand over her grandpa's.

Ricardo walked over to Elvira and placed his hand on her shoulder. "I'm so sorry, Doña Elvira."

She looked up at him with red-rimmed eyes, her tears spilling over. If the earth could open up and swallow him whole, he'd have jumped in headfirst. He hugged her awkwardly, cursing himself for his own stupidity.

Silent sobs wracked her fragile body until he thought she would break. After a few minutes she shuddered to a stop. "Yesterday he told me to make up my mind about the studio," she whispered. "He always worried about me. He said life was short and I'd better do all the things I wanted or I'd run out of time and always wonder 'what if?' He said you were sent from heaven with an opportunity in disguise."

Threatening to take over a family business was a blessing in disguise? Ricardo cursed the old man. He cleared his throat. "He always knew what to say." He glanced at Don Carlos and Julia, who hadn't budged an inch. "We don't need to talk business now."

"I know, Ricardo, but I'm closing up shop anyway. I've always wanted to visit Spain and Greece. It's a good time to do that."

He was speechless. The revised plans, the opportunities. The guilt. "No, Doña Elvira. Please."

"It's time, Ricardo." She patted his cheek. "He said you were a good boy. I firmly believe that, too." Elvira glanced at the hospital bed. "My niece is smitten with you and shaken up about her grandfather. It's not the best negotiating position to be in. You have my word I'll help you all I can. Do what you must do, but don't you dare hurt her." She lifted her chin and swiped at the tears on her face.

She left him standing there speechless and draped her arms around Julia. Julia held on to the arms wrapped around her neck, pulling her aunt close enough so that their cheeks touched.

Don Carlos stirred. Julia gasped. Elvira kissed him and hurried from the room to call the others. Julia rose and gently stroked a pattern on his forehead, easing the furrow that appeared there.

"Chiquita." Don Carlos licked his chapped lips. His eyelids twitched, but he didn't open his eyes.

"Shhh, Grandpa."

"Ricardo?" He seemed to swallow with great difficulty.

"I'm right here, Don Carlos." Ricardo reached for the half-full glass of water on the nightstand, but thought better of it. He picked out an ice cube and rubbed it over Don Carlos's lips.

"Good. You're together." A tear trickled out of the side of his closed eye, across his temple and into his hair. "Wish I could see you together. Can't see."

His voice caught and he coughed. His face scrunched against the spasms of pain that must have shot through him.

"You can see us tomorrow, Grandpa," she crooned. "Just get some rest."

Ricardo put down the ice cube and looked at Julia in wonder. Her voice was as comforting as a lullaby, but tears drenched her cheeks, falling in droplets from her chin onto the white sheet covering Don Carlos.

"Your grandma is happy, *Chiquita.* He's the one." He sucked in his breath and let it out slowly. "Ricardo, take good care of my baby."

Sweat covered Ricardo's palms and ran in rivulets down his back. He had to say something, anything that would turn the tide. "Old man, you can't go anywhere yet. You have to be at our wedding."

The corners of Don Carlos's lips turned upward into a

sad smile. He groped for Julia's hand. Ricardo covered both of theirs with his own.

Julia leaned into Ricardo. Their combined heat had to warm Don Carlos's hands and feet. If it could be that simple, Ricardo thought, he'd have started hours ago.

The monitor beeped wildly. The green line went flat, and Don Carlos's heartbeat stopped.

Chapter Eleven

"How long have they been in there?" Ricardo threw his Stetson across the room. It hit the waiting room door and slid to the floor. He kicked the chair closest to him, making everyone around him jump. "Sorry," he mumbled.

Julia doubted he was. She turned away from him and wished for a moment that she could do the same. She looked out the lone window, fiddling with the cross on her necklace. "They said bypass surgery can last up to ten hours."

She surprised herself at the ability to remember that fact and other tidbits that flowed in and out of her consciousness. Every face, every word uttered, every excruciating minute she had sat in the chair next to Grandpa's bed was a blur. She knew that after Ricardo had been released, he had stayed beside her, had held her, had spoken to her grandpa. Some lame thing about a wedding that actually made Grandpa smile.

Ricardo had comforted her. Right now, he unnerved her.

She rubbed the back of her neck. Her eyes burned unmercifully, and a fresh deluge of tears threatened to start again if someone so much as poked her. She was tired right down to the marrow, an ache that went far beyond anything she'd ever known.

Pounding on the soda machine startled her. "Montalvo! They're going to throw you out of here. Get a grip."

His gaze darted back and forth with the wild-eyed look

of a desperate, explosive man. He turned his attention back to the machine and pounded again, his wrapped left arm looking like a broken wing.

He'd been there for her, but who had been there for him? She looked across the crowded room at Chase. He shrugged, the vacant look in his eyes filling with his own demons.

Julia walked to Ricardo and placed her hand in the middle of his back. She trailed her hand up and down the length of it, then pressed more firmly against his tightly strung muscles. *This boy is going to snap soon.*

"Come sit with me, Montalvo."

He leaned his hand on the machine, pulling his arm taut, and dropped his head onto his upper arm. "You don't want to sit next to me." He slurred his words. "I'm bad luck."

Julia figured that fatigue had finally settled in. She rubbed his back again. "Don't talk like that. There's no one else I'd rather sit next to."

He turned to her. His dark eyes, like bottomless pools, drew her into a world she wasn't sure she wanted to enter. They searched her face for some kind of answer she couldn't possibly give.

His eyes hardened. "Well then, darlin', I feel sorry for you."

Heat rose to her face and before she could stop herself, the tears spilled over. He was trying to push her away, to keep from hurting her or keep himself from getting hurt by putting up his own defenses. "You should just stop feeling sorry for yourself, Montalvo."

His head jerked up. He looked at her as if for the first time. "Julia, I'm sorry. I'm sorry. How many times will I need to keep on saying that?"

"You've said it enough." She hiccoughed. "Damn it, Montalvo, I'm so tired of crying. Don't be mean to me or I'll start again."

"Oh, baby, come here."

"No." She sniffled like a child. "Deal with your guilt on your own time. I know that's what you're fighting but it'll be there in the morning, believe me, and I don't want to be there when you come head to head with it."

"Please, Julia. I'm sorry."

There was that drawl again, curling around her like a warm blanket. She wanted to snuggle against it and fall asleep for days and wake up with this nightmare well behind her. "No," she whispered, but her feet had a will of their own.

He led her by the hand to the nearest empty chair. He sat down and pulled her into his lap. He shifted her and moaned.

She bolted upright. "Your shoulder."

"It's fine." He drew her to his chest and rested his chin on the top of her head. "Julia, if I had to do this all over again, I would never drag you or your family through it," he whispered for her ears only. "You say I saved your grandpa's life? Well, darlin', you all saved mine."

His fingers hung from the sling and grazed her thigh, the warmth of his touch seeping into her tired, aching bones. "We have to fix everything."

"We will."

She halfway believed him. She clung to the front of his shirt, wet from her tears. She shifted into a more comfortable position, curling against his hard, sturdy body. He held her tight against him and she believed, in that instant, she could find the answers she'd been seeking right there in his arms.

His voice droned over her like the lazy buzz of honeybees in summer. His soft and steady breathing calmed her own. Fighting the makeshift lullaby as long as she could, she finally gave in and allowed her eyes to flutter close.

The buzz grew louder and rolled over Julia. She knew she was awake but her body refused to accept that fact. Slowly, she opened her eyes one at a time.

Francisco stood in the doorway with a huge grin on his face. "Hey everybody. I'm the bearer of good news. Carlos is in recovery and doing fine."

A cheer went up from the crowd and Montalvo jerked awake, nearly sending Julia crashing to the floor. He winced at the pain the sudden movement had caused his shoulder and threw his good arm around her, as if to protect her. "What the . . .?"

He looked around wildly until his gaze fell on Francisco. Their eyes locked. The temperature in the room dropped a few notches, and Julia shuddered. With that fixed, icy stare, Ricardo looked downright scary. She could see how ominous he'd be on the football field or in intense negotiations. Francisco stayed formidably cool and she knew he could easily confront any political opponent in any type of debate.

If she hadn't been in the middle, she would have stepped aside and watched the fireworks.

"What a nightmare of a way to wake up," mumbled Ricardo. "What did you ever see in that guy?"

She gave Francisco the once-over. Freshly shaved and creased to perfection, he was spotless. He worked the room, his handshakes firm, his smile warm, his words comforting. If he had been anyone else, she would have thought him a typically smooth politician. At least here, in this room, he was genuine and sincere. She had no doubt about that.

She ventured a glance at the scowling Ricardo. Could she convince him that Francisco posed no threat?

Ricardo stroked her thigh absentmindedly, never taking his gaze off Francisco. "Certainly could teach political science one-o-one. Lesson number one: Work that room." He turned to Julia. "Wait a second—he said your grandpa was in recovery."

The news finally sank in. Julia jumped from Ricardo's lap. "Cisco!" she yelled. "Are you sure about Grandpa?" She rose and smoothed her dress, then ran a hand through her tangled hair.

Francisco approached them. "The doctor came by, but since you were sleeping, I intercepted him."

"Always looking for that opportunity for center stage," Ricardo mumbled. "Don't stand so close, Valdez, you're blinding me."

He laughed heartily. "Good morning to you, too, Señor Montalvo."

Ricardo shook his outstretched hand. "It could have been until you walked in." He smiled wide.

"Actually, I felt the same when you were the first person I saw when I walked in here."

Julia let out an exasperated sigh. "A time and a place, guys. This is not it." She clenched her teeth until they hurt.

Next to Francisco, Ricardo in his rumpled clothes, touseled hair, and arm hanging from the sling, looked like Denver's defensive line had just put him through the wringer. She rather liked that contrast between the two, but at this moment she didn't like either one of them very much.

"You took the news but didn't bother to wake me?" Julia fought to control her voice. "And you"—she turned to face Ricardo—"can only think of cutting Cisco down?"

Both men turned to look at her as if she'd spoken an alien tongue. The room turned silent.

"We have been here all night worried sick, waiting for some word, and you come waltzing in, and *only* when you're good and ready, decide tell me about my grandfather's condition? What's with that, Cisco?"

"I'm sorry. I wasn't thinking. I just thought I could spare you . . ."

"You thought nothing but being center stage like Ricardo said. Now if you'll excuse me, I have a real live grandpa to tend to."

Ricardo stepped forward. "I'll come with you."

She shook his hand off her arm. "No. Just go ahead with the knock-down-drag-out you guys are on the verge of having and get it over with. I'm tired and have more important things to do."

She pushed her way past them, suddenly aware of her outrageous attire. The running shoes, the Chargers' jacket, her party dress. The makeshift outfit reflected the tornado of chaos inside her. Heaven help them if they got in her way with any more of their macho nonsense.

Julia hurried to the foot of Grandpa's bed and said a quick prayer of thanks. He was breathing normally and his color had returned. Her parents, Aunt Elvira, Uncle Marco and his wife looked up at her, relief evident in their tentative smiles.

She came around and kissed everyone. She leaned over Grandpa and kissed him gently on the forehead. She touched his soft face with the tips of her fingers, following the path of the many wrinkles and laugh lines as if they were leading her to a treasure.

It wasn't her imagination. His face relaxed. In that moment, she knew she'd found that treasure. He'd be coming home.

Walkie-talkie in hand, Ricardo stood in front of the wide double doors of his restaurant. Only when he spotted Chase in Elvira's studio did he resume his pacing.

"Everything under control there, Chase?"

The airwaves cackled. Chase stood in the doorway of the studio and waved. "If you use that walkie-talkie to check up on me one more time, I'm tossing mine out the window. Chill out, dude."

"All right, all right. I can take a hint."

"I'm setting my talkie down so I can rearrange things." Chase chuckled and waved one more time.

"Rearrange things?"

The line went dead.

All right, so he was being too detail-oriented. He wanted to pull the surprise off without a hitch. It had been way too long since he'd seen any kind of activity in the studio. The neighborhood clan had practically deserted it since Carlos's near-collision with "the big one" and had opted to visit the hospital daily, for hours on end. Swept along with the emotional tide, he had been there as much as he could.

He glanced at his completed restaurant and then at the studio. Two incredible worlds he was lucky to be a part of.

The studio had become his haven, the people there, his friends. It was a life he had never expected to find, and had definitely not appreciated. He missed the liveliness of the studio—the music pumping life into him, the sweet-voiced instructions from Elvira, the feeling it gave him of home.

Mostly, he missed having Julia around since she'd wound up the ad campaign and dance lessons—especially the way she felt in his arms, the way he sometimes caught her looking at him. It was the kind of look that could make any man back into a *saguaro* cactus and never even feel it.

Hell, he drove her crazy, too, but wasn't quite sure if it was a good kind of crazy. He knew he sometimes acted a bit on the hot-headed side, bringing out all the macho behavior she barely tolerated.

All in all, it was a challenge to be around Julia, and he'd told her as much. Then he'd made her smile when he said how much he loved a daring challenge.

Julia came around the corner in the blue van he'd rented for her. It didn't have quite the same effect as her red Miata but Julia would make anything look like a Rolls Royce.

He grabbed the walkie-talkie. "They're here. Get ready."

"Ten-four," Chase answered. "Hey, that sounds great—official," he said, with sudden realization. "Ten-four, good buddy."

"Chase, get in position, for crying out loud."

"Ten-four." The line went dead again, and movement inside the studio ceased.

He set the walkie-talkie on the wooden bench by the door. The bench had been a gift from Marco, made by the same woodworker who had created the one that sat in front of his *panaderia.*

Julia pulled open the sliding doors of the van and started pulling out a wheelchair.

Ricardo ran toward her. "Julia! Let me help you with that."

Her face lit up like a wonderful blossom, nearly making him falter. "Ricardo! Thanks for coming."

"Wouldn't miss it for the world." With one hand, he grabbed the wheelchair and set it up, locking its brakes.

She gently touched his sling. "How're you doing?"

Her vibrant smile made him wish for things he had once thought were out of his reach. "Better every day." He pulled her close. "I've missed that."

She wrapped her arms around his waist. "What's 'that'?"

"Your smile, darlin'."

She sighed and her body relaxed. "Seems like the worst is over."

"Hey!" A cane rapped on the door. "Are you two done? It's hot in here."

"Don Carlos—I see you're back to normal." Ricardo chuckled and stepped away from Julia, reaching up for Don Carlos.

"It feels good to be home." Don Carlos shuffled to the edge of the van and put a shaky arm around Ricardo's neck.

Ricardo easily lifted Don Carlos and gently set him in the wheelchair while Julia held it steady. Don Carlos looked around, the soft breeze ruffling his hair. "The studio's too quiet, but it looks wonderful." He pointed with his cane toward Ricky's. "So does your restaurant, from this angle, son."

"Wait until you see the finalized plans, Don Carlos." He and Chase had worked with a new landscape designer to bring Julia's first drawings to life.

"I'm sure they will be a work of art."

Ricardo hoped so. Cobblestone walkways and bridges linking the studio and various other businesses to the restaurant would replace the asphalt. Sod would be laid everywhere, for the immediate, necessary green to give the place life. Splashes of color would come from the tons of flowerbeds they'd planned for—with yellow roses, lilies, and old-fashioned carnations. The scent of those flowers had permeated the air so intensely in his office, it had to be a sign of some sort. He'd jumped at the idea of including them in the landscaping. Vines of wisteria and bouganvillea would lace the columns and trellises on the buildings.

He could hardly wait to see the look on Julia's face when he brought out the modified plans tonight. "I hope all of you think so." He stepped behind the wheelchair. "Please, allow me, darlin'. If you could get the door."

"What are you up to?" she whispered as she tried slipping around him.

He wasn't about to let her squeeze past him that quickly. He pressed his body against hers, blocking her way.

"Well?" she whispered, not at all flustered by their stance. Her raised eyebrows taunted him even further.

"Just a little surprise." He reluctantly let her pass.

"Uh-oh. You don't know the meaning of little. Just make sure I'm out of the vicinity when you spring this little surprise." She winked at him and gave him her thousand-watt smile, revving him up.

"Surprise? What surprise?" The impatience in Don Carlos's voice was more than apparent. "Never mind, let's get a move on. Elvira's probably worried sick."

Ricardo pushed the wheelchair through the front door Julia held open and walked through the lobby to the studio.

"Surprise!"

Don Carlos gave a start of astonishment, and then a smile spread across his face.

Family and friends filled the room. A variety of pastries, heaping bowls of rice and beans, trays of enchiladas and *carne asada* and stacks of tortillas filled the two tables along the far wall. The scent was absolutely heavenly.

Hanging from the ceiling was a huge banner reading "Welcome Home, Carlos!" Chase flipped on the music, but kept it at a respectable decibel level. Ricardo gave him a thumbs-up.

Everyone rushed toward Don Carlos, jabbering a hundred miles a minute.

"Thank you, thank you," he whispered, but his voice was drowned out. Placing a hand on Don Carlos's shoulder, Ricardo leaned close to his ear. "Do you want to say something or forever hold your peace?"

"I'd like to say something." He covered Ricardo's hand with his own. "Don't leave me."

Ricardo swallowed hard. "I won't, Old Man. You know that." Afraid to yell or whistle while standing close to Don Carlos, he gestured to Julia to give her piercing whistle.

She did. The chatter dwindled and finally stopped. All eyes were riveted on Don Carlos.

"You almost gave me a heart attack," he said. The crowd stood, stunned. Don Carlos laughed. "I'm joking."

Breaking the ice, everyone laughed with him. Don Carlos held up his hands. "You are all the reason I decided to stay. It was you who brought me home. I missed all of you." His voice broke.

Ricardo blinked hard, suddenly not liking where he stood. Being in the spotlight with the man who had made him take a good, hard look at his way of life was sobering. Everyone was bound to see right through his facade, but he was far from ready to make any emotional revelations in public.

"I've lived a long, full and wonderful life, and still find life too short. Today I'm surrounded by the only things that matter—my family and friends."

He reached out his hand. "Julia, Elvira, Maria, Marco, your wives and husbands. And those who will always be like family—Ricardo, Francisco, Chase—come here." They gathered around him. "If there's any advice I can give, it's don't waste a precious minute. Do what you've always wanted to do, surround yourself with those that mean the most to you."

He took off his glasses and laid them on his lap. He covered his eyes with a shaky hand, the tears flowing despite his best efforts.

Flashbulbs went off. Ricardo had befriended one of the sixth-graders and hired him to take photos of the celebration.

Francisco stepped forward and for once, Ricardo was glad he did. "Don Carlos, I can't tell you how glad we are to have you home. This is definitely a day of new beginnings."

Ricardo risked a glance at Julia. For once in his life he was speechless, unable to express his love not only for this woman but for her generous, loving family.

Tears streamed down Julia's cheeks, but she held his gaze. He took her outstretched hand. "Dance with me later?" he asked, wiping the tears from her face.

She nodded.

Elvira slipped away from the crowd for a moment before returning with a rolled sheet of paper bound by a rubberband. She kissed Don Carlos and stood so close to him that her leg touched his wheelchair. "I'd like to say something."

Chase turned down the music. Perfectly poised, Elvira turned to face the larger group of friends. "These last few weeks, my father taught me many, many lessons."

She fiddled with the paper, rolling it back and forth between her hands. "I'm taking Dad's words to heart, to do the things I've always wanted to do before time slips away."

A buzz started through the crowd. Heads bobbed up and down in understanding.

"I'm going to travel to Spain and Greece." She tilted her chin, her youthful, hardly lined face serene. Her bottom lip quivered.

Ricardo's blood ran cold. "No." He tried to yank his hand from Julia's but she clung tighter, holding him back so Elvira could finish.

"At of the end of the month, when I hope my father will be better, I am closing down Elvira's Dance Studio so I can travel."

A gasp went up from the crowd. She held up her hand holding the white paper to get their attention, but to Ricardo it looked like a flag of surrender.

"I love you all. You are my life and I will miss this place, but alas, it is only a building."

Tears, tears, everywhere tears, and Ricardo felt as if he were drowning. He'd rather be drowning. Could they see through their tears the slug he had been, that he had caused this painful decision?

Her voice quivered unashamedly. "I'll always dance with you here." She pointed to her heart. "Tonight, I need you to be happy for me that my father is with us again. As Francisco said, let's make this a day of beginnings, a celebration we all need very much. Tonight we will dance here"—she spread out her arms like wings—"like we've never danced before. Chase, the music."

A distraught Chase merely nodded and cranked up the music a notch.

The shock slowly wore off the guests. Lorenza walked up to Elvira and gave her a bear hug. "It's about time, love."

"You have to come with me."

"I thought you'd never ask. Those matadors better watch out."

Lorenza pressed her cheek to Don Carlos's cheek. "Hurry up and get on your feet before the end of the month, Carlos. I want to dance with you one more time in this studio."

Don Carlos laughed, and kissed her. "That's my goal, Lorenza. I'll sweep you off your feet."

"You'd better. No excuses."

She turned to Ricardo. "Why are you looking so shell-shocked? It was time. Everything will work out fine." She patted his chest and walked over, grabbing an unsuspecting gentleman and pulling him to the center of the dance floor.

The celebration picked up. When the crowd dispersed to talk to Don Carlos, Elvira walked over to Ricardo.

"Doña Elvira, I'm so sorry."

"We've gone through this before, Ricardo. No more apologies. I really, really want to see Spain." She placed the white sheet in his hand and curled his fingers over it. "This is the lease for the building. You can work out the details with Julia. It's yours to do with what you will."

She patted his cheek. "You are a good man. Whatever you do, do it wisely and with heart." She kissed Julia, then turned and walked toward the hub of people on the other side of the room.

He turned to Julia, desperation filling him. "Please, darlin', talk her out of this."

Julia bit her lip and shook her head. "She's made up her mind, Montalvo. If I could, believe me, I would."

The sadness in her eyes was too much for him to take. He had pushed her family against the wall until they had no other recourse. It was what he had wanted wasn't it?—to win the studio and make it into a parking lot? Now that it was his, it was a shallow victory—hell, no victory at all.

He shifted the paper into his almost useless hand, and touched her cheek. How would Julia ever want him after he'd caused her family such sorrow? He'd let her down, let them all down.

The music that had brought him joy by bringing Julia comfortably into his arms became unbearably loud. He dropped his hand from her soft skin and backed away.

"I'm sorry, Julia." He wadded up the paper in his clenched fist and stalked from the studio, ignoring the echoes of his name.

Chapter Twelve

Ricardo sat in the middle of the empty dance floor in his restaurant on one not-so-cozy barstool. He made a note to buy more comfortable ones. He stroked his beard, over and over again, as if he could magically rub answers right out of it like a genie from a bottle.

He looked around. Julia had been his genie, turning the restaurant design into one of the best in his chain. She had worked miracles in bringing the flavor of Old Town to the place, helping it to blend in. The advertising campaign was both aggressive and appealing.

Hell, who was he trying to kid? The restaurant meant nothing without Julia. Julia had made wishes he hadn't ever dared whisper come true. Why on God's green earth would she hang around if he drove her family away?

He couldn't imagine his life without her now. There would be no satisfaction in opening the restaurant if he couldn't share it with her.

"Dollar for your thoughts." Julia's voice wafted out to him on the strains of the salsa tune bellowing from her aunt's studio. She stood in the doorway separating the restaurant from the dance club. As she neared him, her face, fresh with makeup, looked like satin. All evidence of her earlier tears had disappeared, leaving her eyes bright and stunning.

He swallowed hard at what she reduced him to. He didn't take any offense to it, but it would take some getting used to. "Some things you just can't put a price on, now can you, darlin'?"

"Not the things that matter." She walked up behind him and firmly massaged his neck and between his shoulder blades. "Do you want to talk about it?"

"Damage has already been done." Magic in her fingertips, magic in her kiss. He rolled his shoulders but nothing would loosen the knots there or the one tying up his insides.

"Ricardo, Chase is waiting. I asked for a couple of minutes alone. That's all I can spare from Grandpa." She cupped her hand around the back of his neck and moved to stand in front of him.

Her lips looked soft, tinted a color reminding him of red, juicy plums. If he could just taste her bottom lip, he'd head back to Texas knowing he'd tasted heaven. "We should be getting him home soon."

"There's time."

He looked into her eyes. "Will there be time for us, Julia?"

She rested her forehead against his, her breath soft and easy, almost forgiving. *"Mi corazón,* you have to get past your guilt to make room for me."

"I can't do that unless you forgive me first." He gritted his teeth. "Can you forgive me for all I've done to your family?"

"It wasn't all you, Ricardo. You didn't *do* anything to us. We had the choice of how we'd react to your proposal."

He ripped off his sling, wincing as he lifted his hands to her shoulders. Her facial reaction would clearly give the answer, whether he wanted to know the truth or not. "Can you forgive me for barging in like some greedy lunatic, disrupting your lives?"

For an instant, she dropped her gaze. "I don't know. I don't know." She looked him squarely in the eye. "All I know is I love you."

He studied her face, agony and despair taking root, emotions that should never have been there. The knot in his stomach tightened unrelentingly. "That isn't enough to marry me, is it?"

She shook her head. "It could have been, but you threw it right back at me." She slipped his hands from her shoulders and sighed.

If he kissed her, he'd keep her from saying more of what he didn't want to hear. He hesitated a second too long.

She locked her fingers with his. "Nothing can happen until you deal with your demons, and I guess I have to deal with mine."

He pulled his left hand away to stroke the curve of her face, to tilt the chin that had defied him countless times over the last few months. "Then I have to go back home, Julia."

Her body tensed beneath his fingers. "Texas? After all this, you still consider it home or is it just a place you can run away to?"

"I'm not running. I'm just . . ." *Running,* he thought miserably. "I love you, Julia."

She nodded, blinking back tears. "I know." She kissed him gently on the lips. "Do what you have to do, honey," she whispered, and walked out of the room.

The foreman hopped off his rig and sauntered over to Ricardo. "Excuse me, sir."

Ricardo threw him a cursory glare and went back to the business of watching Elvira's place. "Got a problem?"

"Matter of fact, we do. My crew's been sitting idle for three days now and I'm just wondering how soon you'll want us to demolish the building so that I can schedule the rest of the week."

Ricardo propped his foot on the railing and leaned on

his leg, never taking his eyes off the studio. "I'm paying you twice the going rate. Do you think you could come up with some creative way of fighting your boredom?"

The man didn't flinch. "Yessir, but we have other customers, too, sir."

Ricardo lifted the mirror-framed sunglasses to the top of his bare head. "I'll let you know by this evening. Is that soon enough?"

"Yessir." He turned to walk away.

"Wait a minute." He pushed away from the railing and reached inside the front door. He grabbed several of the dozen pastry boxes filled with Marco's *pan dulce.* "I'm sorry. It's been a hell of a month. This is for your crew—the best Mexican sweet bread in town, and it comes from right across the street."

He pointed to an aluminum siding shed at the back and to the right of the restaurant. "There's a fridge in there stocked with sodas and water. Help yourselves. It's going to be a hot one today."

"Thanks, Mr. Montalvo."

He saluted the foreman half-heartedly. He needed to catch Elvira leaving today. The last few days, she'd evaded him like the plague. If he couldn't convince her to stay, he at least wanted to run a contingency plan by her.

She walked out of the door in a bright, flowery dress and high heels. She set down a small suitcase and large posterboard against the building. From her purse she pulled out keys and locked the door. She dropped them back into her purse and pulled out a roll of tape.

She deftly hung the posterboard and stepped back to stare at it. She hugged herself for a moment, made the sign of the cross, and picked up her suitcase.

Ricardo quickened his pace, not wanting to run for fear he'd scare her off again. As she turned the corner he glanced at the posterboard. "Closed for Business", it read.

Panic rose in his throat. "Doña Elvira, wait!"

She turned to face him and took a deep breath before she spoke. "Honey, I'm getting on a plane tomorrow."

"I've thought of another way to keep the studio in the family." Gone was the cool business facade of conquer 'em and leave 'em in the dust. He'd get down on his knees to prompt her to listen and play along.

"You'll need these, then." She yanked the keys from her purse again and placed them in his hand.

"That's not what I came here for. Five minutes is all I'm asking."

She covered his clenched hand with her own. "Julia's miserable. Dad misses his dance lessons."

Ricardo didn't trust himself to speak. All week, the office had rained floral-scented messages on him that he couldn't even begin to decipher, and he knew he couldn't make the wrong business decision again.

Her voice reverted to its sing-song lilt, and she linked her arm with his. "I'll give you ten. Why don't you tell me your plan over a cup of coffee?"

Ricardo paced the office, the thought of seeing Julia again making his blood race. "Do you think we can pull this off?"

"What kind of a question is that? Of course we can." Chase slapped Ricardo on the back. "Your idea's brilliant. I knew you'd make me proud."

"I'm not doing this for you." He peered out the blinds for the hundredth time.

"A little tact wouldn't hurt, dude. Julia have any idea?"

"None. I told her I just wanted to finalize the hype for Salsa Night for the grand opening of the restaurant. It's only a week away, so timing's on our side." He started pacing again, slapping his Stetson against his thigh every few steps.

"You're driving me crazy, Rick. If you don't sit your butt

down, I'm going to hog-tie you to your chair." He whipped a lasso out of the bottom desk drawer and slapped it against his palm. "Go back to your office and I'll let her in. Sheesh. Control, man."

"I'm completely in control." He shoved the Stetson onto his head and walked past Chase. "I can take a hint. I have to get some work done anyway."

He sprawled into his chair and spun it around several times, work the farthest thing from his mind. He glanced at the shirt-size box near his feet and the bigger box stuffed underneath his desk, and patted his shirt pocket.

The sound bite video for the commercial was already in the VCR, the remote lay on the edge of his desk. The lay-out of the timed advertisement frames were spread out in the middle of his desk, looking like trumped-up comic strips. He wanted everything to look official, although he didn't want to think he'd have to resort to protocol.

"You wanted to see me?" Julia's throaty voice knocked every one of his opening lines right out of his head.

"Damn straight I wanted to see you, darlin'." He'd never been more sure of anything in his life—until he saw the guarded look in her eyes. "I mean, please come in and have a seat. We need to talk about opening night." *Control, man.*

She walked in without another word and sat in the seat across from his. "Is there a problem?"

He came around his desk and sat on the edge nearest her. She crossed her long legs and gripped the armrests, her bright red nail polish mesmerizing him. He cleared his throat. "I wondered if you'd be interested in giving dance lessons as a promotion for Salsa Night on a weekly basis after we open up shop."

"Me? Where, pray tell?"

"Did you notice that the crews were gone today?"

"I . . . no." She shifted in her seat.

"I'd like to keep the studio open."

Her voice hardened. "Please don't waste my time. Do you have any questions about the advertising?"

"None whatsoever." He dropped on one knee. "I do have another question for you, though."

"Ricardo, don't." She clasped her hands and brought them to her lips.

"Julia, I don't want to live the rest of my life without you, darlin'. I want to dance with you—every first dance and every last dance, and I promise I'll keep taking lessons so that someday I'll hardly step on your toes at all."

She lay her hand on his cheek. "What is your question, Montalvo?" she whispered. "Spit it out or forever hold your peace."

"Will you marry me, Julia?"

She took his face in her hands and kissed him full on the mouth. The exquisite taste of Julia. He fumbled in his pocket and pulled out the blue velvet box.

He reluctantly pulled away from her. "Is that a yes?" he asked, never assuming anything where Julia was concerned.

They twined fingers. The scent of roses, wisteria and several other unidentifiable flowers blended together, simultaneously strong and sensual and perfectly right.

"That's a definite yes, Montalvo. Why did you wait so long?"

"I learn the hard way sometimes." He flipped open the box and took out an antique Marquis diamond ring that had belonged to his grandmother. He slipped it onto Julia's finger. "We're official, darlin'. Can we just skip ahead to the wedding night?"

"No, we cannot." She laughed that silvery laugh he loved and kissed him again.

"Well, then, I'd like to skip ahead to opening a couple of wedding presents. Chase?"

"At your service." Chase wheeled in a huge cart with

three tiers, two filled with champagne flutes, the other with ice buckets containing ice and dark green bottles of champagne.

"This is an awful lot of champagne for three people," Julia said and stood with her arms crossed.

Chase whipped a white napkin over his forearm. He adopted an English accent. "Then, my dear, why don't we have a celebration?"

"Surprise!" The clan followed him into the room, led by Julia's parents, grandfather and Elvira.

Julia wrapped her arms around Ricardo's neck. "I love you so much, Montalvo." They kissed, ignoring the catcalls and whistles.

Chase busied himself with pouring champagne. They passed the glasses around quickly until everyone had one. He held up his own.

"A toast. To two of the most stubborn people I've ever known."

Laughter trickled into the room. *"Salud!"*

Julia and Ricardo tapped their glasses together and drank the fruity champagne. He kissed her on the nose.

Chase walked over to them. He hugged Julia tight and kissed her. He turned to Ricardo, hugged him and whispered, "The sooner you let her open the presents, the sooner we can be out of here and you can carry on, dude."

Ricardo raced behind his desk and brought out the gifts. "Have a seat, darlin'." He handed her the smaller box first.

She looked around at her family. "I love you all."

"Ay, *Chiquita,* no more suspense." Her grandpa's eyes twinkled merrily.

She grabbed his hand and kissed it before she started pulling off the white satin ribbon from the wedding paper. She lifted the lid off the box and gingerly pulled back the tissue paper.

She covered her mouth with her hands, the silence in the room growing heavy. She stared at Ricardo, her large eyes filling with tears.

Lorenza's voice boomed over all of them. "We're getting old here, Julia."

Julia waved and pulled out a frame. Her family seemed to gasp in one collective breath as they read over her shoulder.

"We can't see over here, kiddo," Lorenza complained. "What is it?"

Julia handed the box to her mother and passed the frame on to her grandfather. She stood and faced her friends. "It's the lease for the studio. And it's now in my name."

"Ahh." The entire group nodded in understanding and began clapping.

She turned to Elvira. "Auntie, what . . ."

Elvira hugged Julia. "It was Ricardo's idea, but it comes with my full blessing."

"Thank you."

"No. Thank *you.*" Elvira stepped back with the rest of the family.

Julia kissed Ricardo again. "I don't know what to say."

"It's okay, darlin'." He touched the strand of hair falling across her cheek. "Just open the next one."

She set the box on the desk between them and opened it. She cried out in delight and grabbed the heavy wooden plaque from the box. It was another sign, hand-painted, an exact duplicate of Elvira's sign hanging from the shop's awning, save for one small difference.

Julia held it over her head and turned slowly so that everyone could read it. Her smile was radiant, the tears were of joy, her kiss was tender and full of promise. Ricardo's chest puffed up to grand proportions when he glanced at the plaque.

Painted vines of bougainvillea decorated the perimeter

of the sign. In beautiful calligraphy was written: "Elvira and Julia's Dance Studio."

The grand opening of the restaurant went off without a hitch. Media roamed, guests were happy, the bold were already dancing. Julia had been at his side, gracious and beautiful, and he couldn't remember a happier time.

He yelled out to the hostess to cover the door. He jumped over the railing and headed for the studio.

Ricardo leaned on the doorway and watched Julia in her short purple dress, not looking much different from the first time he'd laid eyes on her in that very room. His physical reaction to her hadn't changed either. He shifted his stance for a more comfortable position. *No, old boy, it has.* He found it impossible to control his lust for her these days.

A country western tune belted out of the CD player and he raised his eyebrows in mild surprise. It looked like the line-dancing instructor was trying to keep up with Julia.

Ricardo threw back his head and laughed. When he opened his eyes again, he stopped immediately. Julia glared at him. Her arms were crossed, her foot was tapping. "This was supposed to be a surprise."

The instructor took the intrusion as an opportunity. He sat in a nearby chair and wiped his forehead with a towel, then took a swig from his water bottle.

"What's so funny?" Julia demanded when Ricardo chuckled again.

"Not funny, darlin', just delightful." He sauntered toward her and she rubbed her arms as if a sudden chill had invaded the room.

The glare disappeared and she licked her lips. "I find you more than delightful, too, Ricardo." She held her hand up and waited.

He slipped his arm around her waist. She rested her

hand in his palm and he brought them to his chest. "I like the look of these." Without taking his eyes off hers, he tapped her brown cowboy boots with the toe of his.

"Know a better way to get in the mood?" she asked innocently. She looked up at him, her eyes inviting him to test the boundaries.

"Oh, I can think of a few ways." He pulled her against him so that she would have no doubt he was seriously thinking of great alternatives.

He started a sexy hip sway and she matched his every move. After a few minutes of the excruciating torture, Julia stopped moving.

"There's no music, Montalvo," she said breathlessly. Her chest brushed against him in its own torturous way as she tried to catch her breath.

"There'll always be music, darlin'." He kissed her long and slow and let the music in his head guide them home.